AFGESCHREVEN

DE MARIONET

TOMAS ROSS BIJ DE BEZIGE BIJ

Het verraad van '42

De man van Sint Maarten

Koerier voor Sarajevo

Omwille van de troon

De mannen van de maandagochtend
(met Rinus Ferdinandusse)

Mathilde

De zesde mei

Kidnap
(met Rinus Ferdinandusse)

De dubbelganger

De anjercode

Plaats delict

De hand van God

King Kong

De tranen van Mata Hari

Tomas Ross

De marionet

2008
DE BEZIGE BIJ
AMSTERDAM

Cargo is een imprint van uitgeverij De Bezige Bij, Amsterdam

Omslagontwerp Studio Jan de Boer
Omslagillustratie Hollandse Hoogte
Foto auteur Mark Kohn
Vormgeving binnenwerk Peter Verwey, Heemstede
Druk Wöhrmann, Zutphen
ISBN 978 90 234 2841 1
NUR 305

www.uitgeverijcargo.nl

Voor Samuel Casimir

Met dank aan Bob de Jongste,
mijn redacteuren van De Bezige Bij
en vooral aan Dorine en Pauline
voor de doorstane beproeving.

'U wilt het niet weten!'

PIM FORTUYN

Proloog

MAART 2002

'Will you still need me, will you still feed me, when I'm sixty-four!' Evers strooit wat peper en zout over de forel en neuriet het befaamde Beatles-liedje verder, omdat hij de rest van de tekst is vergeten. Enkele weken geleden is hij vierenzestig geworden; sinds zijn vrouw ruim tien jaar geleden bij hem wegliep, maakt hij zelf zijn eten klaar. Een keukenprins zal hij nooit meer worden, maar hij vindt dat hij inmiddels wel een stuk beter kan koken dan zijn ex ooit deed. Sinds kort betrapt hij zichzelf erop dat hij weer aan haar denkt. Waarom weet hij niet. Met eenzaamheid heeft het niks te maken, daar is hij sinds zijn vervroegde uittreding allang aan gewend. Sterker nog, hij zou niet anders willen, is nooit erg op gezelschap gesteld geweest. Misschien heeft het wel met ouderdom te maken; oudere mensen dwalen graag terug naar het verleden om maar niet herinnerd te worden aan hun sterfelijkheid. Maar zo oud is hij nou ook weer niet. In elk geval heeft hij er de laatste tijd wel eens over gedacht haar te bellen. Ze zijn allebei in Den Haag blijven wonen, maar hij heeft haar nooit meer gezien. Waarom ook? Ze hebben geen kinderen en de meeste familie is dood. Vaak vraagt hij zich af hoe ze op het telefoontje van de notaris zal reageren als hij als eerste gaat. Het was per slot zijn schuld dat ze bij hem wegliep. En wie anders zou er van hem moeten erven?

Toch idioot, denkt hij, want hij weet niet eens hoe ze er nu uitziet. Wel dat ze nog leeft. Zou ze, net als hij, steeds in de nieuwe telefoongids bladeren om te kijken of hij nog wordt vermeld? Of in de krant onder de overlijdensadvertenties? Hij neuriet en legt de vis in de bruisende boter. Het toppunt van eenzaamheid: één rouwadvertentietje betaald door een notaris als executeur-testamentair.

Hij zou ook zomaar bij haar langs kunnen gaan met haar favoriete bloemetje, gele fresia's. Ze woont sinds kort niet ver van een bejaarde dame bij wie hij wel eens langsgaat, een dure buurt vol verzorgingsflats en aanleunwoningen.

'When I get older, losing my hair, many years from now...'

Zijn haar mag dan wel spierwit zijn, hij hééft het nog, zelfs nog behoorlijk veel.

Hij nipt van zijn jenever, terwijl hij op de keukenklok kijkt vanwege de kokende aardappelen. Buiten schemert het, iets over zes, 6 maart. Hij draait de vis om en zet de kleine radio op het aanrecht aan. Marjolein Uitzinger vraagt net aan de VVD-fractieleider Hans Dijkstal of de laatste opiniepeiling van Maurice de Hond over Leefbaar Rotterdam realistisch is. 'Dat denk ik niet,' zegt Dijkstal. 'Het lijkt me de waan van de dag. De kiezers vinden het nu prachtig, maar ze weten heel goed dat meneer Fortuyn veel geschreeuw en weinig wol betekent. De kiezers zijn niet dom.'

Dat zijn ze wel, denkt hij geërgerd. Je zou ze de kost moeten geven die niet weten wat een gemeenteraad is, laat staan dat ze een partijprogramma zouden lezen. Als ze al weten wat dát is. Hij stemt allang niet meer, maar is wel geïnteresseerd. Hij leest dagelijks twee kranten, de lokale krant en de *NRC*. 's Avonds kijkt hij naar het acht- en het tienuurjournaal, naar *NOVA* en naar *Barend & Van Dorp*. Als hij tenminste hier zit en niet in de bungalow.

'Maar het is desondanks natuurlijk een ongekend fenomeen,' zegt een wat geaffecteerde vrouwenstem. 'En het is ook niet voor niets dat de gevestigde partijen toch wel een beetje in paniek schijnen te raken...'

Hij schenkt zich een tweede glaasje jenever in, wanneer de deurbel rinkelt. Hij verwacht niemand. Nooit. Als er al wordt aangebeld, zijn het collectanten of Jehova's getuigen. Soms een buurman om gereedschap te lenen. Hij draait het gas laag, loopt het keukentje uit naar het gangetje en tuurt door het kijkgaatje. Wat vervormd door het bolle glaasje schemert de forse gestalte van een man met een bril op. Hij draagt een donker windjack met een kleurige sjaal. Het gezicht zegt hem niets, een bol gezicht met kort, donker haar, een snor, maar hij kan het niet goed zien.

De bel rinkelt opnieuw.

Hij laat de veiligheidsketting erop en trekt de deur op een kier.

'Dag Ben!' De man met de bril lacht nerveus. 'Je weet niet meer wie ik ben, hè? Wouterse. Rob Wouterse.'

Wouterse?

Hij weet het weer, herkent ook de stem, maar de man ziet er anders uit dan hij zich herinnert.

'Ja. Rob. Hoe gaat het? Kom binnen.'

'Dank je,' zegt de man. Hij doet al een stap naar voren als Evers de ketting nog los moet haken.

'Sorry, zit je te eten?'

'Nog niet.' Evers trekt de deur verder open als Wouterse geschrokken stil blijft staan.

In de keuken klinkt dezelfde vrouwenstem, die zegt dat de meeste allochtonen PvdA zullen kiezen.

'Heb je bezoek?'

'Wat? Nee. De radio staat aan.'

Wouterse grijnst opgelucht en stapt naar binnen.

Evers sluit de deur en haakt de ketting weer vast. Het valt hem nu pas op dat Wouterse er bleek uitziet. En ook dat hij een aktetas draagt. En waarom doet hij zo schichtig?

'Je ziet er anders uit dan vroeger. Je had toch geen snor? En verf je je haar?'

Wouterse grinnikt. 'Jij ziet er geen steek ouder uit.'

'Ik was net aan het koken. Heb je al gegeten?'

'Nee, maar ik hou je niet lang op.'

'O. Drink je wel een borrel?'

'Graag.'

Evers gaat hem voor naar het keukentje, waar hij de radio uitzet en een glaasje uit de keukenkast pakt, terwijl hij zich afvraagt wat Wouterse komt doen. Het is lang geleden dat ze elkaar zagen, zeker vijf jaar. Waarom heeft hij een tas bij zich? Komt hij van de dienst of werkt hij daar niet meer?

Hij schenkt het glaasje vol en zet het tegenover het zijne op de smalle keukentafel. 'Ga zitten. Wil je je jack niet uitdoen?'

Wouterse ritst het jack open en hangt het aan de stoel waar hij op gaat zitten. De tas zet hij ernaast.

'Je ziet er goed uit, Ben. Op weg hiernaartoe schoot het me te binnen dat je onlangs jarig bent geweest. 31 januari toch? Beatrix en jij. Ik had nog een bloemetje willen kopen, maar alles was al dicht. Hoe oud ben je nou? Drieënzestig? Vierenzestig?'

'Vierenzestig.'

Wouterse knikt en lacht als hij naar het fornuis kijkt.

'Nog steeds vis? Ik herinner me nog die broodjes van je! Weet je nog? Makreel, het stonk de tent uit!'

Evers glimlacht. 'Bokking. Gerookte bokking, maar die kun je bijna niet meer krijgen.'

'Ja, zo gaat dat.'

Wouterse drinkt. Het ontgaat Evers niet dat hij even steels op zijn horloge kijkt. Hij zet het glaasje neer en bukt zich om de tas te pakken.

'Herinner je je nog de oude cartotheek?'

Evers fronst verbaasd. 'Natuurlijk.'

'Ja. Wanneer ben je ook alweer weggegaan?'

'Vijf jaar geleden, in '97.'

Wouterse maakt de sluiting van de tas los.

'Net nog voor de verhuizing,' zegt hij. 'Heb je dat jaar nog meegemaakt dat het archief geschoond werd?'

Evers knikt, op zijn netvlies de grote zaal met dossierkasten, houten stellingen met duizenden hangmappen, kaartenbakken en een immense kluis die ze de 'Tabernakel' noemden.

'Alles werd altijd verbrand, weet je nog? Ergens in Limburg, waar ze toen ook het afgekeurde geld van De Nederlandsche Bank verbrandden.'

Evers fronst weer, nu geschrokken. Want Wouterse heeft uit de tas een donkergroene kartonnen map gehaald, dichtgestrikt met een donkergroen lint, en schuift die naar hem toe. Linksboven zit een etiket, en hoewel Evers het stempel erop zonder leesbril niet kan ontcijferen, herkent hij het ogenblikkelijk aan de vorm en de donkerrode kleur. Wouterse zet de tas weer op de grond en pakt zijn glaasje.

'Heb je ooit gehoord van iemand die de Sjeik werd genoemd?'

Deel 1

I
6 MEI 2002

Fortuyn is afgepeigerd. Gisteravond was er tot diep in de nacht een vergadering bij hem thuis. Daarna kon hij, ondanks twee dubbele whisky's en een slaapmiddel, de slaap niet vatten, onrustig door elk geluid in en buiten het huis. Er wordt wel door de politie gesurveilleerd, maar zijn verzoek om persoonlijke beveiliging werd vorige maand tot zijn woede door die klootzak Klaas de Vries afgewezen. Wat wil je? Partij van de Arbeid, die zouden het liefst een scherpschutter op hem afsturen. Sinds een paar weken slaapt hij daarom met zijn butler en de twee hondjes op de bovenste verdieping, maar het maakt niets uit. Om het uur wordt hij wakker, ondanks de airco het zweet op zijn lijf. Vannacht had hij nog graag naar zijn favoriete gayclub de Shaft gewild, die tot zonsopgang is geopend. Hij kan zich niet meer heugen wanneer hij voor het laatst heeft geneukt. Seks heeft een rustgevende invloed op hem, meer dan pillen, drugs of drank, maar hij durft niet alleen meer naar buiten, zelfs niet per taxi. De laatste maanden zijn er honderden hate-mails binnengekomen, vaak doodsbedreigingen. Bovendien hangen er ook 's nachts journalisten en fotografen rond bij zijn huis. Vast en zeker hopen ze erop dat hij kleine Marokkaanse jongetjes binnenhaalt. Het tuig van *de Volkskrant*. Maar niks over Melkert schrijven, die zijn vrouw met een zweepje schijnt af te ranselen.

De vergadering van de afgelopen avond maalt door zijn hoofd. Oeverloos gezwets. Hij haat vergaderen. Een van de eerste maatregelen die hij zich heeft voorgenomen door te voeren als hij aan de macht komt, is om de wekelijkse kabinetsvergadering tot hooguit twee uur te beperken. Je wordt er toch niet goed van dat zo'n Kok rustig tot één uur 's nachts doorgaat.

Vakbondsbestuurder. Inspraak, medezeggenschap, elke jan boerenlul een meninkje, een halfuur rondvraag. Poldermodel. Alles vlakstrijken. Dat zijn partij LPF gaat winnen, staat wel vast. De vraag is alleen wie de grootste gaat worden, hij of het CDA. De jongste peilingen geven aan dat hij tussen de dertig en veertig zetels gaat halen. Dat is nog nooit vertoond, zo'n monsterscore voor een politieke partij die pas enkele maanden bestaat. *De Volkskrant* meldde vanochtend: LPF GROOTSTE; PIM PREMIER. Zo trots als hij daarop is – en geamuseerd bij de gedachte aan die zure linkse bekjes bij *de Volkskrant* –, hij is er ook behoorlijk nerveus onder. Want het CDA kan nog steeds winnen. Ook Balkenende wordt op zo'n vijfendertig à veertig zetels geschat. Hij is wel een beginneling, een kind nog, maar wel een slim kind. Echt zo'n product van de VU, eigentijds, maar ondertussen. Oppassen dus. Van de PvdA heeft hij in elk geval niks meer te vrezen sinds het tv-debat waarin hij Melkert te kakken zette. Kok schijnt er een rolberoerte van te hebben gekregen, maar ja, eigen schuld, dikke bult, als je de eerste de beste boekhouder tot kroonprins benoemt. En de VVD onder Dijkstal heeft zichzelf allang vleugellam gemaakt door interne conflicten. En dan durven ze nog van hem te zeggen: 'Waar Pim komt, komt ruzie!' Als iemand de boel in het gareel weet te houden, dan is hij het wel. Tevreden steekt hij een sigaartje op en kijkt naar de hoge flats achter de ringweg van Utrecht. Hoe de verkiezingsuitslag er ook uit gaat zien, de LPF komt vrijwel zeker in een nieuw kabinet. Gisteravond heeft hij met Langendam en Dost geprobeerd een lijst van ministeriabele personen op te stellen. Geprobeerd. Want het valt niet te ontkennen: hoeveel leden de partij ook heeft, verreweg de meeste zijn onbenullen en minkukels, al denken ze daar zelf anders over. Het was al *a hell of a job* om een lijst kandidaat-parlementariërs voor elkaar te krijgen, dit is nog hopelozer. Het zijn ijdeltuiten, hetzelfde soort baantjesjagers en zakkenvullers waar hij nou juist tegen fulmineert. Zo'n ratje als Hoogendijk bijvoorbeeld, die pas aanschoof nadat ze hem bij de VVD hadden uitgekotst en die graag op WVC wil om wraak te nemen op zijn vroegere vrindjes bij *Elsevier* en de AVRO. Of anders Mat Herben, die Defensie wil. Als woordvoerder is hij prima, maar het is en blijft een grijs burgermannetje dat 's avonds thuis modelvliegtuigjes uitzaagt. En zo'n uitgerangeerde windbuil als Janssen van Raay, die zelfs zijn drankjes bij het Europees Parlement declareert, kan eigenlijk ook niet. Net als Harry Mens, die is loyaal als een hondje, heeft geld, niet te vergeten zijn eigen tv-programma *Business Class*, maar hij kent nauwelijks het verschil tussen de Eerste en de Tweede Kamer. Of zo'n hysterica als dat mens Winny de Jong. De gillende keukenmeid, die hij er alleen maar bij heeft genomen omdat ze een vrouw is en schatrijke vriendjes in de bouwwereld heeft. Een stoet van dwergen. Hij is omringd door een stoet van kreupele, eenogige dwergen. Het is de tol van het populisme. Het heeft fantastisch gewerkt naar de kiezers toe. Zo zijn kiezers nou eenmaal. Die zouden het liefst op Henny Huisman of Catherine Keyl stemmen. Zelfs hen heeft hij overwogen, allebei goed voor honderdduizenden tv-kijkers, maar je moet er toch niet aan denken met hen in het Catshuis te zitten! Corry Brokken heeft gestudeerd, had gekund, maar die weigerde. De tut!

'We zijn er bijna,' zegt zijn chauffeur Hans Smolders. 'Hoe voel je je? Wil je een pilletje?'

'Nee hoor, dank je. Die twee uurtjes moeten nog kunnen. Als we straks naar Leeuwarden rijden, hoop ik even te kunnen slapen.'

Hans remt vloekend voor een rotonde waarop het verkeer vaststaat.

'De puinhopen van Leefbaar Hilversum!' zegt hij smalend.

Fortuyn glimlacht om de steek onder water naar de man die hem afgelopen februari als een baksteen liet vallen. Jantje Nagel. Gefrustreerde ex-socialist met een drankprobleem. Toch zou hij Nagel er nu graag bij willen hebben, een eigengereide klootzak, maar wel eentje met kennis en ervaring. Net als Willem van Kooten, hoewel die zijn bijnaam De Draayer wel eer aan heeft gedaan! Schijterds, alleen vanwege de uitspraak dat de grens dicht moet voor islamieten. Wat dan? Nog verder open soms?

Hans draait de weg naar het Mediapark op.

Zelfs Hans heeft hij op de lijst gezet. Een noodsprong. Hans Smolders is een prima jongen die heel goed werk heeft gedaan tijdens de campagne, maar natuurlijk geen Kamerlid. En hij loopt zijn pik te veel achterna. Vorige maand heeft hij nota bene een secretaresse op het LPF-kantoor bij haar borsten gepakt. Alsof hij Clinton is! Het heeft niks uitgemaakt, al blies de linkse pers het flink op, maar het moet niet nog een keer gebeuren. Seks is prima, daar zitten de kiezers niet mee. Dat zie je aan hemzelf, ze vinden het prachtig dat hij er rond voor uitkomt homo te zijn en ook nog eens zo promiscue is als een haan in een kippenhok, maar doe het in godsnaam chic en met stijl! Wie moet hij in vredesnaam vragen? Er zijn er maar een paar die geschikt lijken. Bob Smalhout zeker, Vic Bonke ook, allebei hoogleraren net als hijzelf, wat altijd indruk maakt op de gewone man. De jonge Eerdmans zou kunnen, en in elk geval Firouze Zeroual en João Varela om de allochtone kiezers te trekken. Firouze zéker. Vrouw, zwart én moslima – strategischer kan het niet. De PvdA en GroenLinks zouden kwijlen als ze zo'n kandidate hadden. Toch zou nóg een vrouw erbij voor een ministerspost niet slecht zijn. Rabella de Faria is een heel goeie, maar hij moet ook aan Rotterdam denken, waar ze namens hem hard nodig is in het college. Net als Marco Pastors en Sörensen. Zijn enige echte vriendin, Mieke Bello, zou kunnen; ze is briljant als het om bestuurskunde gaat, maar aan de andere kant ook stronteigenwijs. Dat geldt nog harder voor Gerard Spong. Spong zou het uitstekend doen op Justitie, maar het is zo'n arrogante, eigengereide opportunist dat je er alleen maar last mee krijgt. Idem Hammerstein. Er is maar één leider, en dat is hij! Hij heeft toch al genoeg gesodemieter met al die vastgoedjongens die hem hebben gefinancierd. Een tonnetje voor Pim. Prima; hoe meer, hoe liever. Er was zelfs een projectontwikkelaar die zomaar even acht ton uit zijn koffertje haalde. Achthonderd briefjes van duizend!

'Ik doe het voor jou, Pim, dit land gaat naar de kloten.' Dat is zo, maar sinds ze begrijpen dat de regeringsmacht binnen handbereik ligt, stellen ze eisen alsof zij de partij hebben opgericht.

'Over mijn lijk!' heeft hij gezegd. 'Ik ben jullie ontzettend dankbaar, maar *no way*.'

Dat meent hij allebei. Hij is ze dankbaar: Maas, Thunnissen, De Kroes, noem ze maar op. Zonder hen geen campagne, maar het zijn en blijven patjepeeërs zonder enige politieke of culturele bagage.

Hij gaapt en kijkt op zijn Rolex. Het is vijf over halfvier. Hij heeft het gevoel dat er al een werkdag achter hem ligt en moet er niet aan denken nog tot zeker middernacht in touw te zijn. Vanochtend vroeg was hij al telefonisch te gast bij *Arbeidsvitaminen*, waar ze speciaal Gerard Joling voor hem draaiden. 'Love Is In Your Eyes.' Als Geertje niet zo'n onbetrouwbare nicht was, zou je hem bijna op de lijst zetten. Daarna had hij een afspraak in de Kuip, waar de grote baas Van den Herik met hem wilde praten over de beveiliging van het stadion. Nu de partij sinds de gemeenteraadsverkiezingen van afgelopen maart de grootste in Rotterdam is, verdringen Jan en alleman zich om in zijn gunst te komen. Toen Van den Herik wat lacherig had gesuggereerd wel in de running te zijn voor het burgemeesterschap voor Leefbaar Rotterdam, had hij zich er net zo lacherig van afgemaakt. 'Je weet toch dat ik Spartasupporter ben?'

Door het raampje kijkt hij naar de studiogebouwen die tussen het voorjaarsgroen opdoemen. En dan het premierschap.

Dat is wat hem nog het meest verontrust: al dat gepraat over 'premier Pim'. Zijn eigen schuld, hij heeft het zelf herhaalde malen geroepen. Vanochtend nog, tijdens een panel in Breda met studenten: 'Ik ga voor het Catshuis!'

Nu is hij ervan overtuigd dat hij het aankan, maar hij heeft er wel nachtenlang wakker van gelegen. Nooit echt geloofd dat het zover zou kunnen komen, dat hij het straks allemaal waar moet maken. Hoe vaak heeft hij al niet overwogen om het bijltje erbij neer te gooien?

Natuurlijk kan hij het, er zijn wel meer premiers *out of the blue* gekomen die het prima deden, heel goed zelfs. Wat stelde Drees nou helemaal voor toen hij het voor de eerste keer werd? Of zijn idool Joop den Uyl? Daar gaat het ook niet om, het is alweer het probleem van de juiste mensen om je heen. Daarom sprong hij ook een gat in de lucht na het telefoontje van vorige maand. De man die hem belde, is al jarenlang een voorbeeld en een vriend. Hoe vaak hebben ze niet samen goede sigaren gerookt, exquise wijnen gedronken en de Haagse politiek gefileerd? Allebei muziekliefhebbers – Bach, Beethoven, opera. Hij wist wel dat de ander zich steeds meer uitgerangeerd voelt en tandenknarsend aanziet hoe zijn eigen partij steeds meer afglijdt, maar toch. Dit had hij nooit verwacht. Niemand. Het zal me een klap geven! Hoeveel zetels extra? Minimaal tien, wie weet het dubbele. Sinds enkele maanden praten ze veel met elkaar, meestal ergens in het weekeinde of aan de telefoon, zodat het geen aandacht trekt. Met hem samen durft hij het aan, een absoluut onverslaanbaar duo. Hij heeft het er nog met niemand over gehad, ook niet met het partijbestuur. Waarom ook? Dat zootje ongeregeld doet er straks niet meer toe. Afgezien van een enkeling zal hij daar straks vanuit het Catshuis als eerste de bezem doorheen halen. Het Catshuis. Hij ziet al voor zich hoe hij het oude landhuis zal laten restaureren en er zijn intrek zal nemen. Het is toch een schande, al die kleinburgerlijke minister-presidentjes die liever bij moeders thuis bleven, zelfs Den Uyl in die ordinaire Buitenveldertse bungalow. Of zo'n autist als Kok met zijn vrouwtje Rita in een Vinex-woning zonder kraak of smaak. Nota bene het Catshuis. God, wat zal hij daar een residentie van laten maken! Hij zal het stralend wit laten schilderen, de vlag in top, wie weet het vaandel met zijn eigen wapen erop, marechausees op wacht en het geboomte eromheen weg, zodat iedereen het kan zien liggen. Het Witte Huis in Den Haag. Daar en niet in dat benauwde Torentje zal hij staatshoofden ontvangen en banketten en bals geven, en altijd eerder dan dat gekroonde schaap in dat burgermanspaleisje aan het Noordeinde!

Opeens realiseert hij zich dat hij vergeten is door te geven dat het een halfuur later wordt.

Hij zet zijn leesbril op, haalt zijn agenda en mobieltje tevoorschijn en zoekt het nummer. Enkele seconden later luistert hij naar de wat geaffecteerde stem van een man die geen naam noemt, maar kortaf verzoekt een boodschap in te spreken.

'Pim hier. It's a bloody shame, maar ik ben helemaal vergeten dat ik om tien uur nog een journalist van het *Friesch Dagblad* te woord moet staan. Zal nooit erg lang duren. Toespraakje van een halfuur, dan een besloten dinertje. Het lijkt me het beste als we om halftwaalf in het Oranje Hotel afspreken. Mocht er iets tussen komen, je hebt mijn nummer.'

Als hij uitschakelt, trilt het mobieltje en hij neemt aan.

'Fortuyn.'

'Theo van Gogh!' klinkt het vrolijk. 'Zeg, Goddelijke Kale, zit je al bij onze vriend De Wild?'

'Nee, we rijden net het Mediapark op.'

'Denk je eraan wat ik zei? Niet boos worden als hij je provoceert. En zeker niet weglopen, zoals laatst in Rotterdam! Ik heb hem net gebeld. Hij heeft beloofd het rustig aan te doen.' Van Gogh giechelt. 'Als je wilt heeft hij een snuifje voor je.'

'Ben je belázerd!'

''t Is anders heel opwekkend, hoor. Ik hoorde dat Van den

Herik wel op Sport wil. Zou ik doen. De kale leider en de Goddelijke Kale.' Hij giechelt weer. 'En als je nog een staatssecretaris Filmzaken nodig hebt? You got the number. Ciao. Take care!'

Fortuyn schakelt uit. Theo. Lieve jongen, slim ook, en een goede adviseur. Maar geen minister natuurlijk, zelfs geen staatssecretaris. Veel te omstreden. Al zou het aardig zijn om hem in zijn afgezakte jeans straks naast Trix op de trappen van Huis ten Bosch te zien. Hij glimlacht weer, nu vilein. Trix schijnt het sowieso al Spaans benauwd te hebben om hem, een republikein en een homo, straks de hand te moeten schudden.

Hans draait naar de slagboom en wijst: 'Albert en zijn vrouw, met Firouze.'

Fortuyn ziet hen ook: zijn manager Albert de Booij en zijn vrouw, beiden als altijd onberispelijk gekleed. Ze staan naast hun rode Jaguar bij de portiersloge en zwaaien enthousiast. Firouze draagt een kleurige zomerjurk, de zon glimt op haar bolle zwarte toet. Helemaal Suriname, zoals ze daar staat. Een gouden greep is ze. Want hoeveel Surinaamse Nederlanders schuiven er straks niet het stemhokje in? Niet ver van haar vandaan zwaait een blonde man in een jack. Hij wuift even terug. De naam van de man is hem ontschoten, een forse vent die zich een tijdje geleden als vrijwilliger aanbood om hem te begeleiden.

De slagboom gaat langzaam omhoog. Door het getinte glas ziet Fortuyn een jongen met een baseballpetje aan komen lopen. Hij draagt een plastic winkeltasje. Hij heeft wel een lekker kontje, vindt Fortuyn; jammer dat hij zich zo slordig kleedt in zo'n afgedragen spijkerjackje en ongewassen jeans. Hij denkt er al niet meer aan als de slagboom omhooggaat en de Daimler er langzaam onderdoor rijdt.

Het is maandag 6 mei, bijna tien voor vier op een zonnige middag.

2

Vloekend parkeert Lex de Rooy de Saab in. Te laat, godverdomme, vanwege zo'n kutfile op de A1! Maandagmiddag nog vóór vieren, het regent niet eens, en dan al bijna 4 kilometer file. Wat doen die klootzakken op Verkeer en Waterstaat de hele dag? Voor miljoenen verspijkeren ze aan het wegennet en het helpt geen ene mallemoer. En dan Hilversum. Helemaal een ramp, met die Nagel met zijn Leefbaar Hilversum. Hij botst met zijn bumper tegen de auto achter hem en trapt op zijn rem. Ook dat nog!

Hij graait zijn cameratas naar zich toe en stapt uit. De auto achter hem is een oude tomaatrode Toyota Starlet. In de gauwigheid kan hij niet zien of er iets is beschadigd. Het lijkt hem niet. Achter de voorruit ligt een vel papier op het dashboard en hij herkent de campagnefolder van de LPF. Een bezoeker dus waarschijnlijk, die misschien net als hij de pest heeft aan de ondergrondse parkeergarages daar.

Als hij terugloopt naar de Saab, komt er een vrouw in een bleekblauwe spijkerbroek op hoge hakken aanlopen.

Hij staat stil. 'Is die auto van u?'

De vrouw schudt haar hoofd. Ze heeft krullend donker haar en blauwe ogen. 'Is er iets mee?'

'Nee. Ik botste er net tegenaan, maar ik geloof niet dat er iets mee mis is.'

'O. Nou, zo te zien valt er niet zoveel meer aan te beschadigen.'

Ze glimlacht en passeert hem. Aan de overkant staat een man de heg te knippen.

Prachtige ogen, denkt Lex en hij haalt zijn vouwfiets van de achterbank. Als hij het fietsje open heeft geklapt, loopt zij met haar mobieltje aan haar oor naar de overkant. Hij hangt de tas om zijn schouder en fietst de andere kant op, naar het Mediapark. Hij trapt als een bezetene. Het interview met Fortuyn staat om vier uur gepland. Met een beetje mazzel kan het nog lukken; eerst nog reclame, nieuws, reclame. Hij wil achterom langs de portiersloge fietsen om de slagboom te vermijden. Er staat een man met een blauw petje op bij een oude Volkswagen-kever als een van de portiers naar buiten komt hollen.

'Hallo! Even stoppen graag.'

Lex trekt een grimas en remt. De portier herkent hem. 'O sorry, meneer De Rooy. Gaat u maar door.'

'Is Fortuyn al binnen?'

'Ja. Net. Weet u waar u moet zijn?'

'Ja. 3FM toch?'

'Klopt. Het Audiocentrum.'

Lex haalt alvast zijn kleine Canon uit het voorvakje van de tas, als zijn aandacht wordt getrokken door een witte cabrio die afremt, terwijl de slagboom langzaam omhoogkomt. Aan het stuur zit een blonde jongen met een zonnebril op. Razendsnel knipt hij af, voor de cabrio onder de slagboom door rijdt. Hij kent de naam van de blonde jongen niet, maar wel zijn kop. Een slijmbal die in *GTST* zit, idool van zijn dochter Tessel.

Hij fietst verder, de camera in één hand. Het zou kut zijn als Fortuyn al naar binnen is. Het interview staat tot zes uur gepland, die tijd heeft hij niet. De krant wil zo veel mogelijk foto's voor een verkiezingsspecial op de 15de. De afgelopen weken heeft hij zeker een paar duizend foto's van Fortuyn gemaakt en de man komt hem zo langzamerhand zijn neus uit. Een ijdele relnicht met zijn Oger Lusink-pakken.

Hij vloekt weer wanneer hij de verlengde donkerblauwe Daimler ziet staan. Fortuyns chauffeur Hans Smolders staat ernaast door een tijdschrift te bladeren. Hij fietst ernaartoe, langs een rode Jaguar die op de hoek staat geparkeerd.

'Hé, Hans. Is Fortuyn al binnen?'

Het tijdschrift is de *Playboy*. Smolders lacht.

'Ja. Net. Vette pech, jongen!'

Smolders heeft een zachte g en lacht door zijn neus. 'Hij miste je vanochtend al in Breda. Had je een kater?'

'Ik moest mijn dochter wegbrengen.' Lex draait zich om omdat hij in de bosjes achter de parkeerplaats geritsel hoort, maar hij ziet niks.

'Hoe oud is ze?'

'Dertien.'

'Jammer.'

'Rot op. Pak jij nou maar zo'n LPF-truttebol...' Hij schrikt opeens omdat ergens een metaalachtige stem schalt.

'Dit is BNN op 3. Vanmiddag ontvangt Ruud de Wild de man die na 15 mei premier van dit kikkerlandje kan zijn... Professor Pim Fortuyn.'

'Luidsprekers,' lacht Smolders, 'zodat ze daar bij de VARA en de VPRO ook kennis kunnen nemen van Pims gedachtegoed. Kom je vanavond niet naar Leeuwarden?'

'Nee.' Lex zet de fiets op de standaard en vraagt zich af wat hij zal doen. Hij heeft beloofd om zeven uur bij het uitvaartcentrum te zijn. Hilversum-Den Haag, op een maandagmiddag na vieren is dat zeker anderhalf à twee uur. Misschien kan hij straks even naar binnen bij de reclame en het nieuws van halfvijf.

'Hé, De Rooy,' zegt Smolders, 'als je hier toch bent, zou je dan een foto van mij bij de auto kunnen nemen voor mijn vriendin?'

Lex zucht. Hans Smolders is al net zo ijdel als zijn baas.

'Meneer Fortuyn,' klinkt de stem van Ruud de Wild. 'Mag ik u tatoeëren?'

Fortuyn lacht. 'Tatoeëren niet, tutoyeren wel. We zijn per slot jongens onder elkaar. Toch?' Hij giechelt, hoog en aanstellerig. Lex onderdrukt een huivering en pakt de Canon.

'Wil je dat je vriendin weet dat je de *Playboy* leest?'

'Wat? Jezus.'

Het is niet duidelijk of Smolders op de *Playboy* doelt of op André Hazes die opeens 'Zij gelooft in mij' zingt. Lex kijkt stomverbaasd op. Smolders haalt zijn mobieltje uit zijn binnenzak en neemt aan. 'Ja? Ja... Oké, ik breng het wel even.' Hij schakelt uit, zegt 'Sorry', trekt het portier open en haalt een doosje Panatella-sigaartjes uit het dashboardkastje.

'Even naar de baas brengen.'

'Vraag of hij om halfvijf een paar minuten voor me heeft.'

'Okido.'

Lex slentert langs de Daimler, terwijl hij zich afvraagt of hij in zijn leren jack naar het uitvaartcentrum kan of zich eerst nog moet verkleden. Hij blijft staan bij de bosjes, waarachter de avondspits van Hilversum rokend en stinkend voortkruipt. Er glimt iets tussen de struiken en als hij zich bukt, ziet hij dat het een euro is. Hij raapt hem op en steekt hem in zijn zak, ruikt even aan een witte sering en wandelt langzaam terug. Achter de Daimler draait een busje van het NOB naar de parkeergarage. Twee mannen staan met elkaar te praten. Smolders komt uit het studiogebouw. Soepeltjes rent hij de treden van het bordes af, steekt zijn duim op en komt bij de Daimler staan.

'Je hebt een goeie conditie,' zegt Lex.

'Jaloers?' grijnst Smolders en hij legt bestudeerd zijn elleboog op het dak van de auto.

3

Verscholen in de bosjes kan de jongen de kleine parkeerplaats goed zien. Hij zweet als een otter en voelt zich verschrikkelijk zenuwachtig, maar houdt zichzelf voor dat er niets kan gebeuren. Het pistool heeft hij onder wat bladeren gelegd. Die fotograaf had niks door, die liep gewoon een stukje. En mocht iemand hem hier betrappen, dan kan hij altijd zeggen dat hij hevige aandrang had. Hij zit hier perfect. Tot nu toe is alles ook perfect gegaan. Hij kan zich niet voorstellen dat er iemand op hem lette en hij is zorgvuldig buiten het bereik van de beveiligingscamera's gebleven. Hij zou alleen willen dat die fotograaf oprot. Achter hem schemert de omheining van het Mediapark, het geronk van het verkeer op de weg erachter komt hem alleen maar goed uit. Op enkele meters voor hem staat de dure wagen van Fortuyn. De chauffeur, een forse dertiger, poseert lachend bij de motorkap voor de fotograaf. Boven het geraas van de auto's klinkt de hoge, spottende stem van Fortuyn: 'Ik heb helemaal niets tegen islamieten. Ik ga zelfs met ze naar bed!'

De jongen glimlacht flauwtjes. Hoe vaak heeft die kale klootzak die kwalijke grap nou al gemaakt? Voor de zoveelste keer vraagt hij zich af of hij het werkelijk zal kunnen: een mens doodschieten. Natuurlijk kan hij dat. Hij heeft het al een keer eerder gedaan. Daarom juist! Trouwens, hij heeft geen keus. Iemand weet dat, iemand die hem het pistool heeft gegeven. Hij vloekt zachtjes en kijkt voor de zoveelste maal op zijn horloge. Het is nog vroeg, hij moet zich godverdomme niet zo de zenuwen maken!

'Ik wilde eigenlijk paus worden,' zegt Fortuyn. 'Maar ja, dat celibaat betekent ook niet masturberen en dat deed ik zo vaak dat dat nog een zware dobber zou worden.'

Oversekste flikker, denkt de jongen. Hij vraagt zich af waar die vent is die Fortuyn bewaakt.

Hij gaat verzitten en hoopt erop dat de vrouw die hem het pistool gaf, hem straks het dossier zal geven. Hij wil verdomme niet naar de gevangenis! Hij heeft een vriendin en een klein kind dat hij graag wil zien opgroeien.

4

Marike Spaans is bloednerveus, maar tegelijkertijd kan ze haar geluk niet op. Ze zit op de uitgestorven redactie en heeft net gegoogled naar een zwart-witfoto van twee mannen tegenover elkaar in een schemerig licht. Licht dat vonkt op glazen en bestek tussen hen in. Rembrandtesk licht als je er kleuren bij denkt. 1977. Ze was nog niet eens geboren toen een fotograaf Dries van Agt en Hans Wiegel betrapte in een chic Haags restaurant, waar ze tussen de glazen wijn en in nevels sigarenrook bespraken hoe ze Joop den Uyl pootje zouden lichten. De foto wordt op de School voor de Journalistiek nog steeds als hét voorbeeld van een primeur gegeven: de Heilige Drie-eenheid van Doorzettingsvermogen, Brutaliteit en Geluk.

Hoe zal ze het doen? Ze is niet eens fotografe, maar journaliste – althans, dat wil ze worden, want ze loopt nog stage. En het gaat nu niet om een restaurant, maar om een hotelkamer die vast en zeker bewaakt wordt. Fortuyn heeft dan wel geen bodyguards, maar bij de LPF loopt altijd wel een stel kleerkasten rond. Bovendien heeft ze geen camera, alleen een mobieltje en een recordertje, een kleine Sony die maximaal twee uur op kan nemen.

Doorzettingsvermogen, Brutaliteit en Geluk. Het laatste heeft ze absoluut. Als ze vanochtend had ontbeten, had ze dat niet gehad. Het is echt ongelooflijk. Er zat niemand in het Chinese restaurant – geen wonder, Leeuwarden, tegen vieren. Ze had een gadogado en een Spaatje besteld en was bij het raam gaan zitten, toen ze op het aanpalende tafeltje een opengeslagen krant zag liggen. *De Volkskrant.* Ze wilde al opstaan om de krant te pakken, toen er een mobieltje overging, de begintonen van Beethovens Negende. Het drong toen nog niet eens tot haar door dat het de Negende was; ze was te druk bezig te ontdekken waar de muziek vandaan kwam, er was immers niemand in het restaurant en de bediening was net naar de keuken verdwenen.

Het mobieltje, een grote Nokia, lag onder de krant. Was de eigenaar het ding vergeten of zat hij misschien op het toilet? Een 'zij' leek het haar niet, meisjes en vrouwen hebben andere mobieltjes. Pas toen de muziek abrupt met een paukenslag eindigde, zag ze de sigarenpeuk in de asbak. Er flitste een beeld door haar heen van een riante werkkamer in een woonboerderij waar een paar maanden geleden dezelfde ringtone had geklonken. Dat leek haar nog steeds toeval. Er zouden vast meer mannen zijn die sigaren rookten en van Beethoven hielden. Maar hier in Leeuwarden, waar die woonboerderij niet zo ver vandaan lag? In een opwelling had ze de Nokia in haar tas gestopt en was zelf naar het toilet gegaan, waar tot haar opluchting niemand was. Ze was op de pot gaan zitten en had de Nokia tevoorschijn gehaald. Een simpel apparaat dat vaag naar brandende sigaren rook. Op haar netvlies stond het beeld van een oudere, corpulente man gebrand, in blazer, een overhemd met een blauw streepje en een choker, kort grijs haar, helblauwe ogen als stenen knikkers achter brillenglazen in een gouden montuur. Er was maar één nieuw binnengekomen bericht, dat van daarnet. Roerloos had ze geluisterd naar de hoge, wat geaffecteerde stem van een man die hoorbaar in een auto zat. Met trillende vingers wist ze een serie namen en nummers op te halen, waarvan de meeste haar niks zeiden, maar sommige wel. Ook de naam van de man die net had ingesproken. Opgewonden en in de war had ze uitgeschakeld. Terug in het restaurant had ze de Nokia teruggeschoven onder de krant en had opgewonden gewacht tot het serveerstertje met het eten aankwam. Ze was er nog maar net aan begonnen, toen er een vrouw binnenkwam, zodat ze geschrokken had voorgewend notities in haar kladblok na te lezen. De vrouw zag er precies zo uit als toen ze de voordeur van de woonboerderij had geopend: tuttig haar, hetzelfde mantelpakje. Ze was naar het serveerstertje gelopen en vervolgens naar het tafeltje waarop *de Volkskrant* lag. Nog geen halve minuut later was ze weer verdwenen, met de krant en de Nokia.

Het was dus waar!

Wat kon ze doen? Halftwaalf, had Fortuyn gezegd. 'Ik ben helemaal vergeten dat ik om tien uur nog een journalist van het *Friesch Dagblad* te woord moet staan.'

Ook dat was waar. Die journalist, Lenstra, is haar chef en stagebegeleider, een seksist met een grote bek, een bierbuik, een zweetlucht en rouwranden, die in vijfentwintig jaar nooit verder is gekomen dan chef Stad. Sinds ze hem recht in zijn gezicht heeft gezegd dat hij met zijn poten van haar af moet blijven, zeikt hij over elk stuk dat ze schrijft. Hém gunt ze dit nooit. Trouwens, die hele klotekrant niet.

Halftwaalf in het Oranje Hotel, zei Fortuyn. Maar de LPF komt hier vanavond bij elkaar in een ander hotel.

Pas onderweg naar de krant dacht ze opeens aan Lex de Rooy, die ze vorig jaar tijdens haar eerste stageperiode had ontmoet. Geen journalist, maar een fotograaf met wie ze enkele opdrachten samen had gedaan. Net zo oud en net zo cynisch als de klootzak met de bierbuik, maar een stuk aardiger. Hij had haar behandeld als een collega en bij haar afscheid gezegd dat hij het jammer vond dat ze wegging. *NRC Handelsblad*, wel even wat anders dan dit provinciale kutblaadje waar ze Sneek al Manhattan vinden! Zou De Rooy nog weten wie ze is?

Zou ze het durven? Why not? Het is vijf voor vijf. Als hij kan, als hij wil, dan kan hij hier met een beetje geluk nog op tijd zijn. God, wat zou dat gaaf zijn!

Geluk, Doorzettingsvermogen, Brutaliteit.

Ze glimlacht wrang en denkt aan haar vader, die er nooit in heeft geloofd dat ze het in de journalistiek zou maken. Ook een klootzak met een bierbuik. En dood.

De politieverslaggever komt binnen, zwaait naar haar, gaat zitten en zet zijn radio aan. 'Fortuyn,' zegt hij. 'Goed hoor!'
'Zeg eens eerlijk, Pim: als je nou zou moeten kiezen,' klinkt de stem van Ruud de Wild, 'Dijkstal, Balkenende of Thom de Graaf, wie zou je dan nemen?'
'Wat bedoel je met nemen?' zegt Fortuyn. 'Ik ben absoluut van de herenliefde, maar aan deze drie heren moet ik toch niet denken, hoor!'
De Wild giechelt. 'Mag ik je stropdas hebben?'
'Nee.'
'Waarom niet?'
'Omdat meneer Fortuyn arm is en ik hem vanavond nog moet dragen.'
De Wild lacht. 'Oké. Even tijd voor een plaatje, dan de boodschappen, het nieuws en dan wij weer het laatste uurtje.'
Zal ze Lex de Rooy bellen? Jezus, waar is ze bang voor? Ergens in haar adresboekje heeft ze indertijd De Rooys telefoonnummers genoteerd. En als hij niet kan of wil, kan ze altijd nog proberen foto's met haar mobieltje te maken. Ze trekt een grimas, omdat de schoenen die ze vanochtend heeft gekocht nog steeds knellen, zodat ze die eerst uittrekt voor ze haar tas pakt.

5

'Twaalf provincies is van de gekke,' zegt Fortuyn. 'Dat zijn er zeven te veel. Het is een negentiende-eeuwse constructie die allang is achterhaald en alleen nog maar dient als broedplaats voor baantjesjagers en zakkenvullers. Zoveel commissarissen van Hare Majesteit, dat is je reinste flauwekul. Ik zou zeggen: zet er een paar stevige uitzendkrachten op en je bent beter af. En een stuk goedkoper.'

De Wild grinnikt.

'En wat wil je dan met Europa?' vraagt hij.

'Dat heb ik al duidelijk gemaakt in mijn laatste boek *De puinhopen van acht jaar Paars*. Ik ben een loyale voorstander van de EU, maar wel met behoud van onze eigen identiteit. We zijn geen Malle Pietje, om het maar eens op z'n Hollands te zeggen.'

Lex heeft er genoeg van en schuift Nina Simone de cd-speler in. Dr. Simone, de hogepriesteres van de soul. Een kutwijf dat hem een keer dronken zijn camera uit handen heeft geslagen, maar wel een fantastische muzikante. 'Sinner Man' is een onovertroffen nummer; zelfs Tessel, die alleen maar naar rap en dat soort teringherrie luistert, heeft het gedownload. Terwijl hij met de vingers van zijn linkerhand het swingende ritme van de piano meeroffelt op het stuur, vraagt hij zich af of het waar is wat Fortuyns chauffeur vertelde. Volgens hem wordt allochtone jongeren en links-radicalen die Fortuyn bedreigen geen strobreed in de weg gelegd. Daarom zou minister De Vries van Binnenlandse Zaken persoonsbeveiliging geweigerd hebben, daarom zou de korpsleiding van Rotterdam ondanks alle aangiften van bedreiging en intimidatie nauwelijks extra surveillance laten rijden rond Fortuyns brallerige woonhuis in Rotterdam.

Smolders suggereerde zelfs dat Kok en Rosenmöller erachter zouden zitten. Totale flauwekul. De bekende LPF-paranoia. Fortuyn weet best dat hij geen recht heeft op beveiliging; hij provoceert alleen maar om aandacht te krijgen van de pers. Het gekke is dat hij die krijgt, ook van hem.

Hoewel hij al jaren niet meer stemt en Fortuyn een blaaskaak vindt, is hij toch gefascineerd door de man. Hij is vijftig en heeft de afgelopen dertig jaar allerlei gekken en eendagsvliegen in de politiek meegemaakt. Boer Koekoek, de RKPS, Janmaat, DS'70, de Ouderenpartij, om maar niet te spreken van alle frustrado's die hun gezin, tijd en spaarcenten tevergeefs hebben gespendeerd. Maar Fortuyn is hoe dan ook een fenomeen. De LPF bestaat nog maar enkele maanden en wordt nu al op minimaal dertig zetels geraamd, een absoluut record. Een kale homo met grootheidswaan, een snob die met geld smijt en zegt sperma lekker te vinden. Je houdt het niet voor mogelijk. Dat het gebruikelijke zootje aan querulanten en nitwits op hem gaat stemmen is normaal, maar tante Mien uit Almere doet het ook, net als studenten, keurige burgers en zelfs Nederlandse Turken en Marokkanen, die homoseksuelen het liefst van een toren zouden gooien. Wat is het? Want alleen die grote scheur over migranten kan het niet zijn. De versoaping van Nederland? Net als met seks en de tv? Hoe Gekker, Hoe Beter? De endemolisering van de politiek? Het zijn ook veel proteststemmen. Juist omdat Fortuyn in alles het tegendeel is van Kok en Melkert. De dandy tegenover de boekhouders, Melkert zeker. Die heeft het smoel van een gereformeerde drogist, hoe je als fotograaf ook je best doet. En dan als socialist in de WAO gaan zitten snijden, dat is helemaal een gotspe. Maar jezus, Fortuyn? Een gesjeesde professor die het letterlijk en figuurlijk van de onderbuik moet hebben?

Gisteravond heeft hij er nog ruzie over gemaakt met Anke, die er serieus over denkt LPF te stemmen. Nota bene communicatiewetenschappen gestudeerd en journaliste geweest!

'Wat heb je in jezusnaam met die nicht?'
'Wat heeft dat er nou mee te maken?'
'Niks, behalve dat hij het er zelf voortdurend over heeft.'
'Hij is eerlijk, dat is het verschil. Als je zo'n Kok ziet draaien met Srebrenica, dat is toch van een huichelachtigheid om van de kotsen?'
'Eerlijk? Laat me niet lachen. Omdat hij ervoor uitkomt dat hij Marokkaantjes in de darkroom neukt? Of dat hij de belastingen wil verlagen? De bureaucratie wil aanpakken? Nee, echt verrassend nieuwe standpunten, hoor! Nooit eerder gehoord. Hou toch op, het is gewoon een populist!'
'En wat is daartegen? Je wordt oud, Lex. Je zit nog vast aan Den Uyl. Het is de eenentwintigste eeuw, hoor. Het is toch juist prima als een politicus populistisch redeneert? Dat betekent toch niet dat hij onwaarheid spreekt? Eindelijk iemand die zegt wat het volk denkt. Het volk, weet je wel? Daar is politiek toch voor? Fortuyn spreekt het volk aan.'
'Net als Hitler dus.'
'O jee! Lex de Rooy! De professor L. de Jong van de journalistiek! Het is 2002, baby! De oorlog is voorbij, weet je wel. Als je hem nou nog had meegemaakt! En trouwens, je ziet toch dat ze het allemaal doen? Ze zaten toch allemaal te slijmen bij Henny Huisman? Melkert, Rosenmöller, dat mannetje Balkenende?'
Anke is zeventien jaar jonger dan hij. Nog steeds bloedmooi voor een vrouw van begin dertig en dankzij de sportschool met het lijf van een twintigjarige. Ze zijn bijna een jaar samen, een latrelatie, want samenwonen willen ze geen van beiden. Alleen in de weekeinden proberen ze bij elkaar te zijn, wat vanwege hun werk ook lang niet altijd lukt. Hoewel hij al een tijdje probeert om het dan rustiger aan te doen, ook vanwege Tessel, komt het daar niet erg van. En Anke is na een paar jaar freelance tekstschrijven net begonnen met een eigen bedrijfje: VDC, Van Dam Consultancy, mediatrainigen voor managers

en aankomende politici, veertig vierkante meter kantoor, een bureau, een computer, twee dvd-cameraatjes. Echt hard lopen doet het niet; geen wonder, het sterft tegenwoordig van de oud-journalisten en voorlichters die brood zien in 'consultancy'. Het is natuurlijk verraad aan je vak en pure humbug, maar dat zegt hij maar niet. Ze is toch al snel gepikeerd. Sowieso begint hij te merken dat er een pittig verschil zit tussen vijftig en drieëndertig jaar.

De ANWB heeft een hoop files gemeld, maar nou eens niet op de A12 naar Den Haag. Hij hoopt er het beste van, want erg betrouwbaar zijn die filemeldingen niet. Het is tien over vijf en hij is al voorbij de wegversmalling bij Woerden. Met een beetje geluk staat het nog niet vast bij Den Haag en kan hij nog een borrel drinken, zich douchen en zich verkleden voor hij naar dat uitvaartcentrum moet. Zijn ex-schoonvader. Als het niet om Tesseltje ging, zou hij er niet eens aan denken. Een hufter van een man die zijn leven lang de boel heeft opgelicht, maar je kunt er gif op innemen dat het straks bij de begrafenis een en al hosanna zal zijn. Ook nog eens negenentachtig jaar geworden. Hartaanval. Mooie dood, zullen ze straks wel weer zeggen. Tessels enige grootvader, want zíjn vader heeft ze nooit gekend. Hijzelf ook nauwelijks.

Zijn mobieltje rinkelt. Hij kijkt eerst in zijn achteruitkijkspiegel of er politie op de weg zit. De afgelopen maanden is hij al drie keer bekeurd wegens telefoneren tijdens het rijden, en een handsfree-set is er nog steeds niet van gekomen. Het 06-nummer op het display zegt hem niets. Hij draait het volume van de cd-speler zachter en toetst in.

'Hallo?'

'Lex?'

De opgewonden stem van een vrouw.

'Met wie spreek ik?'

'Met Marike Spaans. Hai!' Ze lacht zenuwachtig. 'Weet je nog wie ik ben?'

Het duurt even voor hij een beeld doorkrijgt. Het beeld van een jonge vrouw, eerder nog een meisje. Niet mooi, wel aantrekkelijk. Mollig. Een beetje het gezicht van de jonge Monique van de Ven uit *Turks fruit*, lekkere lippen, bruine ogen, blond haar. Marike Spaans. Een Scheveningse. Een stagiaire. Hij herinnert zich ook dat hij haar een avond meenam naar Nieuwspoort, waar ze na twee glazen tequila stomdronken was en buiten in de Hofvijver heeft staan kotsen.

'Ja. Natuurlijk. Hoe gaat het met je?'

'Oké. Hé, ik loop momenteel stage bij het *Friesch Dagblad* – ja, sorry hoor, maar ik dacht: misschien heb ik wel iets voor jullie, want dit zijn een stelletje boeren, dat wil je niet weten. Vanavond komt Fortuyn hier, misschien weet je dat. Volgens mij heb ik echt...'

Een ratelende tankwagen passeert hem, zodat hij haar niet meer verstaat.

'Sorry, wat zeg je?'

'Ik denk dat ik een enorme primeur heb! Echt! Hij zit vanavond in het Oranje Hotel hier...'

Geschrokken ziet hij in zijn rechterzijspiegel de oranje-blauwe strepen over de motorkap van de witte Mercedes die de weg op draait. Hij denkt er nauwelijks over na, maar laat nog voor de politiewagen vóór hem invoegt, het mobieltje uit het open raampje vallen, terwijl hij meteen met zijn linkerhand zijn haren langs zijn oor strijkt. Het mobieltje kostte bijna honderd gulden, een bekeuring zeker het dubbele in die kuteuro's waar hij nog steeds niet aan gewend is.

Gehoorzaam remt hij af als de rode letters STOP achter op de Mercedes beginnen te knipperen, en draait mee naar de vluchtstrook, waar hij de Saab parkeert en een beer van een politieman op zich af ziet komen.

'Goedemiddag, meneer. U weet waarom u moet stoppen?'

'Geen idee.'

'U was tijdens het rijden aan het bellen en dat mag niet.'

'Bellen?' zegt hij met een verbaasd lachje. 'Dat lijkt me stug. Ik heb mijn mobieltje namelijk net in Hilversum verloren of het is daar gejat.'

6

'En?' vraagt Ruud de Wild. 'Wat vond je? De diepgang van een stoeptegel?'

'Welnee,' zegt Fortuyn, 'van een flinke plas water.' Hij lacht. 'Maar het was wel gezellig.'

'En als ik nou betaal voor je stropdas?'

Fortuyn grinnikt hoofdschuddend en steekt het doosje sigaren bij zich.

Op de een of andere manier heeft het interview hem opgekikkerd. Energiek loopt hij met De Wild achter de zendercoördinator en enkele medewerkers van BNN aan naar de uitgang, als een jonge jongen met een wipneus hem onverwacht een microfoon onder zijn neus houdt.

'Meneer Fortuyn, mijn naam is Filemon Wesselink. Ik loop hier stage. Mag ik u wat vragen?'

'Tuurlijk,' knipoogt Fortuyn. 'Leuke jongens mogen mij altijd wat vragen. Zeker met zo'n Griekse naam, waarvan ik hoop dat die ook je beginselen dekken.'

De jongen glimlacht onzeker. 'Hoe ondergaat u het nou allemaal?'

'Nou, het is wel topsport, hoor, zo'n campagne voeren.'

'U ziet er moe uit.'

'Ja, op het ogenblik wel. Maar als je me morgenochtend tegenkomt, zie ik er weer uitgerust uit en dat is het leuke...'

Hij kijkt naar de zendercoördinator achter hem. 'Kan ik hier ergens nog even plassen?'

7

Uit een plastic tasje heeft de jongen latex handschoenen gehaald; die heeft hij aangetrokken en daarna heeft hij het pistool gepakt en het schoongeveegd. De afgelopen weken heeft hij er in de bossen achter zijn woonplaats mee geoefend. Echt goed kan hij niet schieten, maar dat is ook niet nodig als het gaat zoals hij hoopt. Hij zou alleen willen dat zijn handen niet zo trilden en dat hij nog zou kunnen pissen, maar het is al twee minuten geleden dat het interview werd beëindigd. Wat verderop staat nog steeds een rode Jaguar waar nu drie mensen bij staan, een chic geklede man en twee vrouwen, van wie de zwarte vrouw naar de chauffeur bij de Daimler van Fortuyn loopt. Hij kent hen niet, heeft er ook niet op gerekend dat ze er zouden zijn, maar het komt wel goed uit. Hoe meer mensen, hoe meer paniek. De bodyguard kijkt naar de ingang van de studio en loopt dan achter de Daimler langs. De jongen vloekt zachtjes en ziet gespannen tussen de bladeren de lange gestalte van Fortuyn als eerste uit het studiogebouwtje komen, onberispelijk in zijn donkerblauwe maatpak, de zon glanzend op zijn kale schedel. Pal achter hem loopt een oudere man die iets zegt, dan volgt de dj die hem net interviewde. Ze lachen en schudden elkaar de hand. Fortuyn loopt al met grote passen naar de mensen bij de Daimler, als een meisje met een kistje uit het gebouw op hem toe rent. 'U vergeet uw fles wijn, meneer Fortuyn!'

'Ach. Lief van je! Dank je wel, hoor.'

Fortuyn geeft het kistje aan zijn chauffeur. De chauffeur steekt zijn duim op. De zwarte vrouw lacht en kust hem op zijn wangen.

'Vind je het gezellig als we met je meerijden?'

'Natuurlijk. Als ik maar wat te eten heb en even kan slapen.'

'We hebben chips meegebracht.'

'Jasses!' Fortuyn lacht en loopt naar de Daimler. De man in het windjack roept zijn naam. De jongen vouwt het plastic tasje om het pistool en komt overeind. Hij rent naar de Daimler, waar Fortuyn hem net als de anderen verbaasd opneemt, laat opeens de zak vallen en schiet. Hij hoort de man in het windjack een kreet slaken, schiet opnieuw, hoort een kogel op de Daimler afketsen, ziet in een flits dat Fortuyn valt, schiet nog twee keer, passeert de zwarte vrouw, die er als bevroren bij staat, slaat de hoek om en rent hijgend, het pistool nog steeds in zijn hand, de zonovergoten weg op naar de andere kant van het park, terwijl hij zich afvraagt waarom hij geen bloed zag. Heeft hij gemist? Zijn broekspijpen zijn nat en hij hoopt dat het van het zweten komt. Een man en een vrouw die uit het gebouw van de VARA/VPRO/NPS komen, kijken hem verbijsterd aan.

'Opname *Spangen*!' roept hij.

Ze lachen en zwaaien.

Hij rent langs het gebouw, maar als hij even omkijkt, ziet hij Fortuyns chauffeur op zo'n honderd meter afstand achter zich aan komen. Verdomme, hoeveel kogels heeft hij nog? Als die vrouw er nou maar staat!

8

Het Oranje Hotel staat pal tegenover het stationsgebouw, een spuuglelijke glazen gevel waarachter je eerder een gokpaleis verwacht. Op de hoek van het drukke verkeersplein hangt een billboard waarop een gladgeschoren Fortuyn haar met onwaarschijnlijk blauwe ogen en zijn wat cynische glimlach aankijkt. Een plakstrook over zijn geel-blauw gestreepte stropdas meldt dat hij vanavond, maandag 6 mei, in Van den Berg State van 20.30 tot 21.30 uur de leden van de LPF-Leeuwarden zal toespreken. Ook niet-leden zijn welkom. De toegang is gratis.

Ze loopt onder de overkapping het hotel binnen. Haar schoenen knellen nog steeds. Het interieur is nep-oud-Engels, veel skai dat voor rundleer door moet gaan, kitsch. Het ruikt er naar gebakken aardappeltjes en ondanks de gadogado van nog maar een paar uur geleden heeft ze alweer trek. Haar probleem: eten. Ze is nog geen 1 meter 65 lang, maar weegt bijna zeventig kilo. Ze verdringt de gedachte aan eten en kijkt om zich heen. In het restaurant zitten enkele mensen. Achter de mahoniehouten receptie zit een man aan de computer. Hoe komt ze erachter of Fortuyn hier om halftwaalf wordt verwacht? Beter nog: of er een kamer voor hem is gereserveerd? Zou dat op zijn eigen naam zijn?

Verdomme, waarom verbrak De Rooy de verbinding? En waarom belt hij dan niet terug? Zijn mobieltje lijkt wel dood. En bij hem thuis krijgt ze steeds de voicemail.

De receptionist glimlacht naar haar. 'Kan ik u helpen?'

Ze schudt haar hoofd en knikt dan naar het restaurant: 'Nee, dank u, ik heb daar zo meteen een afspraak.'

Hij knikt ook en buigt zich weer naar de computer als ze het restaurant binnenloopt. Verdomme, waarom vraagt ze niet gewoon of Fortuyn hier vanavond logeert? Wat kan er nou gebeuren?

'Hé, Marike!'

Ze kijkt opzij en ziet een verslaggever van Omrop Fryslân zitten, net als zij een stagiair van de Utrechtse School voor de Journalistiek. Bart, een dikke jongen die hiervandaan komt en met wie ze wel eens wat drinkt. Maar nu zou ze hem liever niet zien. Alhoewel. Waarom zit hij hier? Weet hij dan soms of Fortuyn hier logeert? Hij is alleen en duidelijk aan het werk, want naast zijn pilsje staat zijn opengeslagen laptop. Achter de bar staat een groot tv-scherm met daarop Saddam Hoessein achter een batterij microfoons.

'Hai,' zegt ze en ze gaat tegenover hem zitten.

'Wil je wat drinken?'

'Lekker. Een witbiertje graag. Wat doe je hier?'

'Een item voor vanavond voorbereiden. Interview met Jan Bruin.'

'Wie is dat?'

'Jan Bruin?' Bart lacht ongelovig. 'Hoe lang zit je hier nou al? De spits van Cambuur. Twee keer gescoord gisteren tegen jullie kutcluppie ADO-Den Haag.'

'O.' Voetbal. Ook dat associeert ze negatief met haar vader. Nota bene nog een ADO-vlaggetje op zijn graf!

Hij wenkt een ober als ze tegenover hem gaat zitten. 'En jij?'

Even aarzelt ze. 'Weet jij of Fortuyn hier vanavond logeert?'

'Fortuyn? Geen idee. Ik weet alleen dat we hem straks bij de LPF moeten filmen.'

De ober vraagt naar de bestelling.

'Twee witjes graag,' zegt Bart en hij kijkt weer naar haar. 'Hoezo?'

'Misschien zou ik hem dan kunnen interviewen.'

Bart fronst verbaasd: 'Dat doet Lenstra toch bij jullie? Ik zag hem net nog met de voorlichter van de LPF.'

'Weet ik, maar ik kan het waarschijnlijk kwijt aan de *NRC*.'

'De *NRC*?'

Hij zegt het alsof hij eigenlijk 'Jíj?' wilde zeggen.

Ze knikt triomfantelijk. 'Via Lex de Rooy, weet je wel, die fotograaf van ze met wie ik vorig jaar wel eens wat deed.'

Hij grijnst. 'Wát deed?'

Ze grijnst terug. 'Nee, lul. Niet wat jij denkt.'

'Krijg je daar dan geen gelazer mee?'

'Dat maakt me geen fuck uit. Volgende maand is die kutstage toch afgelopen.'

De ober vloekt in het Fries, zodat ze allebei geschrokken opkijken. Hij staat met de twee pilsjes bij de tv, waarop een zichtbaar ontstelde Sacha de Boer zegt: '... De dader zou een man zijn die nog voortvluchtig is. Een omstander is dodelijk gewond. Een van de kogels heeft Fortuyn in diens linkerhand geraakt, maar afgezien van een vleeswond mankeert hem niets, voor zover bekend. We schakelen nu over naar het Mediapark, waar onze collega Joris van de Kerkhof toevallig net is...'

'Jezus christus!' zegt Bart ongelovig. 'Moet je kijken!'

Op het grote tv-scherm komen een paar politiemannen in beeld op een parkeerplaats die met rood-wit lint is afgezet. Twee mensen zitten gehurkt bij een man die roerloos op de grond ligt. Zijn windjack bolt op in de wind. Er staat maar één auto op de parkeerplaats, een donkerblauwe luxewagen, ernaast een radioverslaggever met microfoon. Tegenover hem staat een stevige dertiger met een wezenloze glimlach. Bij de ingang van de studio vormt zich een groepje mannen en vrouwen met witte gezichten, en ze herkent de dj Ruud de Wild.

Het gezicht van de radioverslaggever vult het beeld, voor zijn mond de microfoon die zichtbaar trilt. 'Bijna een kwartier geleden,' zegt hij, 'om precies te zijn om zes minuten over zes, schoot een man hier vier of vijf keer op Pim Fortuyn, die net naar buiten kwam. Daarbij werd een man in zijn borst getroffen. Pim Fortuyn werd in zijn hand geraakt. Het lijkt niet ernstig. Hij is nu onder behandeling, maar gaf te kennen toch naar een bijeenkomst van de LPF in Leeuwarden te willen. Zijn chauffeur, Hans Smolders, die de dader achternazat, staat hier naast mij...'

De camera trekt weer terug. Smolders heeft schrammen op zijn gezicht en een winkelhaak in zijn colbert. Hij knippert voortdurend met zijn ogen en kijkt geen moment naar de roerloze gestalte op de grond achter het rood-witte lint.

'Meneer Smolders,' zegt de verslaggever, 'u rende achter de schutter aan. Hebt u hem kunnen zien? Kunt u hem beschrijven?'

Smolders knikt, maar zwijgt even voor het aanzwellende geronk van een helikopter, waar de camera ogenblikkelijk naartoe draait.

'Niet goed,' zegt hij dan. 'Hij had een petje op, een blauw baseballpetje. Maar hij wilde mij ook neerschieten, dus ja...'

'Ja. Hij rende bovenlangs het park uit, zei u?'

'Ja.'

'Wedden dat het een Turk of een Marokkaan is?' zegt de ober en hij zet de biertjes neer. 'Pim heeft groot gelijk. Allemaal een enkele reis terug.' Hij ziet een serveerstertje langslopen en roept: 'Boukje, vergeet je niet straks een boeket in de suite van meneer Fortuyn te zetten. En er moet een kaartje van de directie bij.'

'Ik raakte hem opeens kwijt,' zegt Smolders. 'Ik denk eigenlijk dat daar een vluchtauto voor hem klaarstond.'

9

In de stille sociëteit nipt de man van zijn Ballantine, zet het glas neer en steekt zijn sigaar aan, alles zonder zijn blik ook maar een seconde van de televisie af te wenden. Volgens Sacha de Boer zou het gaan om een jonge, blanke man, gekleed in een spijkerjasje en met een baseballpetje op, die zich in de bosjes achter het Audiocentrum had verstopt. Hij heeft vier of vijf keer op Fortuyn geschoten, maar hem alleen in zijn linkerhand geraakt. Fortuyn heeft juist daardoor ongehoord geluk gehad; hij klapte opzij, zodat de andere kogels hem misten. Maar een man naast hem werd erdoor geraakt en stierf ter plekke. Zijn identiteit is nog niet bekendgemaakt, maar hij zou een vrijwillige bodyguard zijn geweest. Het is niet te geloven, op klaarlichte dag. Bijna een politieke moord in dit land! Twee kogels zijn teruggevonden in Fortuyns Daimler. Fortuyn zelf is meteen naar het ziekenhuis gebracht. Hij was weliswaar hevig geëmotioneerd, maar is slechts licht gewond, de kogel heeft het weke deel tussen duim en wijsvinger doorboord. Inmiddels zou hij al met zijn manager onderweg zijn naar de LPF-bijeenkomst en een etentje in Leeuwarden. Zijn chauffeur is achter de schutter aan gerend, die kennelijk de weg wist in de doolhof van het Mediapark. De man ontkwam via het dak van een parkeergarage achter het gebouw van de RVU. Er zou sprake zijn van een handlanger met een vluchtauto. De politie doet een oproep naar getuigen.

De corpulente man veegt wat sigarenas van zijn vest. Boven de geluiden op de tv uit hoort hij de achtergrondmuziek in de sociëteitsbar. Bach. Enkele seconden is hij in de war, omdat er dwars doorheen de eerste klanken van Beethovens Negende te horen zijn. Naast hem op een bijzettafeltje rinkelt zijn Nokia.

Hij legt de sigaar terug in de asbak en neemt op.
'Ja?'
'Pim hier! Heb je het al gehoord?'
Fortuyns stem klinkt hoger dan normaal.
'Ja. Net. Godnogaantoe, kerel, hoe is het?'
'Ik sta nog te trillen op mijn benen! Er is net iemand voor mijn ogen doodgeschoten! Zomaar. Door een of andere idioot! Wat is dit verdomme voor een land! It's a bloody shame!'
'Ik hoorde het. Verschrikkelijk. Wie was hij?'
'Geen idee. Het schijnt een vrijwilliger te zijn die zich had aangeboden om me te beveiligen. Je houdt het toch niet voor mogelijk? We zullen de rekening van zijn begrafenis naar Wim Kok sturen!'
De corpulente man glimlacht, omdat Kok op de televisie net buiten het Torentje wordt geïnterviewd.
'En jijzelf?'
'Ik? Ik ben een martelaar!' Fortuyn giechelt. 'De Heilige Pim! Guillermo le Sacrale!'
De corpulente man neemt een slokje om zijn ergernis te onderdrukken.
'Ik bedoel je verwonding. Ze zeiden zojuist dat het mee zou vallen.'
'Klopt. En zolang ik nog met mijn rechterhand kan salueren...' Fortuyn lacht nu. 'Zo vreselijk als het is, volgens Herben zitten we morgenochtend zeker boven de veertig zetels! Hoor je de linkse gemeente al vloeken? Nou ja, ik heb nu wel een politie-escorte meegekregen. Je moet in dit land verdomme dus eerst worden neergeschoten, willen ze je beveiligen!'
De corpulente man staart naar de Friese staartklok tegenover hem, waarop het bijna halfacht is. Fortuyn is soms net een verwend groot kind, vindt hij. Als voormalig minister van Binnenlandse Zaken heeft hij veel mensen laten beveiligen, maar Fortuyn heeft er gewoon geen recht op, zolang hij niet in de Kamer of de regering zit.

'Ik begreep dat ze je voor onderzoek hadden willen houden.'

'Kletsica. Ik voel me kiplekker. Heb je mijn boodschap gekregen?'

'Ja. Haal je dat nog?'

'Jawel. We beginnen daar om halfnegen en we zijn net Lelystad gepasseerd. Is het geen probleem, een halfuur later?'

'Geen enkel.'

'Mooi. En top secret, hè?'

De corpulente man huivert even. Fortuyns uitspraak van het Engels is al even beroerd als zijn Italiaans.

'Maak je geen zorgen. Alle aandacht zal wel naar jou uitgaan.'

Weer klinkt het hoge lachje. 'Ik ben God niet, hoor! Tot straks.'

De corpulente man heeft enige moeite om het mobieltje uit te schakelen, ook al is het een simpel model. Dan neemt hij een teugje en kijkt uitdrukkingsloos naar een vermoeid ogende premier Kok, die in de camera zijn deelneming betuigt met het slachtoffer en zegt blij te zijn dat 'de heer Fortuyn' de aanslag heeft overleefd. De politie zal al het mogelijke doen om de dader te arresteren. Hoe, denkt de corpulente man, zou Kok hebben gereageerd als Fortuyn was doodgeschoten? En wat als de dader een allochtoon was geweest?

Er gingen geruchten dat Kok alsnog op zijn besluit om uit de politiek te stappen terug wilde komen, juist om Fortuyn te bestrijden, maar dat gelooft hij niet. Kok weet verrekte goed dat ook hij niet is opgewassen tegen de simplificaties van Fortuyn. Kok is ook geen staatsman, altijd de vakbondsman gebleven. Gedegen en saai, geen borrel te veel, geen enkele begeestering of schwung. Socialisten – dubbeltjes, nooit kwartjes.

Eigenlijk, denkt hij, heeft Nederland sinds de oorlog nooit meer een premier van statuur gekend. Allemaal meer ambtenaar dan staatsman. Ook Lubbers was in feite een kleine katholieke grabbelaar. En zelfs Dries van Agt, met wie hij indertijd Den Uyl een beentje heeft gelicht. Dries oogt wel flamboyant, maar is in wezen een moralistische kleindenker. Dat is Fortuyn natuurlijk ook, ondanks al zijn strapatsen. Die columns van hem en die boekjes stellen in wezen niks voor. Gemakkelijk gebabbel met een kern van waarheid, maar geen visie. Fortuyn is het prototype van het veel gepeste jongetje dat wraak wil en zichzelf overschreeuwt. Onzeker als de pest. Hij neemt het laatste slokje en vraagt zich af hoe de bom morgen in zal slaan in zijn eigen partij. Voor zover hij het nu kan bekijken, zal het geen scheuring betekenen, maar een loutering. Hij glimlacht, omdat het vroegere communistische woord 'zuivering' bij hem bovenkomt. Hoe zal de fractie reageren als hij het bekendmaakt? Hij is altijd populairder geweest bij de basis dan bij het kader. Partijbonzen als Vonhoff, Zalm en Nijpels kunnen zijn bloed wel drinken. Om maar niet te spreken van Bolkestein en Dijkstal. Erica Terpstra is een medestander, maar werd onlangs vreselijk gekwetst door Fortuyn, die zich hardop afvroeg of haar bovenkamer wel gemeubileerd was. Op zich geen slechte vraag, maar wel dom. Het verstandigste is om te gokken op de jonge honden in de fractie zoals Van Baalen, Wilders en Oplaat. En misschien toch ook Jozias van Aartsen, die waait uiteindelijk met elke wind mee.

Hij komt overeind. Halfacht geweest. Nog vier uur. Tijd zat om met zijn vrouw in het Stadhouderlijk Hof te gaan eten en de zaak door te spreken. Als zij er per slot niet was geweest, zou hij nooit meer over een comeback hebben nagedacht. Terwijl hij door de stille gang van de sociëteit naar de garderobe loopt, denkt hij er weer aan wat er gebeurd zou zijn als Fortuyn het dodelijke slachtoffer was geweest. Wie zou de LPF dan als toekomstig premier naar voren hebben geschoven? Hij glimlacht flauwtjes als hij zijn dure overjas aantrekt. Straks schrijven ze nog over hem als de Joop Zoetemelk van de vaderlandse politiek: eeuwige tweede. Ook goed, hij is nu bijna tweeënzestig, hij heeft bijna alles bereikt wat hij wilde. Maar toch. Hij wacht in de hal tot de portier een taxi heeft gebeld en vraagt zich af wat Van Agt en hij indertijd in Le Bistroquet hebben gegeten, maar hij weet het niet meer.

10

De zaal is eivol, zodat de deuren naar de lobby zijn opengezet, waar zeker nog eens zo'n honderd enthousiaste LPF-aanhangers met veel bier en leverworst hun kelen schor zingen en kabaal maken. Bij de ingang staat politie. Ook staan er twee overvalwagens van de ME. Niet alleen om een tweede aanslag te voorkomen, maar vooral vanwege een groep anti-Fortuyn-demonstranten. Ze dragen spandoeken met teksten als 'Nooit meer fascisme!', 'LPF = Leugenaars, Proleten, Fascisten' en 'Denk aan '40-'45'. Op straat staat een rij reportagewagens. Tot Marikes verbazing zelfs een van CNN, waarvan ze zich afvraagt waar die zo snel vandaan is gekomen. De Nederlandse omroepen lijken er allemaal te zijn en toen ze aankwam, zag ze Margriet Vroomans met Job Frieszo uit een auto van de NOS stappen. Even verderop werd Fortuyns woordvoerder Mat Herben door BNN-Radio geïnterviewd, die glimmend van trots kraaide dat het wel Koninginnedag in Leeuwarden lijkt. Volgens de perschef van de LPF heeft de partij er sinds de mislukte aanslag van vanmiddag al ten minste vijf zetels bij. Er wordt scherp gecontroleerd bij de ingang naar de zaal, sommige mensen worden ook gefouilleerd, maar haar perskaart van het *Friesch Dagblad* was voldoende. De bijeenkomst duurt een uur, daarna heeft Fortuyn een dinertje met enkele plaatselijke LPF-bonzen en geldschieters. Eigenlijk wilde ze hier niet naartoe, maar ze hoopt erop dat De Rooy hier ook is. Ze heeft net opnieuw tevergeefs naar zijn huis gebeld en daarna naar de *NRC* in Rotterdam. Bij het podium staat een batterij fotografen, een spervuur van lichtflitsen omringt Fortuyn. Eerst heeft hij om een minuut stilte gevraagd voor de man die op het Mediapark werd doodgeschoten. Vervolgens barstte het kabaal los. Zijn linkerhand is verbonden met een smetteloos wit verband, de andere brengt hij voor de zoveelste keer naar zijn rechterslaap, waar het zweet vanaf gutst. 'At your service!'

De zaal kan er maar geen genoeg van krijgen. Vooral niet als hij het ook nog eens in het Fries roept: 'Ta jo tsjinst!' Wat een slijmerd, denkt ze, want eerder wilde hij nog de provincie Friesland afschaffen!

Er klinkt een continu geroffel van schoenzolen op de planken, handengeklap en geschreeuw. Het is halfdonker, sigaren- en sigarettenrook als een dichte nevel boven de meute, spotlights op het kale, zwetende hoofd van Fortuyn en op de twee bodyguards die een rijke Friese vastgoedhandelaar beschikbaar heeft gesteld.

Marike hoopt erop dat die twee straks niet mee zullen gaan naar het Oranje Hotel. Ze weet inmiddels welke kamer daar voor Fortuyn is gereserveerd. Toen de voetballer het restaurant binnenkwam om door Bart te worden geïnterviewd, zag ze een kamermeisje met een boeket witte orchideeën de trap op gaan. Ze liep erachteraan alsof ze een gast was. Fortuyn logeert in een *executive room* aan de achterkant van het hotel op de tweede etage. Niet ver van de kamer is de deur van een linnenkamer. Die deur was niet afgesloten, er zit zelfs geen slot op. Het was doodstil in het hotel. Hoewel het niet warm was, transpireerde ze van de zenuwen. De vrouwelijke Bernstein, had ze giechelend gedacht. Ook de beroemde Amerikaanse journalist wordt op school nog steeds als hét voorbeeld van de primeurjager genoemd. Het raam van de linnenkamer geeft uitzicht op een binnenplaats met bloembakken en op het brede balkonterras van de executive room. Kennelijk werd de kamer nog gelucht, want de balkondeuren stonden open. Het is overigens geen kamer, maar een suite met een kingsize bed en wel vier keer zo groot als haar huurkamertje. De bos orchideeën stond op een tafeltje naast het bed.

Ze zou natuurlijk het liefst foto's willen maken, maar niet

met haar mobieltje. Nog ergens een wegwerpcameraatje kopen? Dat is ook kutkwaliteit. Als ze iets van het gesprek kan opnemen, zou dat al fantastisch zijn. Maar waar moet ze het recordertje neerzetten? Hoe zet ze het dan op tijd aan? Want die afspraak is pas om halftwaalf. Ze kan toch moeilijk onder het bed gaan liggen! Verdomme, waarom nou in een hotelsuite? Kon ze zich voordoen als kamermeisje? En dan? Ook niet dus.

Op het terras stonden een grote potplant en een terrastafel met vier stoelen onder een dichtgeklapte parasol. Niet ver ervandaan loopt de brandtrap, die twee verdiepingen lager uitkomt op een binnenplaats. De tweede etage is de hoogste. Je kunt uit het achtergelegen straatje door een poortje op de binnenplaats komen. Als ze dat straks neemt, kan ze zo naar het terras. Als dat niet wordt bewaakt. Ze liep naar de brandtrap toe, de smalle ijzeren treden draaiden spiraalsgewijs naar beneden. Toen zag ze onder de balkondeuren van Fortuyns suite links en rechts twee kleine luchtroosters. En in dezelfde seconde drong het tot haar door wat ze zou kunnen doen. Als ze zou durven. Maar dan nog. Hoe maakte ze dan foto's? Al was het er maar één. Ze kon Bart misschien vragen. Ze bukte zich. Hoe kwam ze zo gauw aan een schroevendraaier?

Ze verkopen ze bij de fietsenstalling op het station. Daar heeft ze ook de NRC gekocht, en daarna is ze naar een eetcafé niet ver van Van den Berg State gegaan. Even over halfnegen hoorde ze buiten gejoel en gejuich. Het leek wel alsof Fortuyn al premier was, zoals hij werd ontvangen. Half Leeuwarden was er, overal flitslicht.

Ondanks de aanslag ziet hij er stralend en jaloersmakend gezond uit. Hoe doet hij dat toch? Want hij drinkt stevig, zeggen ze, en als je alle verhalen over homoclubs en darkrooms moet geloven, plus een slopende campagne, dan ga je inderdaad denken aan speed of cocaïne. En verder, moet ze toegeven, komt hij verrassend zelfverzekerd over voor een man op wie nog maar net een aanslag is gepleegd. Dat buit hij natuurlijk uit – de onverschrokken staatsman of zoiets – maar toch.

Ze kijkt op haar horloge en ziet dat het bijna negen uur is. Het is wel duidelijk dat De Rooy hier niet is. Op de eerste rij zitten een chic geklede man en vrouw en een jonge Surinaamse in een fleurige zomerjurk. De man en vrouw zijn niet interessant, maar de Surinaamse werd net door Fortuyn als zijn kandidate voor het kabinet genoemd. 'Mijn knuffelallochtoon,' riep hij, en iedereen lachte en klapte, de Surinaamse zelf nog het hardst. 'Mijn minister voor Emancipatiezaken! Als jullie volgende week tenminste je plicht doen!'

Het is ronduit gênant hoe hij wordt toegejuicht. Wie vergeleek hem ook alweer met Mussolini? Hysterische vrouwen, zelfs mooie jonge meiden, die het podium op proberen te komen om hem aan te raken, kerels die met tranen in de ogen hun keel schor schreeuwen.

'Ik zeg wat ik denk, ik doe wat ik zeg.'

Je gelooft het gewoon niet, het ene cliché na het andere! En nog link ook zoals hij daar paradeert, elke idioot zou hem zo neer kunnen knallen, want de controle stelt eigenlijk geen ruk voor.

Ze denkt weer aan zijn stem op de Nokia en opnieuw vraagt ze zich af of het echt waar is. Maar waarom zouden ze elkaar anders willen spreken? 'Pim hier. It's a bloody shame, maar ik ben helemaal vergeten dat ik om tien uur nog een journalist van het *Friesch Dagblad* te woord moet staan. Zal nooit erg lang duren. Het lijkt me het beste als we om halftwaalf afspreken.'

Ze kijkt weer op haar horloge. Zal ze De Rooy toch nog een keer bellen? Waarom neemt die lul zijn mobiel niet aan?

Ze wurmt zich tussen de juichende meute door en schrikt als ze haar chef bij de deuren met Herben ziet praten. Haastig draait ze haar hoofd opzij en ze wacht tot hij is verdwenen.

In de lobby wordt geroffeld en gezongen alsof het een wedstrijd in de Champions League is. 'Melkert neukt zijn vrouw, hi, ha! Met een zweepje en een touw, hi, ha!'

Bij de bar ziet ze Bart staan met een medewerkster van Omrop Fryslân. Hij lacht naar haar, steekt zijn duim omhoog en maakt dan het gebaar van een glas achteroverslaan. Ze zwaait terug. Om één uur hebben ze afgesproken in zijn stamcafé. 'Als het je lukt om Fortuyn te interviewen en de NRC wil hem niet, kan ik mijn best wel doen om het morgen bij ons op de radio te krijgen.'

Als alles goed gaat, heeft ze straks meer dan een uur opgenomen. Later zal Fortuyn het niet maken, want volgens het LPF-programma moet hij morgenochtend om 10.00 uur in Amsterdam zijn. Ze gaat naar buiten, waar nu bijna geen mensen meer staan. Voor ze naar haar fiets loopt, haalt ze haar shag tevoorschijn en draait een sigaret. Ze hoopt er vurig op dat die binnenplaats niet bewaakt wordt. Ze haalt haar mobieltje tevoorschijn en toetst eerst De Rooys mobiele nummer in, schakelt uit als ze niets hoort, belt dan zijn vaste nummer en luistert gefrustreerd naar zijn stem op de voicemail. Ze verstaat hem niet goed vanwege het lawaai uit het hotel. Ze schakelt uit en rookt. Een groepje mensen komt uit het hotel. Een oudere man met zilverwit haar komt op haar af. Hij heeft een onaangestoken sigaret tussen zijn vingers.

'Pardon, mevrouw, heeft u een vuurtje voor me?'

'Natuurlijk.'

Terwijl hij zich naar het vlammetje van haar aansteker buigt, vraagt hij iets wat ze niet kan verstaan, omdat een auto pal naast hen begint te toeteren.

'Sorry, wat zei u?'

Maar de man kijkt achterom en loopt meteen op een holletje achter de auto langs naar de overkant. Zijn sigaret ligt vlak voor haar op de stoep. Niet-begrijpend schudt ze haar hoofd en ze wil hem al oprapen, als ze haar hospes met een andere Turk ziet. Hij lacht en steekt zijn duim op. 'Jij werken?'

'Wat? Ja. En jij?'
'Ikke? Voor Pim!'
De vriend grijnst: 'Weg met de Marokkaanse schoenenpoetsers!'
Ze lacht maar wat, kijkt hen na, schopt de sigaret weg en stapt op haar fiets. Het wordt natuurlijk nooit wat met die islamieten hier. Als Fortuyn ze niet afmaakt, maken ze elkaar wel af.

11

Sinds een paar maanden wordt hij steevast rond een uur of drie 's nachts wakker vanwege een volle blaas. Plassen gaat moeilijker. Volgens zijn huisarts komt dat doordat zijn prostaat wat vergroot is. 'Goedaardig, hoor. Geen enkele reden om je ongerust te maken. Het hoort er allemaal bij als we wat ouder worden.'

Makkelijk lullen, hij heeft nog nooit een huisarts vertrouwd, want als je echt wat weet ben je specialist, lijkt hem. En hoe kan zo'n vent nou met een vinger voelen of iets goed- of kwaadaardig is? Hij is niet doorverwezen, maar heeft joekels van pillen gekregen, die hij toch maar niet inneemt nadat hij de bijsluiter had gelezen. Eén op de honderd mannen krijgt er duizelingen van, maar, erger: één op de tienduizend een langdurige, pijnlijke erectie, waarvoor je meteen je arts moet raadplegen. Wat heb je dan godverdomme aan zulke pillen! Hij heeft er niets over tegen Anke gezegd. Met zijn potentie of libido is niks mis.

Hij pist langzamer en minder krachtig, het is meer langzaam leeglopen. Pas later op de dag gaat het makkelijker, net als zijn oude Saab die eerst warm moet lopen. Klotewagen. Gisteren, nog ver van Den Haag, opeens afgeslagen. De zoveelste keer. En geen mobiel. Eerste benzinestation elf kilometer verder. En geen hond die stopt voor een zwaaiende vent bij een auto met een open motorkap. Godzijdank kwam er na een halfuurtje een wegenwacht langs. Een Rotterdammer onderweg naar huis. Pas na een uur kreeg hij hem weer aan de praat. 'Het is een wonder dat hij het soms nog wél doet, meneer.' Wel een reële jongen. 'Wat heeft u liever, meneer: een officiële nota van 120 euro of...?'

Met vijftig euro afgemaakt, dat scheelt tenminste. Daarna kwam hij vast te zitten in een file op het Prins Clausplein en was hij dus uren te laat, het rouwcentrum al donker en gesloten. Pas om halfelf haalde hij Tessel bij Carla op, die in alle staten was. 'Koop eindelijk eens een nieuwe auto, man!' Ja, als je eerst de alimentatie van de afgelopen jaren terugstort!

Lex schrikt wakker als de radiowekker met het nieuws van zeven uur opent. Slaperig hoort hij dat het dodelijke slachtoffer op het Mediapark een alleenstaande man was die zich als vrijwillige bodyguard voor Fortuyn bij de LPF had gemeld. Er is nog steeds geen spoor van de dader. Er is wel een signalement, maar tamelijk vaag, want in de paniek lette iedereen op Fortuyn. Diens chauffeur Smolders ging achter hem aan en werd bijna zelf neergeschoten. Volgens hem ging het om een blanke man van een jaar of vijfentwintig à dertig. Slaapdronken vraagt Lex zich af wat er gebeurd zou zijn als het een Marokkaan of Turk was geweest. Je kunt er gif op innemen dat dan de vlam in de pan was geslagen. En in de Schilderswijk en het Laakkwartier! Verdomme, denkt hij, als die zak van een ex-schoonvader niet dood was gegaan, had ik die gast misschien wel kunnen fotograferen!

'Hij wist daar de weg,' zegt Smolders. 'En ik niet. Bovendien wist ik ook niet hoeveel kogels hij nog had. Opeens zag ik hem niet meer, ergens achter de RVU, vlak bij bouwhekken. Volgens mij stond daar een auto op hem te wachten, want je kunt er zo de Insulindeweg op.'

'Maar u heeft wel een signalement van hem.'

'Nou ja, het ging allemaal erg snel natuurlijk. Wat ik zei: hij was blank, zeker een kop kleiner dan ik. Hij droeg een blauwe baseballpet en een verschoten spijkerjasje en gymschoenen...'

Naast hem kreunt Tessel in haar slaap, maar hij merkt het niet en denkt aan gistermiddag.

Een vent met een blauw baseballpetje op, in een spijkerjack.

Achter de portiersloge van het Mediapark. Toen hij zelf op zijn vouwfiets aankwam.

Godverdomme, dezelfde gozer? Dat moet haast wel, met dat petje. Maar echt gezien heeft hij hem niet. Hij herinnert zich ook niks anders dan dat petje en spijkerjack. Hij kan de politie wel bellen, maar wat voor zin heeft dat?

Toch idioot.

Met dichte ogen luistert hij naar de Hilversumse commissaris van politie, die over het motief van de dader speculeert. Mét de premier is hij blij dat het in elk geval geen allochtoon was, want dan zou je pas echt de poppen aan het dansen hebben gehad. Maar hij sluit toch niet uit dat het met Fortuyns harde standpunten inzake migratie en asielbeleid te maken heeft. 'Dus u onderschrijft wat Theo van Gogh gisteravond beweerde, dat de kogels van links kwamen?'

'Dat heeft u mij niet horen zeggen.'

Lex draait zich om en ziet nu pas dat Tessel naast hem slaapt, zoals ze wel vaker doet, hoewel ze een eigen kamer heeft. Ze schijnt zich heel goed te hebben gehouden in het uitvaartcentrum, maar voelde zich gisteravond beroerd. Geen wonder, de eerste dode die ze heeft gezien. Hij heeft een kop warme chocolademelk voor haar gemaakt, er twee paracetamolletjes in verkruimeld en gezegd dat opa lang en gelukkig heeft geleefd en nu vast ergens in de hemel is. En dat terwijl hij die ouwe zak jarenlang naar de hel heeft gewenst! Ze is waarschijnlijk naast hem gekropen toen hij al sliep.

Op de radio zegt de politieman dat het heel goed mogelijk is dat de dader niet alleen is geweest. 'Vandaar misschien dat hij niet terugrende en over het hekwerk klom, maar het risico heeft genomen om het halve Mediapark te doorkruisen.'

Op de wekker is het bijna tien voor halfacht. Hij herinnert zich dat hij Tessel ziek moet melden bij haar school.

Ze zit op het gymnasium, tweede klas, briljante leerlinge, negens en tienen, maar sociaal niet erg bezig, een eenlingetje dat

Carla en hij met grote moeite op een hockeyclub hebben gekregen. En dan nog als keepster, omdat ze te verlegen is om met de andere meiden mee te doen. Dat gaat nu wat beter, ze gaat zelfs het komende weekeinde mee op kamp. Daar zat ze, kind als ze is, nog het meest mee. 'Kan ik wel op kamp nou opa dood is?'

De begrafenis is vrijdagochtend.

'Blijf morgen maar lekker uitslapen. Ik bel wel naar school. Ze zullen het wel begrijpen.'

Toen Tessel eindelijk in haar eigen bed lag, heeft hij zichzelf nog een borrel ingeschonken en zijn voicemail afgeluisterd. Er stonden maar drie berichten op, vrijwel iedereen belt hem mobiel. Zijn moeder wilde weten wanneer de begrafenis van zijn schoonvader is en of ze Tessel misschien in huis moet nemen. Lief van haar, ze is tachtig en nog wel goed, maar zit toch in een aanleunwoning waar Tessel zich te pletter verveelt. De twee andere berichten waren van de stagiaire die één keer om zes uur en nog eens tegen negenen had gebeld en haar nummer had gegeven om haar 'direct' terug te bellen. 'Hoi, met Marike. Hé, ik heb echt iets voor jullie! Echt iets verdomd belangrijks, denk ik!'

'Lex! Als je dit hoort, bel me dan meteen.'

Hij verstond het nauwelijks door geschreeuw en lawaai.

Een uur later is er nog een keer gebeld, maar werd er zonder meer weer opgehangen.

Hij had haar toch nog maar teruggebeld, maar kreeg geen gehoor. Lekkere journaliste. Wat was er zo belangrijk? Vlak voor die hufters van de rijkspolitie hem aanhielden, had ze iets over Fortuyn gezegd. Het zou wel. Moet ze hem nog maar een keer bellen. In elk geval heeft hij geen bekeuring. Al geloofden ze er geen reet van en hebben ze de Saab doorzocht, ze hadden geen poot om op te staan en terugrijden was er natuurlijk niet bij geweest. Hij moet trouwens niet vergeten vandaag een nieuwe mobiel te kopen.

Hij had nog een borrel genomen en een stuk leverworst,

omdat hij niet eens had gegeten, en had toen een tijdje naar NOVA gekeken. Een interview van Kees Driehuis met Thom de Graaf en Jan Marijnissen over de mogelijke consequenties van de mislukte aanslag op Fortuyn. Niet interessant, evenmin als *Barend & Van Dorp*, waar die zeikerd van een Jan Mulder weer eens de hork uithing tegen minister De Vries omdat Fortuyn geen beveiliging heeft gekregen. De Vries bleef bewonderenswaardig kalm en zei gewoon waar het op staat: Fortuyn is geen parlementariër, bewindspersoon, diplomaat of lid van het Koninklijk Huis, dus heeft hij er simpelweg geen recht op. En die Mulder er maar agressief tussendoor lullen, gênant en zo dom dat hij maar uitschakelde en naar bed ging.

'... drie kilometer bij Zoeterwoude-Rijndijk wegens een aanrijding...'

Hij zet de wekkerradio uit, probeert zo geruisloos mogelijk op te staan en loopt naar de badkamer, als de telefoon in de woonkamer rinkelt. Haastig slaat hij een handdoek om zijn middel en holt ernaartoe.

'Ja?'

'Met de heer De Rooy?'

De stem van een man.

'Ja.'

'U spreekt met Muntinga, recherche Friesland, meneer De Rooy. Ik zeg u meteen dat u niet ongerust hoeft te zijn, maar we zouden graag willen weten wanneer u voor het laatst contact had met mevrouw Marike Spaans, een stagiaire hier bij het *Friesch Dagblad*. U weet over wie ik het heb?'

Hij staat roerloos en heeft niet door dat de handdoek langzaam van zijn kont zakt. Niet ongerust? Wat betekent dit?

'Ja. Waarom?'

'Omdat ze volgens een collega van haar bij Omrop Fryslân voor u gisteravond in het Oranje Hotel zou zijn geweest om te proberen de heer Fortuyn te interviewen. Klopt dat?'

Hij fronst. Voor hem? Wat is er aan de hand?

'Nee. Althans niet voor mij of onze krant, voor zover ik weet.'

Hij hoort de kraan lopen, sjort de handdoek omhoog en loopt met de telefoon terug naar de badkamer.

'Was u hier gisteren in Leeuwarden? U bent toch fotograaf?'

'Ja. Dat laatste. Nee, ik was niet in Leeuwarden.'

'Maar u kent mevrouw Spaans dus wel.'

Hij draait de kraan dicht. 'Nauwelijks. Ze heeft me gisteren wel gebeld. Wat is er dan met haar?'

'Heeft u haar dus gesproken?'

'Ja, maar de verbinding viel weg. Ze heeft bij mij thuis nog een paar keer ingesproken.'

'Mag ik vragen waarom ze u belde?'

Hij kijkt in de wandspiegel naar zijn ongeschoren, kreukelige gezicht, waarin de kleine ogen hem verbaasd opnemen. 'Ze zei dat ze iets belangrijks had voor de krant. Het zal dus wel om dat gesprek met Fortuyn zijn gegaan. Heeft ze dat gehad?'

'Weet u nog hoe laat ze belde?'

Waarom wil die vent dat allemaal weten? Wat is er met die Marike?

'Wat is er met haar?' Hij hoort zijn stem in zijn hoofd resoneren.

'Dat vertel ik u zo. Nogmaals: u hoeft zich niet ongerust te maken. Ik wil alleen maar...'

'Dat doe ik verdomme wel! Waarom belt u?'

Het is enkele seconden stil.

'Ze ligt hier in Leeuwarden op de intensive care. Ze werd vannacht neergeschoten. Maar haar toestand is redelijk stabiel. Ze is door twee kogels uit een pistool geraakt, een in haar rug, een in haar bovenbeen. Een zwerver vond haar bewusteloos in een park in het centrum hier. Ze is nog steeds buiten bewustzijn.'

De gedachten schieten als bliksemschichten door zijn brein.

Zinloos geweld? Een of andere bezopen klootzak? Haar willen verkrachten in dat park? Maar dan schiet je toch niet? Of wel? Leeuwarden. Waarom denkt die rechercheur eigenlijk dat híj daar was?

'Waarom denkt u dat ik daar was?'

'Dat denk ik niet. Ik vróég het. Mag ik vragen waar u gisteravond dan wel was?'

Hij hoort de brommer van de krantenjongen stoppen.

'Hier in Den Haag, bij mijn ex-vrouw en mijn dochter in een uitvaartcentrum.'

Wat moest hij anders zeggen? Dat hij zijn mobiel weg heeft gegooid vanwege de politie?

'Pardon?'

'Mijn ex-schoonvader is gisteren overleden.'

'Ach. Mijn deelneming, meneer De Rooy. Eh... U zei dat u mevrouw Spaans wel aan de telefoon heeft gehad. Weet u nog hoe laat dat ongeveer was?'

Achter de muurspiegel klinkt de slaperige stem van Tessel: 'Pap? Heb je al naar school gebeld?'

'Wat? Nog niet. Doe ik zo. Sorry, mijn dochter. Ja, ze belde me rond een uur of vijf gistermiddag, maar dat gesprek kwam niet goed door. Daarna heeft ze nog een paar keer op mijn voicemail ingesproken, maar toen ik terugbelde, kreeg ik geen gehoor.'

'En hoe laat was dat?'

'Tegen een uur of twaalf vannacht.'

'Ik bedoel dat ze bij u insprak.'

'O. Ik meen ergens tegen zessen en een paar uur later nog een keer. En misschien later ook nog wel, maar toen was er niets ingesproken. Ik heb het overigens gewist.'

'Ach. Jammer.'

Het is weer even stil.

'Weet u waarom er op haar werd geschoten?'

'We denken dat het om roof gaat, want ze had niets bij zich

– geen tas, geen mobiel, geen portemonnee.'
'Hoe weet u dan dat zij het is?'
De politieman lacht droogjes. 'Puur geluk, meneer De Rooy. Soms hebben we dat. Ze droeg nieuwe schoenen, waar nog een merkje onder zat van een winkel hier. Ze had ze daar in de ochtend gekocht, en gepind.'
Lex fronst weer. Het is nog geen halfacht. Die winkel kan nooit al open zijn. Dus hoe weten ze dat als ze vannacht werd gevonden?
'U zei dat mevrouw Spaans het over iets belangrijks had?'
'Wat? Ja.'
'Zou dat dus dat gesprek met de heer Fortuyn kunnen zijn?'
'Misschien wel. Zei u daarnet niet dat ze zoiets tegen een collega had gezegd?'
'Dat klopt. Bart Bregstra, net als zij een stagiair van de School voor de Journalistiek in Utrecht. Hij zei dat hij haar rond een uur of zes had gesproken. Ze vroeg hem of hij wist of de heer Fortuyn daar de nacht doorbracht. Ze wilde proberen hem daar te interviewen. Bregstra zei dat ze dat wilde doen voor uw krant. Hij heeft haar ook nog wat later gezien in het hotel waar de heer Fortuyn de LPF toesprak. Volgens hem vertrok ze daar rond een uur of negen. Gek, want de heer Fortuyn had toen nog een dinertje en ging pas om kwart over elf weg. Maar in het Oranje Hotel heeft niemand haar gezien en de heer Fortuyn heeft ze ook niet gesproken. Bregstra had een afspraak met haar om één uur in een café, maar ook daar is ze niet op komen dagen.'
'Hoe laat vond die zwerver haar dan?'
De politieman lacht weer, nu cynisch. 'Dat weet hij niet meer. Hij vond haar tussen de struiken toen hij daar wilde gaan slapen. Hij dacht eerst dat zij dat ook deed. Hij heeft zelfs nog geprobeerd haar te penetreren, tot het tot hem doordrong dat er iets mis was...'
Godallejezus, denkt Lex en hij ziet Tessel de gang op komen

in haar nachtpon. Ze doet alsof ze uit een kopje drinkt en hij knikt.

'U was toch gistermiddag in Hilversum, meneer De Rooy? Toen de heer Fortuyn daar werd geïnterviewd?'

De tintelingen jagen over zijn rug. Wat denkt die vent? Dat Marike iets van doen heeft met die mislukte aanslag op het Mediapark? Of hij? Wie is die vent? Hij voelt de woede in zich omhooggolven.

'Wat wilt u suggereren?'

'Helemaal niets, meneer De Rooy. Ik zei u al: maakt u zich geen zorgen. Ik vraag het, omdat u misschien iets heeft gezien dat van belang kan zijn. U bent per slot fotograaf, u ziet mogelijk meer dan een ander. Was u daar ook toen er op de heer Fortuyn werd geschoten?'

Waarom vraagt een politieman uit Leeuwarden daarnaar?

'Ik heb uw naam niet goed verstaan daarnet.'

'Muntinga. Hoofdinspecteur Muntinga, recherche Friesland.'

In de keuken praat Tessel tegen de poes.

'Nee. Ik kwam te laat. Fortuyn was al in de studio. Ik heb een tijdje staan praten met zijn chauffeur en daarna Fortuyn tijdens de nieuwsbreak van halfvijf in de studio gefotografeerd, en toen ben ik naar Den Haag gegaan.'

'En u heeft niets verdachts gezien?'

'Nee. Luister eens, ik sta hier in mijn blote kont met een ziek kind thuis. Waarom willen jullie dit allemaal weten?'

'Volgens de portier kwam u even voor vieren het Mediapark op. Volgens onze informatie was dat ook de tijd dat de aanvaller van de heer Fortuyn daar was.'

Hij kijkt weer naar zichzelf. Dus dat zijn ze allemaal nagegaan.

'U zou iets gezien kunnen hebben. Heeft u mogelijk iets verdachts opgemerkt? Iemand die zich eigenaardig gedroeg, bijvoorbeeld?'

Waarom zegt hij nu niet dat hij die jongen daar heeft gezien? Omdat hij niks meer heeft gezien dan wat ze al weten? Omdat hij die Muntinga een zeikerd vindt? Zelf geen gezeik wil hebben?

'Dat doen ze allemaal in Hilversum.'

De man lacht. 'U weet dat er een signalement van de dader is? Weliswaar niet erg goed, maar toch.'

'Ik hoorde het net.'

'Het zou om een man van een jaar of dertig gaan. Hij droeg een blauwe baseballpet en een spijkerjack, en had een plastic winkeltasje bij zich. Hij zou zo tegen vier uur door de hoofdingang het Mediapark op zijn gekomen.'

'Sorry, maar ik zou me graag willen aankleden en voor mijn dochter zorgen.'

'Ik begrijp het, meneer De Rooy. Mocht u toch nog iets te binnen schieten waarvan u denkt dat het belangrijk kan zijn, zou u me dan hier willen bellen?'

'Prima,' zegt Lex. 'Maar ik kan natuurlijk naar het politiebureau in mijn woonplaats bellen.'

De man lacht opnieuw. 'Nou nee. Ik geef u mijn 06, dat werkt sneller...'

Hij noteert het nummer op een geel plakbriefje, dat hij op de bureaulamp plakt.

'In welk ziekenhuis ligt ze eigenlijk?'

'In het MCL hier. Ik dank u voor uw tijd, meneer De Rooy. Nog een prettige dag verder.'

Verward schakelt hij uit en ziet Tessel met twee mokken thee aankomen.

'Moet je naar de krant?' vraagt ze.

'Nee. Ik kan net zo goed hier werken. Ga jij er nog maar lekker in. Ik maak zo een ontbijt en dan bel ik school.'

Hij pakt zijn thee aan.

'Mag ik tv-kijken?'

'Nu? Wat is er dan?'

'GTST. Ik heb het gisteravond gemist.'

Hij loopt terug naar de badkamer, zet de mok neer en wil zijn scheercrème pakken, als hij uit de slaapkamer de stem van Philip Freriks hoort: '... zojuist werd bekend dat Hans Wiegel, serator... eh pardon, senator en erelid van de VVD, lid is geworden van de LPF. Het is niet duidelijk of dat een opzegging van het lidmaatschap van de VVD impliceert, laat staan van zijn erelidmaatschap. Het nieuws is in Den Haag ingeslagen als een bom, zo rapporteert Wouke van Scherrenburg...'

12

Evers kocht 'Het Strokapje' in 1984, een periode waarin de meeste Nederlanders de aankoop van een eerste huis, laat staan een tweede, liever uitstelden, omdat de hypotheekrente tegen de 10 procent lag. Hij bewoonde toen al het huurhuis waar Wouterse hem met de map had bezocht, in een van die saaie, lange straten waar Den Haag patent op heeft. Een portiekwoning, zonder tuin dus. Dat maakte hem niet uit, druk als hij het had met zijn werk als ambtenaar; bovendien had zijn vrouw niets met tuinieren; ze volstond in het seizoen wekelijks met een bosje gele fresia's, waarvan ze steevast zei dat die haar aan vroeger deden denken. Al zei ze het er niet bij, Evers wist zeker dat ze daarmee de periode vóór hun huwelijk bedoelde. Toen hij de bungalow kocht, zonder dat zij daar overigens iets van wist, was hij zesenveertig jaar, een kleine, onopvallende man die elke ochtend zijn fiets uit de naburige fietsenstalling haalde om ermee naar een grijzig kantoorgebouw te rijden, waar hij tot vijf uur dossiers bestudeerde, krantenartikelen uitknipte en archieven ordende, saai werk voor wie de inhoud van die archieven niet kende. Bijvoorbeeld voor zijn vrouw Elly, die net als veel anderen in de veronderstelling verkeerde dat hij als inspecteur op het ministerie van Landbouw en Visserij werkte. Hun huwelijk was er een van het soort dat door de tweede feministische golf als moderne slavernij werd getypeerd: hij was de kostwinner, zij maakte het huis schoon, deed de was, streek zijn overhemden, haalde de boodschappen en kookte. Elke week kreeg ze honderdvijftig gulden huishoudgeld, waarvan ze zich ook kleedde en de kapper betaalde. Net zomin als ze enig idee had van het eigenlijke werk van haar man, wist ze wat hij verdiende, alleen dat het minder was dan wat de echtgenoten van haar vriendinnen verdienden. De feministes hadden gelijk: het wás een slecht huwelijk, al had dat niets te maken met die rolverdeling. Ben en Elly Evers pasten gewoon niet bij elkaar, al niet sinds hun verloving, die min of meer was afgedwongen door haar vader, die als schoenmaker hoog opkeek tegen een ambtenaar. Achteraf was het nog een geluk dat ze al jong baarmoederkanker kreeg en het huwelijk dus kinderloos bleef.

Vrij vaak maakte Evers voor zijn werk een reisje, altijd binnen Nederland, waarbij hij af en toe een nacht overbleef, wat niet vreemd scheen voor een landbouwinspecteur. Zo was hij in het najaar van 1983 voor zijn werk op de Veluwe, waar hij geen boerenbedrijven bezocht, maar wel vergaderde met enkele hoge militairen van de legerplaats 't Harde. Toen hij laat op de avond nog een drankje wilde nemen in de bar van zijn hotel in Apeldoorn, zat daar slechts één andere gast, een jonge, aangeschoten vrouw met behuilde ogen. Ze heette Katelijne – Evers zou zich altijd blijven herinneren dat hij alleen al voor die naam als een blok was gevallen. Ondanks zijn slechte huwelijk was hij tot dan toe monogaam gebleven. Katelijne was evenmin als Elly een mooie vrouw, maar Evers vond haar onweerstaanbaar. Ze droeg haar lange, blonde haar in een wrong, wat hij zo graag bij Elly had gezien, die haar haar vanwege het gemak kort liet knippen. Ze had bruine ogen, wat hij prachtig vond in combinatie met dat blonde haar, en verder was ze een kop kleiner dan hij, zodat hij anders dan bij de lange Elly met gemak een arm om haar heen kon leggen. Dat deed hij al toen de bar sloot en ze samen naar de eerste verdieping liepen. Katelijne bleek weggelopen bij haar man, een politieman die haar had opgebiecht homoseksueel te zijn en al maanden een relatie met een man te hebben. In de zomer scheidde ze van hem en ze trok bij haar moeder in, tot Evers het huisje kocht. Het lag aan een weggetje naar Hoog-Soeren, een vrijstaand houten bungalowtje met een grote tuin, waar hij ruim dertigduizend gulden contant voor betaalde, geld dat hij al die jaren buiten Elly om op een spaarrekening had gezet waarvan hij de afschriften in een postbus liet bezorgen. Er werd daar wel meer voor hem bezorgd waar ze niets van wist, en zij niet alleen. Hij voelde geen schuldgevoel tegenover Elly, maar later wel medelijden, toen ze reuma kreeg en steeds slechter ging lopen. Hij zei er ook tegen zijn gewoonte in niets van dat ze steeds meer ging drinken en betaalde geduldig een hulp in de huishouding.

'Het Strokapje' werd een liefdesnestje voor Katelijne en hem. Katelijne werkte als wijkverpleegster in de omgeving en ging er permanent wonen. Evers kwam er zo veel mogelijk, het maakte hem niets uit of Elly wel of niet geloofde dat hij naar de buitendienst was overgeplaatst en elke vrijdag tot laat op een dependance in Apeldoorn moest zijn. Ze was toen vooral met zichzelf bezig en bezocht elke kwakzalver die haar genezing beloofde. Voor noodgevallen kon ze altijd bellen naar de hospita bij wie hij een kamer had gehuurd. Het nummer was vanzelfsprekend van de bungalow, Evers nam nooit zelf op.

Vijf jaar later belde Elly om hem mee te delen dat ze bij hem wegging en dat hij binnenkort bericht van een advocaat zou ontvangen. Katelijne had hem nooit gevraagd Elly te verlaten, ze had het gerespecteerd en zelfs gewaardeerd dat hij vanwege haar ziekte bij haar bleef. Maar nu vroeg ze enkele weken na het telefoontje van Elly of hij met haar wilde trouwen en hij zei ja. Dat zou snel kunnen, omdat Elly aantoonbaar niet zwanger van hem kon worden. Katelijne was dat wel van hem, al ruim twee maanden. Nog geen week na zijn trouwbelofte werd ze 's avonds op de fiets onderweg naar een cliënt doodgereden door een vrachtwagenchauffeur die haar niet had gezien toen hij links afsloeg.

Sindsdien was hij niet veel meer in het huisje geweest. Hoewel Katelijne ook had gemeend dat hij voor Landbouw werkte, had ze om haar streng gereformeerde ouders te ontzien nooit aan iemand verteld dat hij haar minnaar was en de vader van haar toekomstige kind. Haar ouders, twee broers en haar kennissen meenden dat hij een oude vriend was die zo aardig was geweest haar na haar scheiding het huisje goedkoop te verhuren. Ze had ook steeds een kleine huur aan hem betaald om de schijn op te houden. Bij haar crematie stelde Evers zichzelf voor als de huiseigenaar, wat hij dus ook was. Een maand later hadden haar broers het huisje leeggehaald. Hij had de bungalow schoongemaakt, de deur achter zich op slot gedaan en was er pas in de winter teruggekomen. De zakelijke nota's werden automatisch afgeschreven van een rekening die hij in Apeldoorn had lopen. Hij was toen al officieel van Elly gescheiden. Dat was zonder problemen gegaan; ze had slechts een kleine alimentatie bedongen en na zijn vijfenzestigste een deel van zijn pensioen. Hij was er zonder protest mee akkoord gegaan. Hij is er nooit zeker van geweest of ze van Katelijne heeft geweten. Van de bungalow wist ze in elk geval niets.

Hoewel de huizenprijs, en zeker die van bungalowtjes op de Veluwe, in die jaren omhoogschoot, dacht hij er niet over het huisje te verkopen. Al kwam hij er dan niet veel, hij koesterde het als een relikwie en peinsde er evenmin over het te verhuren, zoals zo veel andere eigenaars deden. Allengs was hij er toch vaker heen gegaan en had hij er zelfs plezier in gekregen de bostuin te doen. Niet lang na Katelijnes dood was er op een steenworp afstand een bungalowpark aangelegd, dat in plaats van zijn privacy en anonimiteit aan te tasten die juist beschermde. In 1997, op zijn negenenvijftigste, kreeg hij een zware hartaanval op zijn werk. Sindsdien zit hij honderd procent afgekeurd in de WAO, geen vetpot. Nog steeds bewoont hij het huurhuis in Den Haag, al rijdt hij nu elk weekeinde met zijn oude Volkswagen-kever naar Hoog-Soeren. Elly heeft hij sinds de scheiding niet meer gezien; hij ziet zelden anderen, is altijd al, ook op zijn werk, een eenling geweest.

Vanwege zijn hart heeft hij de bungalow en de tuin nauwelijks meer onderhouden. Dat bevalt hem toch wel, ook al is de tuin een wildernis geworden. Je moet zelfs weten dat het overwoekerde paadje naar een bungalow voert, want die zie je niet meer.

De dag nadat Wouterse de map had gebracht, is hij er weer naartoe gegaan. Hoewel Wouterse hem verzekerde dat niemand ervan wist – en hoe zou dat kunnen, de map is immers vijf jaar geleden officieel vernietigd –, is hij onderweg tweemaal op de parkeerplaats van een benzinestation gestopt om er zeker van te zijn dat hij niet werd gevolgd. Toen hij de kever achter in de tuin naast het tuinhuisje parkeerde, voelde hij zich jonger en vrolijker dan in jaren. Wat is het? Een doel? De spanning? Wekenlang heeft hij de inhoud van de map bestudeerd. Het zijn aantekeningen en documenten die ieder ander tot wanhoop zouden drijven en zelfs hij, die dat soort stukken jarenlang professioneel heeft gelezen, heeft er grote moeite mee. De oudste notities dateren van ruim dertig jaar terug. De meeste zijn met de hand geschreven: snelle, bijna stenografische krabbels van een opsporingsambtenaar. Maar het grote probleem is dat veel stukken waarnaar verwezen wordt zijn verdwenen; ook foto's of documenten, die kennelijk in grote haast zijn verwijderd, want op de lege plekken kleeft nog verharde, gelige lijm.

Het is geen wonder dat Rob Wouterse er niet uit kwam. En er ook nooit uit zal komen, want Wouterse is dood.

Hij begreep dat pas in de ochtend van de 7de mei, al hoorde hij de avond daarvoor wel dat er een dode was gevallen bij de mislukte aanslag op Fortuyn. Bij de herinnering eraan begint zijn hand zo te trillen dat hij zijn glas witte wijn neer moet zetten. Hij heeft verdomme de moordenaar in zijn gezicht gekeken! Op nog geen tien centimeter van hem af! Hij staart naar de sparren, waar in de latenamiddagzon eekhoorns doorheen roetsjen. Een wat bleek gezicht, met blauwe ogen. Een gezicht dat je zo vergeet. Hij ook. Waarom zou hij het hebben moeten onthouden?

Enkele dagen eerder had hij Wouterse gebeld. Ze moesten elkaar spreken! Hij begreep nog niets van de stukken, maar er zit er een bij waarin Fortuyn in verband wordt gebracht met een groep waarvan hij lang geleden in dat grijze, anonieme kantoorgebouw een dossier bijhield. Een dossier met hetzelfde stempel als op de map van Wouterse. Ook dat dossier werd indertijd verbrand. Icarus. Het is ongelooflijk. Wouterse belde in de ochtend van de 6de mei terug. Hij klonk zeer opgewonden en gehaast. Hij wilde dat ze elkaar om vier uur zouden ontmoeten op het Mediapark in Hilversum, waar hij naartoe ging met Fortuyn. 'Zet je auto voor de ingang. Zeg maar dat je bij het Audiocentrum moet zijn. Het is daar vlakbij.'

Daar vroeg die bleke jongen hem ook naar! Maar die was er niet toen hij Wouterse buiten zag staan, niet ver van Fortuyns dure auto, waar een fotograaf opnamen van maakte. Wouterse was ontzettend nerveus. Hij zei dat de man die zich de Sjeik noemt die avond mogelijk in Leeuwarden zou zijn, waar Fortuyn met LPF-prominenten bijeenkwam.

'Hoe weet je dat?'

'Omdat het met Icarus te maken heeft waar jij over belde. Sorry, ik kan niet lang praten. Ik leg het je vannacht uit. Ga jij als de sodemieter naar Leeuwarden, het Oranje Hotel. Fortuyn heeft een luxe suite op de tweede etage. Check wie er nog meer hebben gereserveerd.' Hij had een foto gegeven, een polaroid van een blanke man van middelbare leeftijd met donkere ogen. Gemaakt ergens in een straat, schuin achter hem een vrouw die oversteekt. 'Ik weet niet wie dit is, maar hij zou daar kunnen zijn. Ik kom mee met Fortuyn. We zien elkaar buiten die tent waar hij moet speechen. Als we elkaar mislopen, bel je.'

Even voor zes uur die 6de mei was hij in Leeuwarden aangekomen. Het was stil in het Oranje Hotel. Het meisje zat in het restaurant, maar hij schonk geen aandacht aan haar. Waarom ook? Hij had haar nooit eerder gezien. Gewoon een leuk meisje dat bij een dikke jongen zat. De receptie heeft geen gastenboek, maar een computer. De receptionist rende het restaurant in – pas een paar minuten later begreep hij waarom. Op de monitor bleek een suite voor de LPF gereserveerd, ongetwijfeld voor Fortuyn. Er stonden nog meer namen, niet veel, geen moeilijke, niet moeilijk te onthouden. Natuurlijk niet de Sjeik. Slechts één gast had al ingeboekt. De suite eronder. Op naam van De Vries uit Den Haag. Dat kon, een veel voorkomende naam die hij zelf nooit meer zou gebruiken. Maar toch. In het restaurant had iemand geroepen dat er een aanslag op Fortuyn was gepleegd. Hij had zichzelf moeten dwingen om niet naar binnen te gaan en was naar de binnenplaats achter het hotel gelopen. De twee suites lagen aan de achterkant. Pas later had hij gehoord dat er bij die aanslag een man was omgekomen, maar vanzelfsprekend had hij geen seconde aan Wouterse gedacht. Zelfs niet toen Wouterse niet was komen opdagen. Op de radionieuwsdienst was gemeld dat de dode een zekere Ab Toet uit Scheveningen was. Zelf was hij uitgeput en in grote verwarring pas ver na middernacht teruggekeerd naar de bungalow, waar hij Wouterse weer probeerde te bereiken. Hij ging ervan uit dat ze elkaar op de een of andere manier waren misgelopen en dat Wouterse al sliep.

Als hij de wijn weer oppakt, trilt zijn hand nog steeds. Hij denkt aan de brandtrap aan de achterkant van het donkere hotel; het meisje sloop de brandtrap op. Een kleine, wat mollige jonge vrouw. Dezelfde vrouw die om zes uur in het hotel was, en enkele uren later bij de LPF-bijeenkomst waar hij haar om een vuurtje had gevraagd. Nog geen seconde later had hij de man van de polaroidfoto aan zien komen. Hij krijgt het nóg benauwd als hij aan dat moment terugdenkt. Wie is die jonge vrouw? Wat deed ze later bij Fortuyns suite?

Ze bukte zich op het terras. Ze knipte een aansteker aan om zichzelf bij te lichten. Het schijnsel viel op een mes, dacht hij, tot hij zag dat het een schroevendraaier was. Het vlammetje doofde, maar ze was daar zeker nog enkele minuten gebleven, tot ze overeind was gekomen en pal langs hem de trap was afgedaald, hij had haar kunnen vastgrijpen als hij had gewild. Het ging zo onverwacht dat hij het niet doorhad. Twee of drie mannen, de vrouw die wegrende en door de poort naar de straat erachter verdween. Wat had hij kunnen doen? Hij wist niet eens wie ze waren. Zijn hart ging als een gek tekeer hij had ervandoor gewild, toen er onverwacht twee mannen uit het hotel waren gekomen, in het donker niet meer dan schaduwen. Onder hun voetstappen klonk het tikken van een wandelstok op de steentjes.

Wie heeft haar neergeschoten? In de krant stond dat het mogelijk een roofoverval is geweest, maar ze moet ermee te maken hebben, ze moet iets weten!

De mannen waren zeker niet de bodyguards van Fortuyn geweest. Het was allemaal bijna geluidloos gegaan, als in een stomme film, alleen de rennende voetstappen. Niemand was ook op het balkonterras van Fortuyn verschenen. Hij had nog lang gewacht, verkleumd, de klem op zijn borstbeen, de tintelingen in zijn linkerarm. In de kever had hij Wouterse gebeld en geen antwoord gekregen.

Pas in de ochtend las hij de schreeuwende koppen van de ochtendbladen in het winkelcentrum van Apeldoorn: MOORDAANSLAG OP FORTUYN – LPF-MEDEWERKER DOODGESCHOTEN. Een man van middelbare leeftijd die zich had aangemeld als bodyguard van Fortuyn. *De Telegraaf* had ergens bij het LPF-kantoor razendsnel een foto van Wouterse opgeduikeld. Eronder stond dat hij Ab Toet heette. Zo had hij zich dus genoemd.

Wouterse is dood. Een ongeluk, een misser, de beveiliger doodgeschoten in plaats van de beveiligde, schrijven de kranten. Van de dader, een blanke man van ergens in de dertig, geen spoor. Ook dat, ook al is het mogelijk, blijft verontrustend.

Het bericht over de neergeschoten vrouw in Leeuwarden was veel kleiner. Marike Spaans. Zesentwintig. Een stagiaire bij het *Friesch Dagblad.*

Sindsdien is hij nog voorzichtiger dan hij al was, ook al is hij er zeker van dat ze hem niet gezien hebben. Ook niet toen hij de vrouw om een vuurtje vroeg en die man van de foto naar buiten kwam. Dan zou hij immers net als Wouterse nu ook dood zijn! Wat weet die Marike Spaans?

Hij komt overeind en loopt naar het gasstel, waarop een gepaneerde schol in een vispan ligt te pruttelen. Wouterse. Hij heeft hem nog zelf aangenomen. Een slimme vent die graag hogerop wilde dan mogelijk was binnen het bureaucratische wereldje van de recherche. Hij kwam binnen op het moment dat de dienst na de val van de Muur op sterven na dood was en ze van gekkigheid niet meer wisten wat ze moesten doen. Het sterftecijfer onder het personeel was die jaren bijna dubbel zo hoog als bij andere ambtelijke diensten. Dan heeft hij nog geluk gehad.

Hij keert de vis om. Die is voor vanavond, maar hij eet de schol graag koud. Hij denkt weer aan de enorme cartotheek in het kantoor. Hij kwam daar niet veel, maar elke keer dat hij er kwam, stond hij paf van de kolossale hoeveelheid informatie en kennis die daar achter de stalen deuren lag. Zelfs de buitenlandse collega's spraken er met jaloerse bewondering over.

Wouterse had de map in een aflegarchief gevonden dat op het punt stond te worden verbrand. Toeval, op zoek naar persoonlijke gegevens van Fortuyn, die net uit Leefbaar Nederland was gezet en een nieuwe parij wilde beginnen. Elke aspirant-politicus wordt gescreend sinds het gelazer rond Lubbers met zijn familiebedrijf.

De Sjeik, had Wouterse die avond dat hij langskwam gezegd. Heb je ooit gehoord van iemand die de Sjeik werd genoemd?

Het zei hem niks, het zegt hem nog niks. Veel diensthoofden hadden bijnamen, hijzelf was begonnen onder een legendarisch subhoofd met de naam Hassan, zijn toenmalig hoofd werd aangeduid met zijn oude verzetsnaam Charlie, en zelf werd hij Crypto genoemd vanwege zijn voorliefde voor puzzels en geheimschriften.

Maar wie of wat de Sjeik is? Had Wouterse het geweten, die 6de mei?

De man op de foto?

Voor zover hij nu zelf weet – maar dat is niet veel – blijkt er niets uit de stukken, die vooral over Fortuyns jeugd, studie en grillige carrière gaan, onschuldig als het allemaal klinkt. Het moet dus gaan om de stukken en pagina's, wie weet ook foto's, die zijn verdwenen.

Er is slechts één foto in een envelop die kennelijk over het hoofd is gezien. Een foto waarop de jonge Fortuyn tussen een groep mannen staat, vierentwintig mannen in rokkostuum achter een lange tafel vol flessen en glazen. Waar of wanneer die foto werd gemaakt is onduidelijk. Het lijkt op een chique studentensociëteit, maar er staan ook een paar oudere mannen op. Is een van hen de man die zich de Sjeik noemt? Waarom zit die foto in de map? Omdat hij niet belangrijk is?

Hij draait het gas uit en zet de pan op het granieten aanrecht. Hij heeft er lang over nagedacht. Hij kan drie dingen doen. Fortuyn durft hij niet persoonlijk te benaderen, de man zal na de aanslag en de dood van Wouterse continu in de gaten worden gehouden, en niet alleen door de politie. Maar hij kan hem wel waarschuwen. Al weet hij dan niet eens waarvoor.

Ten tweede is er de jonge vrouw. Marike Spaans, een vierdejaarsstudente van de School voor de Journalistiek in Utrecht. Hij weet niet hoe ze eraan toe is, wel dat ze in een ziekenhuis is opgenomen. Wat deed ze daar op dat terras met een schroevendraaier?

En ten derde is er de aloude truc van de tijger en het bokje, hem tot vervelens toe verteld door zijn vroegere chef, die voor de oorlog bij de militaire inlichtingendienst in Batavia werkte.

‘Bind tegen de nacht het bokje vast, als de tijger gaat jagen. Als het gaat blaten, weet je dat hij komt.’

Een lokaas. Maar waar vindt hij dat?

En wie of waar is de tijger?

13

15 MEI

'Het is hier bij de LPF een gekkenhuis,' zegt Ferry Mingelen met zijn eeuwige wezenloze glimlach. 'Geen wonder, want de uitslag betekent een aardschok die de nationale politieke verhoudingen volledig op hun kop zet. Je zei het zelf al, Maartje. Mijn hemel, drieënvijftig zetels voor de LPF! Sowieso al ongekend, maar zeker voor een nieuwkomer die nog maar een paar maanden geleden werd opgericht. Nou is het natuurlijk ook weer niet zó gek, met die totaal onverwachte move van Wiegel vorige week, want volgens Maurice de Hond zijn zeker tien tot vijftien zetels aan zijn overstap te danken. Niet allemaal van de VVD overigens, en reken maar dat ze daar nog in hun handen knijpen met twaalf zetels verlies.' Ferry glimlacht wat breder. 'Al gaat de grap hier in Den Haag rond dat Dijkstal al heeft gesolliciteerd bij het North Sea Jazz Festival. Je vraagt je ook af wat Ad Melkert gaat doen nu zijn PvdA van vijfenveertig naar twintig zetels duikelt. Dat komt aan, hoor! Het CDA heeft het dan nog goed gedaan met een klein verlies, toch nog de tweede partij, maar daar zullen ze ook niet erg blij mee zijn. De SP vanzelfsprekend wel, volgens verwachting bijna verdubbeld van vijf naar negen, GroenLinks van elf terug naar negen, Leefbaar Nederland zoals verwacht slechts twee zetels, D66 gehalveerd van veertien naar zeven, de kleine christelijke... Aha... ik zie daar de onbetwiste winnaar aankomen... Meneer Fortuyn, van harte gefeliciteerd!'

Fortuyn glundert breed. 'Dank u zeer, meneer Mingelen. U treft een gelukkig mens.' Zijn linkerhand is nog steeds verbonden in hagelwit verband.

'Ik zei net dat we te maken hebben met een historisch moment in de parlementaire geschiedenis.'

'Absoluut. En dat het maar lang mag duren.'

Achter Fortuyn klinkt gejuich, een massaal gescandeerd 'Pim premier! Pim premier!'

Camera's en microfoons dringen zich naar voren, bordjes met RTL, SBS, RTV-Rijnmond, maar ook VRT, BBC en ZDF.

'Nou, u hoort het,' zegt de glimlachende Mingelen. 'Ook een gelukkige premier? Want dit was vanzelfsprekend veni, vidi, vici. Toch?'

'Ach, zover is het nog lang niet, hoor!'

'Toe nou, meneer Fortuyn! U gaat me toch niet wijsmaken dat u straks niet uw prachtige Daimler voor het Catshuis laat parkeren? U bent met straatlengten de grootste partij van het land! U heeft het gewoon voor het zeggen.'

'Pim premier! Pim premier!' schreeuwt een vrouw hysterisch. Ze heeft haar wangen geel en blauw geverfd.

'Het hangt er natuurlijk van af of we een breed gedragen coalitie kunnen vormen,' zegt Fortuyn. 'U weet dat niet elke partij het met ons eens is. En drieënvijftig zetels is een fantastisch aantal, absoluut, maar wel minimaal drieëntwintig te kort om het voor het zeggen te hebben. En ik wil wel kunnen doen wat ik zeg. Een man een man, een woord een woord.'

'Nou ja,' zegt Mingelen. 'Ik zou zeggen dat het CDA voor de hand ligt met toch nog negenentwintig zetels. En de VVD lijkt ook een logische partner met Wiegel, die toch altijd nog erelid van die partij is. Iets anders lijkt me niet mogelijk. De SP en GroenLinks kunnen uw bloed wel drinken en D66 is een splinterpartij geworden, die bovendien ook mijlenver van u vandaan staat. Verder dus met de heer Balkenende, zou ik zeggen.'

'Getalsmatig heeft u gelijk, maar de vraag is of het CDA dat zou willen.'

'U bedoelt een ondergeschikte positie?'

Fortuyn glimlacht hoofdschuddend. 'Ik dacht eerder aan bepaalde geschilpunten in onze programma's, meneer Mingelen.'

‘Kom, kom, meneer Fortuyn! Als u de heer Balkenende nou het vicepremierschap toezegt en wat water bij de wijn doet wat betreft de euthanasie en de JSF, dan moet u er toch uit komen?’

‘Meneer Mingelen, ik weet dat u al wat langer in de politiek meedraait, maar u weet best dat het in dit land helaas niet zo gemakkelijk gaat. Het hangt er helemaal van af wat er nu in die club gaat gebeuren.’

‘Dat weet u toch allang?’

Fortuyn lacht. De spotlights doen zijn schedel glimmen. ‘Nee hoor.’

‘U heeft geen enkel idee?’

‘Meneer Mingelen, ik heb ideeën zat, maar ik hou me niet bezig met wat er in de boezem van andere partijen gebeurt. Ik ben allang blij dat we de puinhopen van Paars nu echt kunnen gaan ruimen, maar nogmaals: hoe en met wie is in Gods hand. En ik ben God niet.’

Mingelen glimlacht wat spottend. ‘Een andere vraag die al wat langer speelt, is of u binnen uw kringen voldoende capabele mensen heeft. Met drieënvijftig zetels worden dat, als ik zo eens ruw schat, veertien ministers? U heeft daar zelf ook wel eens uw twijfels over uitgesproken. U zou graag mensen van buiten de politiek willen aantrekken...’

‘Veertien?’ Fortuyn trekt geaffecteerd zijn wenkbrauwen op. ‘Als het aan mij ligt, meneer Mingelen, worden dat er hooguit tien. Den Haag is toch al verstopt met managers en beroepsvergaderaars.’

Achter Mingelen doemt de vierkante gestalte van de grijnzende Wouke van Scherrenburg op. ‘Nou, meneer Fortuyn, ik hoorde anders van uw mensen op het partijkantoor dat de vergaderingen daar de pan uit rijzen.’

‘Mevrouw,’ zegt Fortuyn, ‘over pannen gesproken: ik heb het u al eens eerder geadviseerd: u bent echt beter op uw plaats in de keuken. En als u dan toch zo nodig iemand wilt interviewen, raad ik u Joop Braakhekke aan, daar kunt u tenminste nog iets van opsteken.'

Het gelach overstemt Woukes weerwoord en iemand roept: 'Haal toch eerst die hete aardappel uit je strot, truttebol!'

Fortuyn glimlacht en kijkt opzij naar Mat Herben, die als een tweede wethouder Hekking omzichtig in beeld schuift: 'Het spijt me, Pim, maar je moet nu echt naar de make-up voor het slotdebat.'

De reporter van de VRT dringt zich naar voren. 'Wat wilt u in Europees verband, meneer Fortuyn? Een samengaan met het Vlaams Blok van Dewinter? Met meneer Le Pen?'

'Nog niet over mijn líjk!' zegt Fortuyn geïrriteerd. 'En hou nou toch eens op met die idiote vergelijkingen! Ik ben een democraat, meneer, geen fascist!'

'What about NATO?' vraagt de vrouw van de BBC. 'I understood that you mistrust Turkey's role...'

Maar Herben kent geen pardon en trekt Fortuyn met zich mee de meute in, die met bier- en wijnglazen omhoog weer scandeert: 'Pim premier! Pim premier!'

Mingelen ziet het glimlachend aan, terwijl horden verslaggevers achter Fortuyn en Herben aan rennen.

'Goed, voorlopig maar even terug naar jou, Maartje. Of gaan we naar Paul bij de geslagen honden van de PvdA?'

Ook Maartje van Weegen glimlacht als ze in beeld verschijnt. 'Ik denk dat we eerst overschakelen naar Rob bij die andere winnaar, de SP van Jan Marijnissen in Oss... Of?' Ze luistert even en zegt dan: 'Nee, we krijgen nu eerst beelden van de collega's van Omrop Fryslân, die net een kort gesprek hadden met Hans Wiegel.'

Wiegel ziet er als altijd welgedaan uit, ontspannen. Achter hem staat zijn vrouw Marianne. Ze kijkt bewonderend naar haar man, meer als een moeder naar haar briljante zoon dan als echtgenote, vindt Lex. Maar misschien heeft hij die indruk omdat het gerucht gaat dat ze hem, na het dodelijke ongeluk van haar zusje, met wie hij eerder was gehuwd, ook meer als een soort moeder dan als minnares heeft opgevangen. Volgens een parlementair kopstuk bij de krant zou zij zijn politieke aspiraties weer hebben aangewakkerd en achter de overstap naar Fortuyn hebben gezeten. Wiegel was allang afgezeken door de nieuwe partijbonzen in de VVD, en je kunt er gif op innemen dat hij een rondedansje heeft gemaakt toen bekend werd dat Dijkstal zwaar heeft verloren. Het is niet voor niets dat hij steeds blijft refereren aan zijn erelidmaatschap van de VVD.

'Een dubbel gevoel,' zegt Wiegel, zijn oogjes achter de brillenglazen strak op Lex en alle andere kijkers gericht. 'Ik kan u zeggen dat ik niet blij ben met het dramatische verlies van de VVD. Het is toch de partij waar ik meer dan vijfendertig jaar aan heb mogen bijdragen en veel, zo niet alles aan heb te danken... Vandaar dat ik dat erelidmaatschap blijf koesteren.'

Hij verkoopt het wel, denkt Lex en hij schenkt zijn glas bij.

'Maar de mensen in het land maken het nu eenmaal uit, en zo werkt dat ook in een democratie als de onze. Ik begrijp overigens niet dat dit voor de partijleiding van de VVD onverwacht komt. Zoals u weet, heb ik herhaalde malen gepleit voor een andere insteek. We hebben als VVD glorieuze tijden meegemaakt, onder mijn voorganger professor Oud, onder mijzelf en onder Frits Bolkestein, maar dat is helaas verleden tijd. U ziet dat zelf. De kiezers voelen dat feilloos aan. In plaats van versplintering hebben we binding nodig, en de heer Fortuyn heeft dat scherp gezien...'

Natuurlijk ruikt Wiegel zijn kans. Wraak en eerzucht. Fortuyn is dan wel de grote overwinnaar, de kandidaten op zijn lijst stellen niks voor. De keerzijde van het populisme: kwantiteit garandeert nog geen kwaliteit. Wiegel weet dat verdomd goed. Het knappe is dat hij niet alleen zoveel zetels uit de andere partijen heeft meegetrokken, maar ook een coup binnen de VVD heeft bewerkstelligd. Al direct na zijn overstap naar de LPF eiste de rechtervleugel van de liberalen de koppen van de partijleiding, en je hoeft geen politiek expert te zijn om te weten dat daar een paleisrevolutie gaat komen. Veel VVD-stemmers hebben al een motie van wantrouwen afgegeven. Reken maar dat Wiegel allang rondjes met zijn protegés heeft gebeld om toch een coalitie aan te gaan. Jonge rechtse honden, zoals dat corpsballetje Van Baalen. Daar zal Fortuyn alleen maar blij mee zijn. Hij premier, Wiegel een superdepartement en de naar rechts getrokken VVD erbij. Drieënvijftig plus vierentwintig zetels: een krappe meerderheid, maar het kan. Fortuyn zal, zoals Mingelen suggereerde, waarschijnlijk ministers en staatssecretarissen van buiten aantrekken. Een tweepartijenkabinet is vaker voorgekomen, maar, als het inderdaad LPF-VVD wordt, nooit eerder met zo'n rechtse signatuur. Een van die kabinetten, herinnert Lex zich, was ook al met Wiegel, na dat beruchte etentje met Dries van Agt hier in Le Bistroquet, dat door een collega van hem werd gefotografeerd.

Op het scherm komt Wiegels interviewer in beeld, een dikke jongen van een jaar of vijfentwintig.

'Wat ik niet begrijp, meneer Wiegel, is dat u in zee gaat met meneer Fortuyn, die drastisch wil bezuinigen op defensie. Hij wil nota bene de luchtmacht en de landmacht afschaffen! Dat is toch niet wat u wilt? Nog even afgezien van zijn kritische houding tegenover onze NATO-verplichtingen?'

Wiegel blijft onverstoorbaar in de camera kijken, de sigarenrook als een halo boven zijn zilvergrijze haar. 'Laat ik u dit zeggen, meneer Bregstra. De heer Fortuyn en ik hebben daarover een uitvoerig gesprek gehad, dat...'

Lex hoort het al niet meer. Bregstra. De politieman uit Leeuwarden die hem belde noemde die naam. Marike had met die jongen over een interview met Fortuyn gepraat en in een café afgesproken. Hij heeft het al eerder bedacht. Ze moet met die primeur de overstap van Wiegel hebben bedoeld, dat kan bijna niet anders. Het ligt nogal voor de hand: Fortuyn net die avond in Leeuwarden, zo'n beetje de thuisbasis van

Wiegel. Hoe was ze daarachter gekomen? Wat had ze gewild? Dat hij er foto's van zou maken? Heeft ze die zelf gemaakt? En wilde ze toen opgewonden naar dat café fietsen, maar werd ze onderweg te pakken genomen? Een mogelijke roofoverval, had die rechercheur gezegd, alles van haar gepikt. Ook haar camera dus.

Hij heeft sindsdien één keer naar het ziekenhuis in Leeuwarden gebeld, pas na de begrafenis van zijn ex-schoonvader. Ze ligt nog steeds in coma. Twee kogels, waarvan één in haar rug. En nog bijna verkracht door een zwerver. Je moet er toch godverdomme niet aan denken dat Tesseltje zoiets overkomt! Waarom was ze 's avonds in dat park? Was dat misschien de kortste weg naar dat café waar ze had afgesproken?

'... als het landsbelang zulks vereist, meneer Bregstra, dan kun je nog wel even dubben, maar dan is het toch een kwestie van wat het zwaarst weegt...'

Kennelijk mankeert er iets aan de coördinatie, want op het scherm dwarrelen allemaal rode en witte ballonnen met de letters SP erop.

Zijn mobiel rinkelt en hij neemt op terwijl hij het geluid zacht zet.

'Lex, met Carla. Is Tessel al naar bed?'

Shit! Tessel. Hij is door de tv-uitzending totaal vergeten dat ze nog beneden achter zijn computer zit!

'Ja. Die slaapt al. Wat dan?'

'Niks, ik wou even weten hoe het ermee ging. Ze heeft toch een proefwerk Latijn morgen?'

Hij hoort aan haar stem dat ze heeft gedronken. 'Proefwerk' klinkt als *ploefwelk*. Als ze drinkt, gaat ze klagen of zeiken.

'Ja. Heeft ze vanmiddag geleerd, vóór pianoles.'

Dat zegt hij meteen maar, anders begint ze daarover.

In beeld is een gesprek tussen Rob Trip en Jan Marijnissen gaande, de laatste met een schedel die net zo glanst als die van Fortuyn. Fortuyn heeft een hoger voorhoofd, denkt Lex.

'Je hebt zeker niet gestemd?'

'Nee. Jij natuurlijk wel.'

'Natuurlijk!' Ze valt stil. Godzijdank. Er had ook nog een hele litanie over burgerrechten en je eigen verantwoordelijkheid kunnen volgen.

'Ik bel haar morgenochtend vroeg nog wel,' zegt ze dan. 'Vergeet niet dat ze extra kleren voor hier mee moet nemen.'

'Is goed,' zegt hij, maar ze heeft al opgehangen.

Hij trekt een grimas en legt de telefoon neer. Carla.

Ze zal wel SP of GroenLinks hebben gestemd. En op een vrouw. Hij kan veel van Ankes politieke ideeën zeggen, maar niet dat ze meedoet aan die flauwekul om een vrouw te kiezen alsof de k van kut garant staat voor kwaliteit. Kwestie van leeftijd. Nog geen generatie verschil, maar toch lichtjaren van elkaar verwijderd. Carla bijna vijftig, al in de jaren zeventig meegezogen door het feminisme en er nooit van losgekomen; Anke drieëndertig, toen nog op de kleuterschool, de dochter van juist zo'n feministische diehard, boezemvriendin van Annemarie Grewel, dan leer je het vanzelf wel af. Dat is waar hij bij Anke als een blok voor viel: een vrouw die er verdomd vrouwelijk uitziet, maar praat en vrijt en vloekt als een vent. Niks geen gelul over onderdrukking en achtergesteldheid, dat eeuwige slachtofferschap waarop Carla en haar leeftijdgenoten het altijd gooien, maar gewoon aanpakken, je eigen verantwoordelijkheid nemen. Niet zeiken.

Hij staart naar Marijnissen en vraagt zich af of Anke echt LPF heeft gestemd. Ze zei dat ze het nog niet zeker wist. Krankzinnig voor iemand met zo veel brains die de politiek als haar broekzak kent. Wat zie je dan in zo'n Fortuyn?

Met zijn glas loopt hij naar het souterrain, waar hij zijn werkruimte en archief heeft. Als hij de deur opentrekt, ziet hij zijn dochter aan zijn Mac zitten, maar zij hoort of ziet hem niet, gebiologeerd door het scherm.

'Tessel! Wat zit je nou nog te doen? Het is bijna elf uur, schat!'

'Hé pap, vet, zeg! Waar heb je die foto's vandaan?'

'Wat voor foto's?'

'Van Ferri! Waarom heb je dat niet gezegd?'

Ferry? Who the hell is Ferry? Ferry Hoogendijk?

Dan ziet hij een foto van de blonde jongen in de witte cabrio bij de hoofdingang van het Mediapark op het scherm. Haar idool van GTST, haar kamertje is er zowat mee behangen.

'Waar heb je die gemaakt?'

'Op het Mediapark. Wat zit je verdomme in mijn spullen?'

'Nou zeg! Ik mocht je Canon toch mee naar het kamp omdat mijn mobieltje is gejat?'

'Wat?' Dan knikt hij. Het afgelopen weekeinde mocht ze het cameraatje mee naar het hockeykamp, zo duur is het ding ook niet. Als troost. Voor opa én haar gestolen mobiel. Je houdt het niet voor mogelijk: in de garderobe uit de zak van haar jack geratst tijdens de condoleances in de aula!

'Mag ik ze nog wel naar Soemeya mailen?'

'Tempo dan. En als de sodemieter naar bed. En je tanden poetsen! Heb je je Latijn gedaan?'

'Ja-ha!'

'Oké.' Hij loopt naar de schemerlamp, knipt die aan en wacht ostentatief.

'Klaar?'

'Jezus, pap!'

'Jezus heeft er niks mee te maken.'

'Moet jij nodig zeggen!'

'Jij bent mij niet. Moven! Kus, want ik kom niet meer boven. En meteen licht uit, radio uit en pitten!'

Ze komt overeind, graait haar spulletjes bij elkaar, kust hem onwillig op een wang en loopt naar de trap. Hij zet zijn glas neer en ziet boven aan de monitor het papiertje waarop hij het telefoonnummer van het ziekenhuis in Leeuwarden heeft genoteerd. Hij zal morgen bellen voor het adres om Marike een kaartje te sturen.

Boven in het scherm staat dat het vandaag woensdag 15 mei 2002 is, 23.06. Eronder de serie foto's die hij negen dagen geleden maakte, de blonde acteur uit GTST, daarna enkele opnamen van Smolders met een brede lach tegen de donkerblauwe Daimler van Fortuyn, dan Fortuyn met De Wild in de studio. Haastwerk, snapshots waar hij niks mee kan. Het zou aardig zijn geweest, bedenkt hij cynisch, als Fortuyn toen was doodgeschoten; dan zouden dit de laatste foto's van hem in leven zijn. Een foto van de dode Fortuyn zou hij voor goed geld zijn kwijtgeraakt. Nog meer als hij het moment waaróp had kunnen vastleggen. Aan Nederlandse dag- en weekbladen mag hij contractueel niet doorverkopen, maar wel aan buitenlandse. *New York Times*, *Independent*, *Bildzeitung* natuurlijk, de Belgen zeker, samen toch gauw goed voor een stevig bedrag. Nooit zoveel als die gast die indertijd de mazzel had om er met zijn camera bovenop te staan toen Jack Ruby Oswald doodschoot; dat schijnt ruim een miljoen dollar te zijn geweest, maar toch. Je zult hem niet horen klagen met zijn vaste dienstverband, maar soms, nu bijvoorbeeld, verlangt hij nog wel eens terug naar de tijd dat hij voor zichzelf werkte. Dertien jaar geleden, toen Tessel werd geboren en de krant hem een vaste aanstelling aanbood, was de keuze niet moeilijk met een kersvers gezinnetje. Carla's baan in het onderwijs leverde nauwelijks iets op, bovendien wilde ze de eerste jaren thuis zijn voor Tessel.

Een vast salaris van 4400 bruto per maand plus pensioen is niet slecht, bijna tweemaal modaal, maar daar gaat wel ruim 1000 euro aan alimentatie af, plus nog eens 300 kinderbijdrage voor Tessel, hoewel ze meer bij hem is dan bij Carla.

Hij klikt door naar de foto's die zij van het hockeykamp heeft gemaakt. Het zijn er zeker honderd. Allemaal hetzelfde werk. Al die meisjes lijken ook als twee druppels water op elkaar, net aan het begin van de puberteit: blond en welgedaan, beginnende borstjes, in hun korte hockeyrokjes de droom van een kinderpornoproducent. Fortuyn zou er tevreden mee zijn, denkt hij cynisch, geen allochtoontje te bekennen. Geen wonder, met bijna 400 euro contributie. Tessel zelf in haar keepersoutfit op doel doet hem als altijd denken aan een astronaut.

Hij plaatst alle foto's in een aparte map en gaat terug naar de opnamen van de 6de mei. Sindsdien heeft hij de Canon niet meer gebruikt, zelfs de opnamen niet bekeken die hij ermee heeft gemaakt. Waarom ook? Er zat niets bruikbaars bij voor de verkiezingsspecial.

Hij zal de foto's van die blonde slijmbal en van Smolders nog even apart zetten en de boel dan afsluiten. Ferri. Elke randdebiel is tegenwoordig een ster. In zijn jeugd dweepte je met rebellen als Keith Richards en Jim Morrison, met Tina Turner of Dolly Parton vanwege de geiligheid, maar waarom identificeer je je op je dertiende in jezusnaam met zo'n blond braakmiddel?

Diens cabrio is een BMW Z3. Gloednieuw, zo te zien aan het nummerbord, waar hij even op inzoomt. Duur, al stelt het nog niks voor bij Fortuyns Daimler, waar Smolders tegenaan leunt. Opeens knijpt hij zijn ogen wat samen. Niet ver van de BMW, opzij van de portiersloge, nog voor de slagboom, staat een man bij een geparkeerde auto, zo te zien een ouwe VW-kever. Echt duidelijk is het niet. Hij zoomt erop in en ziet dat de man een blauw baseballpetje op heeft en een spijkerjack draagt. Hij staat wat gebogen naar de auto toe, alsof hij iets vraagt. Het is inderdaad een kever, een vuilwitte, een oudje, lijkt hem. De bestuurder kan hij niet zien.

Verward kijkt hij naar de andere foto's in de serie, maar daarop is alleen de cabrio zichtbaar.

Het gezicht van de man met het petje valt niet te zien, want hij staat met zijn rug naar de camera. Een blauw baseballpetje, een jack, een spijkerbroek. Hetzelfde als dat signalement. Hij lijkt klein van stuk, maar dat kan ook komen doordat hij zich naar het raampje van de auto buigt. Praat hij met de bestuurder? Waarom? Hij gaat goddomme straks schieten! Volgens de time-code was het toen 15.59.04. Dat kan kloppen; hij herinnert zich dat hij maar net te laat was om Fortuyn te fotograferen. Wat moet die ouwe Volkswagen daar? Hij staart voor zich uit en snakt naar een sigaret. Mogelijk een vluchtauto, had een politieman op het nieuws gezegd. De dader zou er mogelijk met een vluchtauto vandoor zijn gegaan. Die kever? Dat zou dan behoorlijk link zijn om daar eerst te gaan staan! Een witte kever, helaas geen kenteken te zien.

Wat zal hij ermee doen? De krant natuurlijk. Niemand heeft een foto van de schutter. Mazzel dus. Kan de politie er wat mee? Want het moet toch zijn na te gaan van wie die kever is? Zouden daar bij die portiersloge geen beveiligingscamera's zijn? Ongetwijfeld, maar daar zal die vent met het petje vast rekening mee hebben gehouden. Hij herinnert zich dat de schutter achter het gebouw van de RVU langs is gevlucht. Stond die kever daar? Hadden ze dat afgesproken? Maar dat moet de politie dan toch allang weten? De portiers hebben die auto moeten zien, en anders is hij wel door cameraatjes geregistreerd.

Hij vergroot de foto verder uit, maar verliest zoveel aan scherpte dat hij het beeld weer op normaal stelt. Voorpagina, absoluut. Lang geleden dat hij die had. Het beste is om die nitwit in zijn BMW eraf te snijden, die leidt alleen maar af, en de foto meteen naar de fotoredactie te mailen, zodat ze morgenochtend weten waar het om gaat. Hij drinkt van de wijn en tuurt weer naar de foto. Die gozer moet wel lef hebben gehad om gewoon via de hoofdingang binnen te lopen. Ze hebben nog steeds geen spoor van hem, geen enkele aanwijzing, ook niet over een motief. In de *Nieuwe Revu* stond dat het mogelijk om een crime passionnel ging, een door Fortuyn afgewezen minnaar. Ga je gang dan maar, dat schijnen er nogal veel te zijn. Gewoon een gek lijkt onzin, die plant zoiets niet, zeker niet als er sprake zou zijn van een vluchtauto. Dan denk je toch eerder nog aan een blanke moslim, of aan een vent die zich heeft laten inhuren door fanatieke Turken of Marokkanen. Of door een stel dolgedraaide militairen, omdat Fortuyn de luchtmacht en de landmacht wil afschaffen. Zo kun je nog wel een tijdje doorgaan. Fortuyn heeft in de korte tijd dat hij bezig is veel vijanden gemaakt, maar moord is ongekend. Natuurlijk had hij het weer over zijn held en voorbeeld Kennedy, over Willem van Oranje en de gebroeders De Witt. Wat dat betreft kent zijn hoogmoedswaanzin echt geen grenzen. Op zijn website De Gezonde Roker had die gek van een Van Gogh zelfs beweerd dat het hem niet zou verbazen als nota bene Beatrix erachter zou zitten, omdat Fortuyn lid is van het Republikeins Genootschap. Het mag trouwens een wonder heten dat die Van Gogh met zijn grote bek over geitenneukers zelf nog levend rondloopt.

Hij drinkt zijn glas leeg en aarzelt of hij er nog een zal nemen, als hij voetstappen in het gangetje hoort. Jezus, niet weer Tessel met een of ander smoesje! Wrevelig komt hij al overeind als de deur opengaat en Anke lachend binnenkomt.

'Dat dacht ik wel. De stille drinker!'

Onnozel kijkt hij haar aan. Ze ziet er chic uit in haar zwarte mantelpakje, geil ook, vindt hij, het jasje open, zodat haar borsten goed zichtbaar zijn onder de witte blouse.

'Wat kom jij nou doen? Je was toch bij je vader?'

'Heb ik naar morgen verzet. Iemand wilde me hier dringend spreken. Vind je het soms niet leuk dat ik er ben?'

'Natuurlijk niet.'

Hij doet een stapje naar haar toe en kust haar. Onder haar parfum kan hij de zoetige lucht van haar lievelingsdrankje calvados ruiken. Een eetafspraak dus. Dan zal ze vast goede zaken hebben gedaan dat ze zo uitgelaten doet en nog langskomt. Misschien blijft ze wel; dat zou helemaal mooi zijn, want ze hebben het lang niet meer gedaan.

'Wil je een glas wijn? Ik wou net naar boven.'

Ze knikt en kijkt naar de monitor. 'Goh, dat is toch die Ferri Somogyi uit *Goede Tijden*?'

'Ja. Voor Tessel.'

'Nou, mag voor mij ook wel. Echt een stuk in dat hemd. Sexy, hoor.' Ze lacht. 'Moet jij ook eens doen.'

Hij maakt een grimas. 'Als je even wacht, sluit ik de boel af.'

'Was je aan het werk?'

'Nee. Tessel was bezig met de foto's van haar hockeykamp.'

'Was die Ferri daar dan?'

'Nee. Ik zag hem toen ik Fortuyn in het Mediapark wilde fotograferen.'

Tot zijn verbazing lacht ze weer.

'Wat is er?'

'Als je boos wordt, ga ik weg.'

Hij knijpt zijn ogen samen. 'Wat is er dan?'

'De LPF wil dat ik ze ga managen.'

'Wat?' Het dringt niet echt tot hem door.

'De LPF wil dat ik ze ga managen. De partij een beetje op poten zetten.'

'Dat meen je niet.'

'Tuurlijk meen ik dat! Schat, je houdt het niet voor mogelijk wat voor amateurs het zijn. Wel in één klap de grootste partij, maar echt, een stel vrijwilligers alsof het een buurthuis is. Ik kom net uit Des Indes en...'

'Doe je het?'

Haar groene ogen verwijden zich verbaasd. 'Natuurlijk! Weet je wat ze bieden? Daar kan ik een jaar van leven en dan hou ik nog over. En geen gezeik meer van accountants of backbenchers uit de provincie en al dat gelazer over subsidies.'

'Godverdomme, Anke, je weet toch hoe ze aan hun geld komen? Allemaal criminele sponsors, de hele vastgoedpenoze!'

'Zie je wel, je wordt boos.'

'Ja, vind je het gek? Je gaat toch godverdomme niet voor tuig als Maas en Thunnissen werken?'

'God, Lex, je loopt achter, jochie. Het is je misschien ontgaan, maar Fortuyn heeft vorige week de bezem door het bestuur gehaald, juist om elke schijn van belangenverstrengeling te vermijden. Bovendien is er ook nog controle van buitenaf.'

'Doe niet zo naïef met je controle van buitenaf! Iedereen weet dat de vastgoedjongens miljoenen in Fortuyn hebben geïnvesteerd. Wat dacht je? Dat die zich door een of andere lullige overheidscommissie opzij laten zetten?'

'Ja, dat denk ik. Dat weet ik trouwens wel zeker ook. Wat dacht je van Wiegel? Dat die dat zou pikken?'

'Wiegel? Ja, nee, daar noem je wel even een toonbeeld van integriteit! Vraag dat maar aan Dijkstal! Wat zei Caesar ook alweer? Ook gij, Brutus? Jammer dat de naam Hans toen nog niet bestond!'

Al glimlacht ze, hij ziet dat zij ook boos wordt. So what? Dan maar niet neuken. Het kan hem niks schelen. Godverdomme, de LPF. Hij ziet het zichzelf al op de redactie vertellen!

'En wat ga je dan regelen bij die club halvegaren? Lekkende boten met asielzoekers terug naar Somalië en Soedan? Je weet toch verdomme wat die kale flikker wil? Jammer dat ze hem gemist hebben!'

'Hoeveel borrels heb je gehad?'

'Wat heeft dat ermee te maken? Je weet er geen ruk van, je zit alleen maar achter de poen aan.'

'Nee, jij dan! Vijftig jaar en nog steeds met je cameraatje naar huilende kindertjes, en moord en doodslag lekker in close-up voor op de voorpagina! Wat heb jij dan de afgelopen weken gedaan, hè? Toch als een hondje achter die kale flikker aan gelopen en geld aan hem verdiend? En dan wou je mij verwijten dat ik...'

'Flikker op.'

Ze staart hem woedend aan, ze hijgt een beetje.

'Pardon?'

'Flikker op, zei ik.'

Het is even doodstil in het souterrain, op het zoemen van de computer na.

'Oké.'

Jezus, denk hij, dat moet ik niet zeggen! Waarom zuip ik zo? Hij schudt zijn hoofd en lacht. 'Sorry. Mijn fout, schat. Echt, sorry. Ank, toe... kom op, hé!'

Hij wil haar vastpakken, maar struikelt en valt.

'Anke. Het spijt me!'

'Val maar dood.'

De deur klapt zo hard achter haar dicht dat de ingelijste foto van Joop den Uyl met Juliana op de grond valt. De eerste foto van hem die op een voorpagina verscheen.

Vloekend krabbelt hij overeind en holt naar de deur, rukt hem open, hoort boven de buitendeur dichtvallen en dan de stem van Tessel in het donker: 'Papa! Wat is er?'

14

Zoals verwacht, heeft de koningin Fortuyn verzocht het informateurschap op zich te nemen. Een historische gebeurtenis, al was het maar omdat het onderhoud nog geen vijf minuten duurde. Een unicum. Fortuyn kan geen tijd gehad hebben om een kopje thee te drinken, en volgens insiders werd hem dat ook niet aangeboden. Lex en zijn collega's draaien overuren bij het Palazzo di Pietro, Fortuyns grote herenhuis aan het G.W. Burgerplein in Rotterdam. Het tekent Fortuyns zelfvertrouwen – anderen noemen het arrogantie – dat hij de informatiebesprekingen aan huis voert, ook al een unicum in de parlementaire geschiedenis. Ze vinden met dit fraaie zomerweer plaats in de riante tuin onder zuurstokkleurige parasols. Waar je kijkt, zie je cameramensen, maar ook bewapende veiligheidsfunctionarissen. Fortuyn gaat doorgaans gekleed in een van zijn tientallen dure maatkostuums, maar Lex heeft hem ook in een zwartleren boek met een wit ruchesoverhemd gefotografeerd. Hij oogt uitgerust en ontspannen, en is buitengewoon aimabel. De besprekingen duren kort en na afloop is er steevast witte wijn met nieuwe haring voor de gedeeltelijk ook buitenlandse pers. Fortuyns Engels doet nog steeds pijn aan je oren, maar is wel verbeterd sinds hij conversatielessen volgt. Waar hij de tijd vandaan haalt, begrijpt niemand.

Vrijwel iedereen gaat uit van een LPF-CDA-coalitie.

Met de zwaar gehavende VVD houdt niemand rekening. Wiegel mag dan erelid zijn gebleven (al was er een voorstel van Vonhoff en Nijpels om hem het erelidmaatschap te ontnemen), de overstap naar de LPF wordt door het partijkader als hoogverraad gezien. Achter de hermetisch gesloten deuren van het partijbureau schijnt een ware veldslag gaande te zijn tussen de linker- en rechtervleugel. Dijkstal heeft zijn ontslag genomen, Gerrit Zalm overweegt net als Frits Bolkestein het lidmaatschap op te zeggen. Van Wiegel zelf hoort of ziet niemand iets, hij schijnt niet eens in het land te zijn. Alle commentatoren zijn het erover eens dat hij namens de LPF een zware post zal gaan bekleden. Geen vicepremier, want Fortuyn zal vast en zeker premier worden, dus krijgt de regeringspartner automatisch het vicepremierschap. Commentatoren denken aan een superministerie, en dan waarschijnlijk van Binnenlandse en Sociale Zaken, wat ook strookt met Fortuyns streven naar een beperking van het aantal ministeries.

De eerste dag heeft Fortuyn met Rosenmöllers opvolger Femke Halsema en met de nieuwe leider van D66 Boris Dittrich gesproken. Vanzelfsprekend waren dat beleefdheidsgesprekken. *No way* dat de LPF met GroenLinks of het geminimaliseerde D66 gaat regeren. De Socialistische Partij liet eerder weten helemaal geen prijs te stellen op een gesprek, hoewel het SP-programma veel overeenkomsten met dat van de LPF vertoont. Marijnissen ontkent dat natuurlijk in alle toonaarden. Verder weet iedereen zo langzamerhand wel dat Marijnissen met niemand kan samenwerken. Zoals het *AD* schreef: 'Waar Pim komt, komt ruzie; waar Jan komt, komt oorlog.'

Fortuyn zelf zei na Marijnissens weigering: 'Dat scheelt weer een uur prietpraat.'

De tweede dag werd met de kleine christelijke partijen overlegd en pas de dag erop met Jan Peter Balkenende van het CDA. Op de foto's van Lex staat Balkenende met een wezenloos glimlachje in de schaduw van Fortuyns borstbeeld, wat best wel eens de Zilveren Camera zou kunnen opleveren. Hij ziet eruit alsof hij op een kinderpartijtje is uitgenodigd, maar eigenlijk niet durfde te komen.

Fortuyn houdt geen weekeinde, zodat het zaterdagochtend al vroeg storm liep achter de politieafzetting toen de VVD arriveerde.

Geen Dijkstal dus, geen Zalm, geen Erica Terpstra. Wel stapt die 22ste mei tussen een haag van journalisten en fotografen een minzaam glimlachende Jozias van Aartsen uit een dienstauto, tot ieders verbazing gevolgd door twee backbenchers uit de Tweede-Kamerfractie, die allebei weliswaar eerder aandacht trokken met een lijst van tien bezwaarpunten tegen het partijbeleid en hun verzet tegen het Turkse lidmaatschap van de Europese Unie, maar van wie maar weinigen de namen kennen. De journaliste Wouke van Scherrenburg dringt met haar bekende Hilversumse arrogantie naar voren, maar Van Aartsen is al kwiek het bordesje op gestapt en verdwijnt naar binnen. Woedend draait ze zich om, zegt hoorbaar 'Lul!' en perst er dan een glimlach uit naar een lange, kaarsrechte man met een helblond geverfd kapsel dat als een achttiende-eeuwse pruik in zijn nek krult.

'Nou, meneer Wilders,' zegt ze spottend, 'bent u hier voor de formatie of komt u zich net als de heer Wiegel aanmelden als lid van meneer Fortuyns partij?'

'Dat laatste alleen als u kookt,' glimlacht Wilders. 'En niet halal, want ik ben dol op varkensvlees.'

15

Heel soms beseft ze dat ze bij bewustzijn is, al lijkt niemand anders dat op te merken – de artsen niet, het verplegend personeel niet. Ze kan ook niets bewegen, ze kan niet praten, ze kan zelfs haar ogen niet openen; ze voelt niets, ze heeft het alleen ijs- en ijskoud, alsof ze bevroren is. Maar ze hoort alles – stemmen, voetstappen, een deur, het gerinkel van metaal, iets wat wordt verschoven, lachen – en door haar nevelige brein tollen beelden en gedachten door elkaar als zwerfvuil in de wind.

Als stagiaire heeft ze een keer een vrouw geïnterviewd die een bijnadoodervaring had gehad en ze weet zeker dat zoiets haar ook is overkomen. Tijdens de operatie. Ze herinnert zich dat ze opeens uit haar lichaam werd getrokken. En dat ze even tussen de takken van een boom hing en naar een vrouw onder zich keek, tot ze besefte dat zij het zelf was. Languit op de operatietafel, artsen en verpleegsters om haar heen. Meteen erop werd ze met grote snelheid een soort tunnel in gezogen waar het heel donker was, maar ze herinnert zich ook dat ze absoluut niet bang was, eerder opgewonden en nieuwsgierig. Voor haar uit straalde een wit licht zo fel als de zon, maar ze kon er heel goed in kijken. Opeens hing ze in dat licht en zag ze allerlei kleuren die haar als water omspoelden. Ze kan het niet omschrijven, maar ze voelde zich ontzettend gelukkig. Ze besefte ook dat ze dood was en ze vond dat fantastisch. Ze leek alles in één klap te weten: wat leven en sterven eigenlijk was, al weet ze dat nu niet meer. Vlak bij haar waren anderen, een soort wezens, al hadden ze geen vorm. Ze zag ze niet, ze voelde hun aanwezigheid, ze dacht hun gedachten. Ze straalden geluk en liefde uit en leken haar mee te willen nemen, verder het licht in, maar opeens herkende ze de stem van haar oma die vorig jaar is gestorven: 'Je moet terug, Marike. Het is je tijd nog niet. Ga terug, je bent daar nodig.'

Vanaf dat moment weet ze niets anders meer dan dat ze het weer ijskoud kreeg en dat iemand gezegd had dat ze niet in levensgevaar verkeerde. Wat is er gebeurd? Waarom ligt ze in een ziekenhuis?

Ze hoort de arts iets zeggen over het infuus en dat hij in de middag weer terugkomt. Iemand anders waarschuwt voor de trap die net is gedweild, en meteen flitst het beeld van een trap door haar geest, een donkere, metalen trap; ze daalt hem af en loopt naar een poortje. Opeens komen er twee, drie schimmen tevoorschijn die haar willen vastgrijpen. Ze wil gillen, maar op de een of andere manier lukt dat niet. Dan zit ze in een auto. Ze heeft pijn. Naast haar zit een oudere man met een wandelstok. Hij heeft een mager gezicht dat haar aan een Arabier doet denken, een neus als een snavel en donkere ogen die haar vriendelijk opnemen. Het beeld verdwijnt vrijwel meteen weer als ze een stem hoort vragen of ze haar mee kunnen nemen naar de recoverykamer. Nog geen seconde later hoort ze niets meer. Geen wonder, want ze is onder narcose.

16

Nog steeds is hij niet gewend aan de ringtone die Tessel heeft ingesteld, zodat hij geschrokken opkijkt als haar hoge stemmetje drie keer achter elkaar 'Papa, telefoon!' roept, waarna hij zich realiseert dat het zijn nieuwe mobieltje is.

'Hallo?'

'Meneer De Rooy?'

'Ja.'

Hij zet de motor uit en trekt het portier dicht.

'Met Muntinga, meneer De Rooy, hoofdinspecteur recherche Friesland. Stoor ik u?'

'Eh... nee.'

'Mooi. Ik bel u in verband met de foto op de voorpagina van de *NRC* eind vorige week. U weet welke ik bedoel?'

'Ja,' zegt hij verbaasd. Waarom belt die politieman daarover? De foto van de jongen met het baseballpetje bij een witte kever. Natuurlijk had de fotoredactie die slijmbal uit *GTST* er niet af gehaald. De kop luidde dan ook: FERRI: HAD IK HET MAAR GEWETEN!

'Ik vroeg me af waarom u mij daar niet eerder over heeft geïnformeerd.'

'Wat? O... eerlijk gezegd dacht ik niet dat het belangrijk was. Ik bedoel, die jongen staat met zijn rug naar je toe en het signalement was toch al bekend?'

'Maar u vond het dus wel belangrijk genoeg voor de krant.'

Wat wil die man? Zijn ze zelf niet in staat die jongen te vinden?

'Ja. Er was nog geen foto van hem.'

'En u dacht niet dat het voor ons misschien belangrijk was dat hij daar bij een auto staat.'

'Eh... nee.' Hij voelt de woede in zich omhooggolven. Waarom moet hij verdomme verantwoording afleggen over zijn foto's?

'Nee,' zegt hij nog eens. 'Of ja, maar ik dacht dat dat wel bekend zou zijn van de portiers en de beveiligingscamera's.'

'Juist ja. Waarom maakte u die foto eigenlijk?'

'Om een acteur uit *Goede Tijden, Slechte Tijden* die erop staat. Mijn dochter is nogal gek van hem.'

'Aha.'

Het is enkele seconden stil. De postbode, een mooie Marokkaanse meid, komt aan op haar brommer. Waarom wil een politieman uit Leeuwarden informatie over een foto van de man die een aanslag in Hilversum pleegde?

'Weet u wel van wie die kever is?' vraagt hij.

'Ja. Van een werknemer van het NOB daar op het Mediapark. Hij had zich al eerder gemeld. Volgens hem vroeg de man hem de weg naar de studio waar de heer Fortuyn werd geïnterviewd. Nogal brutaal, zou je zeggen, maar aan de andere kant ook wel slim om je als fan van Fortuyn voor te doen. Het enige wat die medewerker zich herinnert is dat de man blauwe ogen had. Dat schiet natuurlijk ook niet op.'

Lex kijkt op de klok van het dashboard. Het is bijna tien uur. Hij heeft om halfelf een afspraak om een portret van Hans Dijkstal te maken voor het 'Hollands Dagboek'.

'Ik heb nog een vraag,' zegt hij.

'Ja?'

'U bent daar in Leeuwarden toch bezig met Marike Spaans? Ik bedoel, wat heeft dat met de aanslag op Fortuyn te maken?'

Muntinga lacht. 'Goeie vraag, meneer De Rooy. De nationale recherche zit ook in Leeuwarden.'

'O.' Nationale recherche. Jongens die ook opsporingswerk doen voor de Binnenlandse Veiligheidsdienst. Dat zal best met Fortuyn, maar dan nog, wat heeft dat met Marike van doen? Willen ze alles en iedereen in de gaten houden die met Fortuyn contact wil?

'Weet u al iets over de moordenaar van die bodyguard?'
'Helaas niet.'
'Zijn daar eigenlijk geen beveiligingscamera's bij die portiers?'
'Niet aan de achterkant, nee. De hele beveiliging van het terrein laat overigens nogal te wensen over.' Muntinga kucht even. 'Het is zelfs zo dat er geen enkele camera is op de vluchtroute die hij nam. Je zou toch zeggen: televisiemensen, maar dus niet. U weet zeker dat u niet meer foto's heeft waar hij op staat?'
'Nee. Ik heb al gezegd dat het me om die acteur ging.'
'Dat begreep ik, ja. Ik heb toch nog een vraag, meneer De Rooy. U bent een professionele fotograaf, ik neem dus aan dat u ook ziet wat u fotografeert.'
Wat bedoelt hij in vredesnaam?
'Ik vroeg u eerder of u de dader mogelijk had gezien, maar u zei van niet. Toch staat hij op uw foto.'
Hij fronst, snapt het dan. 'Ik merkte hem pas later op. Ik had nogal haast toen.'
Het is weer even stil.
'Dat begrijp ik,' zegt Muntinga dan. 'Ik dank u voor de moeite en tijd, meneer De Rooy. Als er nog wat is, hoor ik graag van u.'
Er klinkt een klik en Lex schakelt uit. Het is niet warm, maar hij voelt het zweet op zijn rug staan. Verdomme, wat wilde die lul suggereren?
Door de voorruit ziet hij de Marokkaanse naar zijn voordeur lopen. Hij legt het mobieltje neer en stapt uit. Ze overhandigt hem een stapeltje brieven, waarvan een in de gehate blauwe kleur.
'Sorry,' zegt ze. 'Misschien krijgt u wel terug.'
'Denk je?'
Ze lacht hoofdschuddend en loopt door.
Hij stapt in, bekijkt de enveloppen, trekt een grimas omdat

er weer niets bij zit van Anke, legt ze naast het mobieltje, start de Saab en rijdt weg op het moment dat hij bedenkt dat hij helemaal vergeten is die Muntinga te vragen hoe het eigenlijk met Marike Spaans gaat.

17

Het liefst zou hij nu nog naar de Shaft gaan, hoe moe hij ook is. Een halfuurtje met een lekkere knul en hij voelt zich weer zo fit als een hoentje. Hij heeft even aan een taxi gedacht, maar je kunt er gif op innemen dat hij dan zo'n persratje op een scooter of een brommer achter zijn gat aan krijgt. Dus niet. Al is hij steeds rond voor zijn opvattingen en gedrag uitgekomen, de informateur die zich naar een darkroom laat rijden, dat kan natuurlijk niet. Al zou het wel geestig zijn als het in de krant stond die Majesteit bij haar vorstelijke ontbijtje openslaat. Dat zal *De Telegraaf* wel zijn, want ze schijnt dol te zijn op roddels en shownieuws. En trouwens, *De Telegraaf* is ook het beste op de hoogte van de strapatsen van haar familie, beter dan de Rijksvoorlichtingsdienst. En dan zou zij zijn levenswijze afkeuren! Wat je noemt a bloody shame! Kakmadam. Zelf een homoseksuele zoon, arme jongen die natuurlijk geen kant uit kan, een demente moeder van wie dat niet bekend mag worden, een zenuwwrak van een echtgenoot, ook niet voor niets, en een vader die zijn hele leven lang heeft gesnaaid en genaaid! Nee, geef hem Juliana maar, ook al is hij republikein in hart en nieren. Juul was een lieverd, een beetje als zijn moeder; Trix is een ramp. Wilde hem geen hand geven, keek hem niet aan, en dan dat bekakte stemmetje: 'Het behaagt ons u de opdracht te geven...' Sodemieter nou op met je 'het behaagt ons'! Híj is gekozen, zij niet. Erfelijke opvolging, net zo middeleeuws als ze overkomt. Als ze al een Oranje is, want daar bestaan ook gerede twijfels over. Wat zou ze meer verafschuwen: dat hij republikein is of homoseksueel? Het laatste waarschijnlijk, want ze haat homo's. Ze zou de afgelopen jaren enkele benoemingen van homoseksuele topambtenaren hebben weten tegen te houden en ze heeft het verdomd de Nederlandse homoseksuele ambassadeur in Suriname te ontvangen. Naar het schijnt is ze rabiaat antihomo geworden sinds Claus met een van haar secretarissen scharrelde. Dat heeft hij ooit van Willem Oltmans gehoord, die samen met NRC-journalist Hofland de prins met de secretaris in een besloten gayclub in New York zag dansen. Trix zou die secretaris eruit hebben gebonjourd met een zak zwijggeld en vervolgens Claus onder het mom van depressiviteit naar een Zwitserse kliniek hebben gestuurd. Een zielig verhaal, maar hij gelooft het zo. Geen wonder dat die Friso 'ook zo' is.

Hij heeft de majesteit ooit twee keer kort gesproken, een keer op de Erasmus Universiteit toen hij daar nog doceerde, en een keer toen hij de OV-jaarkaart officieel uitreikte. Beide keren leek ze dwars door hem heen te kijken, maar mooi dat hij het verdomde zijn ogen neer te slaan. Ben je gek. Een schaap met een kroontje op.

Hij peinst even verder over Oltmans en schrijft de naam op. De man is knettergek en volstrekt paranoïde, maar wel goed ingevoerd en voor zover hij weet partijloos. En hij is weliswaar al behoorlijk op leeftijd, maar dat merk je nauwelijks. Genietend neemt hij een teugje van de witte chardonnay. De valse nicht Oltmans op Buitenlandse Zaken! Zou geestig zijn na alle rotzooi die hij indertijd met Luns had. Maar Buitenlandse Zaken is, zoals Wiegel zei, typisch een post voor Van Aartsen als de VVD meedoet. En Jozias is een prima vent, een van de weinigen die het indertijd voor hem opnamen toen ze hem op de Erasmus Universiteit nota bene zijn professoraat ontnamen. Godnogaantoe, hij wordt nog razend als hij daaraan denkt, aan die opgeblazen commissie die hem te kennen gaf dat hij te weinig wetenschappelijk materiaal publiceerde! Hij, de auteur van honderden columns, een van de meest gevraagde sprekers in het land, de auteur van boeken die herdruk na herdruk beleven! En dat pedante kereltje Balkenende meende daar tijdens de verkiezingsdebatten ook nog een steentje aan bij te moeten dragen door te zeggen dat er maar één professor aan tafel zat, te weten hij, Jan Peter. Goed, dat Harry Pottertje likt nu thuis in zijn eengezinswoning zijn wonden.

Natuurlijk noemt hij zich nog steeds professor. Ze kunnen hem wat, dat arrogante stelletje academici! Hij heeft verdomme meer wetenschappelijke kennis in zijn pink dan die hele commissie bij elkaar.

Er valt wel wat te zeggen voor Van Aartsen op Buitenlandse Zaken. Een protegé van Wiegel. En hij was er al minister van, en niet zo'n slechte ook. Maar dat is het 'm nu juist: hij zat in dat paarse kabinet en dat valt lastig te verkopen. Bovendien hangt het er maar van af wat ze in de VVD-fractie willen nu Dijkstal met stille trom is vertrokken. Volgens Wiegel heeft de rechtervleugel het overgenomen, precies zoals hij al eerder dacht en hoopte. Ze zijn als de dood om nog meer leden te verliezen, dus gaat het roer daar nu rechtsom. Met name jonge honden als Van Baalen en Wilders hameren erop dat de partij zich nu rechts moet profileren van het CDA. Daarom ligt een coalitie LPF-VVD ook voor de hand, maar aan de andere kant: VVD-fossielen als Korthals Altes, Vonhoff en Bolkestein kunnen Wiegels bloed wel drinken. Om maar niet te spreken van het opportunistische lachebekje Gerrit Zalm of dat keffertje Hoogervorst.

Hij neemt weer een slokje en streept dan zuchtend de naam van Oltmans door. De man is toch te onbetrouwbaar en de kans op lijken in de kast is te groot. Vuurwerk voor zo'n ratje als Lunshof in *De Telegraaf*, die toch al voortdurend zanikte dat de LPF geen serieuze regeringspartij is. In elk geval houdt hij zijn mond sinds Wiegel de overstap maakte, dat is al wat.

Op zijn lijstje staat ook de naam van Roel Pieper, maar het probleem is dan dat hij Timmer wel kan vergeten; die twee hebben bij Philips daverende stront met elkaar gehad. Toch moet hij voor Economische Zaken met een zwaargewicht aankomen, wil hij dat departement binnenhalen. Een veel groter probleem zal het worden om Wiegel niet te veel zijn zin te geven. Al is Hans tot nu toe buitengewoon inschikkelijk gebleken en heeft hij erkend dat er slechts één leider is binnen de partij, reken maar dat hij zijn vriendjes binnen wil halen.

De naam van Sylvia Tóth schiet hem te binnen. Een keihard wijf, goed van de tongriem gesneden en met grote kennis van zaken. Hij noteert haar naam naast die van zijn vriend *Elsevier*-hoofdredacteur Arendo Joustra, waarachter een vraagteken staat. Arendo zou prima zijn, voor diverse posten, maar het moet geen nichtenkabinet worden. Nina Brink heeft hij al eerder geschrapt. Toch nog te veel besmet sinds het World Online-schandaal van twee jaar geleden, en bovendien een vrouwtje dat zich bezighoudt met astrologie. Sylvia Tóth is beter, veel beter. Hij kan haar via haar ex-echtgenoot Pierre Vinken laten polsen, die is per slot voorzitter van het Republikeins Genootschap. Jammer dat Vinken zelf al heeft laten weten geen politieke aspiraties te hebben, hij zou uitstekend zijn geweest voor Economische Zaken of Binnenlandse Zaken. Aanvankelijk had hij daar Roel in 't Veld voor op het oog, maar die kan het, zoals dat heet, schudden na zijn kritiek op zijn levensstijl. Hij zou nota bene te veel geld uitgeven aan luxe! Waar haalt die minkukel het vandaan? Omdat hij meer dan twintig pakken in de kast heeft hangen? Een butler, een huishoudster en een chauffeur in dienst heeft? Het is allemaal zo kleinzielig en kleinburgerlijk.

Een ander probleem wordt het wanneer alsnog het CDA moet worden benaderd. Moet, want een andere kandidaat is er niet. Zelfs als de PvdA de meerderheid had kunnen brengen, dan nog zou hij er niet over peinzen. Sociaaldemocraten zijn beroepsvergaderaars en -konkelaars van wie je nooit op aan kunt. Als voormalig lid weet hij daar alles van. Het is middelmaat per definitie, quasi-intellectuelen die zelfs elkaar het licht in de ogen niet gunnen. Het CDA ligt meer in zijn lijn en het kereltje Balkenende is een eitje, maar de makke is dat hij ook maar gestuurd wordt, met name door zo'n steile gereformeerde als Piet Hein Donner, die aan de onderhandelingstafel een blok graniet schijnt te zijn. Met katholieken zou hij veel minder moeite hebben, en niet alleen vanwege hun flexibeler levenshouding. Hij is zelf van katholieken huize en voelt nog steeds véél voor de Kerk van Rome, een van zijn beste vrienden is pastoor. Maar bovenal vormt het CDA-standpunt, voor zover je daar althans van kunt spreken, ten aanzien van migranten een struikelblok. Ze zijn natuurlijk gek om te denken dat de islam in wezen dezelfde principes als het christendom onderschrijft. De islam is een verwerpelijke middeleeuwse en barbaarse leer, onverzoenlijk en volstrekt achterlijk. Niet voor niets heeft de islam sinds eeuwen niets wezenlijks voortgebracht. Geen grote kunstenaars of wetenschappers, geen uitvindingen of ontdekkingen, boeken, films, architectuur; niets anders dan terrorisme, analfabetisme, vrouwen- en homohaat en dictatoriale regimes. Dat zegt hij niet alleen, dat zegt zelfs Salman Rushdie, maar dan hoor je de linkse gemeente niet.

Hij kijkt verrast op, omdat hij zich de jonge Somalische herinnert die nog maar kortgeleden de overstap van de PvdA naar de VVD maakte en zelfs kandidaat-Kamerlid is voor die partij. Even kan hij niet op haar naam komen en hij grinnikt omdat hij aan Hara Kiri denkt, maar dan weet hij het weer: Hirsi Ali, Ayaan Hirsi Ali, die door Neelie Kroes als een soort pleegkind wordt gekoesterd. Die malle Theo van Gogh beweerde zelfs dat ze een lesbische verhouding hebben en dat het niet lang meer zal duren voor Neelies man Bram Peper haar Wassenaarse villa met een koffer zal verlaten om plaats te maken voor Hirsi Ali. Nou ja, gossip, maar hij herinnert zich ook dat zij juist vanwege haar harde standpunten inzake de islam de PvdA verliet. Het kan hoe dan ook geen kwaad om te kijken hoe zij binnen de nieuwe VVD-fractie ligt. Wie weet kan hij

Kroes erover benaderen. Neelie is trouwens ook een hele goeie voor hem, allebei oud-Nyenrode-docenten, dat werkt soepel.

Ergens in huis hoort hij een deur dichtklappen. Dat zal zijn butler Herman wel zijn die Kenneth en Clara heeft uitgelaten. Mooi, want hij heeft honger na de lange avond en zin in kaviaar of oesters. Dan drinken ze samen nog een glas alvorens naar bed te gaan. Het is per slot middernacht en sinds de verkiezingen heeft hij, ook in het weekeinde, twaalf of meer uur per dag gewerkt. Het frustrerende is dat het nauwelijks iets heeft opgeleverd. Hij heeft op de verkiezingsnacht toegezegd binnen een maand met een plan te komen, maar ondanks al die dodelijk vermoeiende gesprekken is er nog niets concreet, zelfs binnen zijn eigen club niet. Integendeel. Zijn oorspronkelijke plan om niet meer dan tien ministers en hooguit veertien staatssecretarissen te nemen, lijkt al onhaalbaar. Wie ook de coalitiepartner zal worden, hij zal volgens Wiegel minimaal vier ministersposten eisen, zeker met de premier van LPF-huize. En zelfs al zouden de vier belangrijkste daarbuiten vallen, Financiën, Economische Zaken, Binnenlandse Zaken en Sociale Zaken, dan nog. Hij wil bovendien Onderwijs, Justitie en zeker Defensie en Europese Zaken, en vooral ook een nieuw ministerie van Integratie en Emancipatie, wil hij zijn ideeën en beloften waar kunnen maken. En met Landbouw en Cultuur en een paar staatssecretariaten zal geen partij tevreden zijn. Desnoods kan Volkshuisvesting er nog bij. 'It's a hell of a job!' Hij kreunt zachtjes, omdat zijn linkerhand opeens begint te steken. Al is de arts tevreden over het herstel, nog steeds zit er verband om en het zal zeker nog enkele weken duren voor hij de hand weer normaal kan gebruiken. Nog een reden, verdomme, waarom zijn seksuele genoegens tot zichzelf en hier in dit huis beperkt moeten blijven.

Somber kijkt hij naar de ingelijste foto van degene met wie hij jaren van zijn leven deelde, zijn grote liefde, een man die hun relatie van de ene op de andere dag afkapte. Zoals een winkelier het rolluik voor zijn etalage laat zakken. Ari. Wat zou dat mooi zijn geweest nu, zij samen! Stel je voor: het eerste homoseksuele paar dat in dit land de dienst uitmaakt! The First Male Lady! Hij glimlacht wel, maar de tranen staan in zijn ogen. De lul! De klootzak die hij zo lang heeft onderhouden en verwend, meegenomen op vakanties, aan wie hij alles heeft verteld. Ze zouden hem goddomme moeten castreren en zijn ballen aan de honden moeten voeren!

Als hij overeind komt, moet hij zich inhouden om het wijnglas niet tegen de foto kapot te gooien.

Hij is al bij de deur als Herman, natgeregend, die opendoet. In zijn hand houdt hij een envelop. 'Deze werd net afgegeven aan een politieman.'

Fortuyn knikt. Sinds hij na de aanslag op het Mediapark beveiligd wordt, wordt ook de post door de politie aangenomen.

'Een oudere man,' zegt Herman. 'Volgens die agent een foto, zo te voelen, dus hij zal wel weer je handtekening willen. Ik ga me even afdrogen. Kan ik nog wat lekkers voor je meenemen uit de keuken? Toos heeft vanochtend nog een dozijn wilde Zeeuwse oesters gehaald. Als ik die nou eens met een *beurre blanc* even klaarmaak?'

Fortuyn glimlacht alweer. De envelop is een beetje nat, maar zijn naam is goed leesbaar, in hoofdletters geschreven. Het doet hem deugd dat er 'professor W.P.S. Fortuyn' op staat, eronder alleen maar 'Palazzo di Pietro, Rotterdam'. Ook als er wel een postzegel op had gezeten, zou de brief zijn bezorgd. Vrijwel elke Nederlander, en zeker elke Rotterdamse postbesteller, kent zijn huis na de uitzending met Ivo Niche. Herman heeft gelijk, voelt hij als zijn duim en wijsvinger een glad hard stukje papier pakken. Een foto tussen gevouwen vellen papier. Dat komt veel vaker voor: mensen die hem ergens hebben gefotografeerd en dan graag zijn handtekening op de foto willen. De afzender zal zijn naam en adres wel op een begeleidend schrijven hebben geschreven. 'Haar' is beter, want meestal zijn het vrouwen. Van alle leeftijden, want die zetten ze er ook vaak bij. Veel commentatoren verbazen zich erover dat met name vrouwen op hem hebben gestemd. Hij is immers niet bepaald de ideale schoonzoon of een begerenswaardige echtgenoot. Maar naar zijn ervaring voelen vrouwen zich juist tot homo's aangetrokken. Hij trekt de foto uit de envelop. Een foto op ansichtkaartformaat. Zwart-wit. Een groep mannen, de meeste jong. De foto zegt hem vaag wat, maar wat precies dringt pas tot hem door als hij op de achterkant van de envelop in hetzelfde sierlijke handschrift 'Icarus' ziet staan. Dan voelt hij het bloed uit zijn gezicht wegtrekken; hij wankelt, wil zich nog vastgrijpen aan zijn borstbeeld, maar tast mis, zodat hij zijn evenwicht verliest en er met zijn hoofd tegenaan smakt.

Deel II

I

Ook al heeft hij er steeds rekening mee gehouden, het is toch een schok als hij Anke ziet, voor het eerst sinds ze maanden geleden de deur achter zich dichtsloeg. Hij heeft haar die nacht en de dagen erop vaak gebeld, zowel thuis als op haar mobiel, heeft steeds de voicemail gekregen, waarop hij zijn excuses aanbood, maar ze heeft niets meer van zich laten horen. Net zomin reageerde ze op de mailtjes die hij stuurde. Hij is ook een paar maal bij haar langs geweest, maar er werd niet opengedaan, hoewel haar auto soms voor de deur stond. Ze wil hem dus echt niet meer.

Oké, dan niet. Hij gaat godverdomme niet op zijn knieën!

Dat is makkelijk gezegd, maar tot zijn verwondering valt het mee en doet de breuk hem minder dan de scheiding van Carla. Dat was ook een húwelijk, en een kind. Een gezin. Jarenlang. Dat speelt allemaal niet bij Anke, maar toch had hij nooit gedacht dat hij er zo makkelijk in zou berusten dat ze weg is. Je loopt misschien wel woedend weg en het was inderdaad zijn schuld, maar jezus, waar ging het nou eigenlijk om? Dat hij die baan bij de LPF niet zag zitten. So what? Alsof zij geen lullige opmerking over zíjn werk maakte! Kinderachtig, ongehoord kinderachtig, en daar zal het dan ook wel niet om zijn geweest. Misschien heeft ze wel een ander. Dan had ze dat moeten zeggen. Het zal ook wel helpen dat ze elkaar toch al weinig zagen, altijd haastig, agenda-afspraken. Als hij eerlijk is, mist hij eigenlijk alleen de seks, plat als het klinkt. Ze kon dan wel in zijn lijn praten, maar zoals een collega op de krant zei: 'Als ik wil praten, ga ik wel naar mijn vrienden.'

Die moet je dan wel hebben.

En verder komt het goed uit dat Tessel haar nooit echt heeft zien zitten, hoe Anke ook haar best heeft gedaan. Het klassieke patroon, zo uit de *Libelle*: de nieuwe vrouw als intrigante en verraadster, al weet Tessel donders goed dat Anke geen fluit te maken had met de scheiding tussen Car en hem. Maar het is wel typerend dat ze nooit meer één woord over Anke heeft gezegd.

Het lijkt krankzinnig dat ze elkaar niet eerder tegen het lijf zijn gelopen in het kleine Haagse wereldje, maar daarnet was het bijna letterlijk zover. Hij moest hier in Nieuwspoort zijn voor een afspraak, duwde de deur van het restaurant open en zou pats-boem tegen haar op zijn gebotst, als zij niet net naar de bar was gelopen. Ze staat met haar rug naar hem toe te praten met Kees Lunshof, de politiek commentator van *De Telegraaf*, en met die nitwit Ton Elias. Ze heeft haar haar kort laten knippen tot een jongenskopje. Geen verbetering, vindt hij en hij bestelt een pilsje. Aan de andere kant is het toch niet zo gek dat ze elkaar niet eerder zijn tegengekomen. Hij is net terug van zes weken vakantie met Tessel in de Verenigde Staten. Ze hebben meer dan zesduizend kilometer in een camper afgelegd en alle verplichte highlights gedaan, waaronder New York, Yellowstone, de Grand Canyon, Route 66, Vegas, Beverly Hills, San Francisco en Disney World. Het was een oud plan, waar nooit tijd en geld voor was. Dit jaar was er in elk geval wel tijd, opgespaarde extra weken vanwege die maanden verkiezingen, en tot zijn verbazing stond Carla erop om duizend euro voor Tessel te betalen. Min of meer zijn eigen geld, want precies de maandelijkse alimentatie, maar toch. Het zal vast en zeker uit schuldgevoel zijn geweest dat ze de afgelopen twee jaar maar één herfstvakantie met Tessel heeft doorgebracht, omdat ze haar vakanties aan 'cursussen' besteedt. Die zijn steevast gericht op haar 'zelfontplooiing' of 'spirituele ontwikkeling' of 'intervrouwelijke solidariteit'. Die weken Amerika hebben hem goedgedaan, al zag hij er als een berg tegen op om zo lang met een puber alleen te zijn. Maar anders dan thuis hebben ze geen moment ruzie gemaakt; sterker nog, hij had meer het idee met een vriendin op reis te zijn dan met zijn dochter. Op de een of andere manier moet zij hetzelfde hebben gedacht, want hij heeft haar nog nooit zo hulpvaardig en onderhoudend meegemaakt, terwijl ze toch al die tijd op elkaars lip zaten. Geen ander kind ontmoet, maar het enige waar ze mee zat was of ze niet te dik werd van al het eten onderweg. Al die weken heeft hij ook geen moment aan Anke gedacht, de godganse dag bezig met triviale zaken als de route uitstippelen, eten en je overnachting regelen, de camper controleren en leuke dingen bedenken. Hij heeft nog nooit zoveel gescrabbeld en snapt zelfs de Kolonisten van Catan.

Het is druk in Nieuwspoort, de meeste bezoekers zijn oudere journalisten die hier jarenlang elke dag komen bij gebrek aan een partner of gezellige huiskamer. Zoals hij dus nu. Hoewel hij hier alleen is vanwege een afspraak met zijn chef, die net belde dat hij muurvast in een file op de ring van Rotterdam stond en in arren moede een afslag terug naar huis heeft genomen.

Iemand slaat hem op zijn schouder. 'Hé, De Rooy. Ça va?'

Hij kijkt om.

Tromp van *de Volkskrant* schuift naast hem. 'Tijd niet gezien.'

'Nee, ik was met mijn dochter met vakantie.'

'Lucky you. Je ziet er ook goed uit. Waar was je?'

'Zes weken toeren door de vs.'

'Ah! Als het goed is, zit ik daar volgend jaar als correspondent.'

'O. Leuk. Waar?'

'The Big Apple, waar anders? Een riant appartement aan Central Park. En het verdient natuurlijk ook aardig.'

Lex knikt en pakt zijn pilsje aan. Aardig? Een paar ton per jaar. Plus auto. En een onkostenvergoeding waar hij een maand voor moet fotograferen.

'Kon je wel zo lang weg bij de krant?'

Tromp moet op zijn tenen staan, wil hij opvallen tussen de anderen; hij roept om een rode bourgogne. Lex mag hem eigenlijk niet, een omhooggevallen dandy en een betwetertje.

Hij knikt weer, maar Tromp zwaait naar Clairy Polak die net binnenkomt, en loopt naar haar toe.

Uit zijn ooghoek ziet Lex Anke alleen staan en hij denkt er net over om haar toch maar aan te spreken, als een boomlange man lachend op haar toe loopt en haar omhelst. Hij heeft er geen idee van wie die vent is, maar hij heeft meteen instinctief de pest aan hem, en niet alleen omdat Anke uitgelaten lacht. De man is het type dat je tegenwoordig steeds meer ziet: ergens tussen de dertig en de veertig, goed gebouwd, gebruinde kop, te zorgvuldig gecoiffeerd, lang golvend haar, veel te veel lachen en witte tanden. Je ruikt hockey en dure aftershave. Het is vast een LPF'er, want hij draagt niet alleen zo'n krijtstreeppak als Fortuyn, maar ook een stropdas in die belachelijke knoop. Wie is het? Haar nieuwe vriendje? Daar ziet het wel naar uit, want hij heeft een arm om haar heen geslagen, terwijl zij wat tegen Van Baalen zegt en zich dan onverwacht omdraait. Heel even knijpen haar ogen zich verrast samen, maar meteen erop kijkt ze weer naar die lange vent, met wie ze wegloopt, zijn arm nog steeds om haar schouders alsof ze zijn bezit is.

Mismoedig nipt hij van zijn bier, als hij niet ver van hem vandaan een dikke jongen onzeker om zich heen ziet kijken. En meteen weet hij wie die jongen is, al wil de naam hem niet te binnen schieten.

Hij wenkt naar hem. De jongen grijnst verbaasd en loopt naar hem toe.

'Hallo. Jij zit toch bij Omroep Friesland?'

De jongen knikt onnozel. 'Ja. Sorry hoor, maar moet ik u kennen?'

'Lex de Rooy. Fotograaf bij de *NRC*. Marike Spaans was vorig jaar stagiaire bij ons.'

'O... ja.' De jongen neemt zichtbaar geïmponeerd zijn hand aan. 'Bart Bregstra. Ja. Ze had het over u. Ze zei dat ze via u een interview met Fortuyn in de NRC kon plaatsen.' Hij grinnikt wat onnozel. 'Was dat eigenlijk zo?'

'Had gekund. Ik kon haar niet meer bereiken. Ik hoorde dat ze later een afspraak met jou had. Wil je misschien een pilsje?'

'Liever een colaatje, als het mag. Wilt u een sigaret?'

'Eh... nee, merci. En noem me alsjeblieft geen u.' Lex roept naar de barkeeper om een cola. Tot zijn verbazing rookt Bregstra Caballero, een merk waarvan hij dacht dat het allang niet meer bestond, vroeger dé sigaret van journalisten, ook van hem.

'Weet je hoe het met haar is? Ik had iets van me willen laten horen, maar ik was een paar weken weg.'

'Ze is vorige maand bij kennis gekomen.'

'O?'

'Ja. Ze ligt hier al sinds eind mei in het ziekenhuis. In het Westeinde.'

Waarom, denkt Lex, heeft die Muntinga daar niks over gezegd?

'Het gaat gelukkig heel goed met haar, maar ze weet van niks meer.'

'Wat bedoel je?'

De barkeeper schuift een glas cola naar hen toe. Achter zich hoort Lex een slissende stem snauwen: 'Je bent niks anders dan een rancuneuze nicht, Lunshof! Ik had je er al drie keer uit getrapt met al die vuilspuiterij over Pim!' Als hij zich omkeert, ziet hij het verwrongen kopje van Ferry Hoogendijk, blosjes op de wangen, opgeheven naar de lachende Lunshof.

'Je bent bezopen, Ferry. Dat geeft niks, dat ben je altijd, maar waarom laat je het zo merken?'

Achter Hoogendijk doemt Winny de Jong op als een Walkure tussen de coulissen. Lex denkt aan haar ogen te zien dat zij ook dronken is, al weet je het nooit met haar.

'Is Kees Lunshof homo?' vraagt Bregstra verbluft.

'Ja. Wat bedoel je met dat ze van niks meer weet?'

Bregstra neemt een slokje en kijkt nog even ongelovig naar Lunshof.

'Nou, ze herinnert zich niks meer van wat er is gebeurd. Een soort geheugenverlies. Ze zeggen dat dat komt door de shock. Zoiets als in *The Bourne Identity*. Alleen is er bij haar maar een stukje weg.'

'Een stukje?'

'Ja. De dagen ervoor. Ze denken dat haar brein het gewoon niet aankon wat er is gebeurd, en het daarom heeft gewist. Als een op hol geslagen computer.'

Lex knikt, te verbijsterd om iets te zeggen.

'Godverdomme, Ferry, laat je toch niet naaien door die kankerlijer!'

Uit zijn ooghoek ziet Lex hoe Winny de Jong de tegensputterende Hoogendijk mee naar de uitgang trekt. Bregstra lacht, zodat zijn onderkin trilt. Hij schijnt het hier allemaal geweldig te vinden.

'Jij had die avond toch nog een afspraak met haar?'

'Ja, klopt. We zouden nog wat drinken als ik klaar was. Ik moest een sfeerreportage van de LPF-bijeenkomst maken waar Fortuyn sprak.'

Lex herinnert zich het geschreeuw en lawaai op de achtergrond op zijn antwoordapparaat.

'Was zij daar ook?'

'Ja. Maar niet lang. Ze ging eerder weg.'

'Vanwege dat interview.'

'Dat denk ik, maar Fortuyn ging veel later naar zijn hotel. Misschien is ze eerst naar huis gegaan. Ze zei het niet tegen mij, maar ze wist natuurlijk al dat Wiegel daar zou zijn. Zou een mooie primeur zijn geweest, toch?' Hij neemt een slokje van zijn cola. 'Het ligt voor de hand dat ze u belde; ik bedoel, dat was natuurlijk niet voor een gewone foto van Fortuyn.'

Lex knikt en drinkt.

'Misschien dat ze ergens een camera ging lenen, want ze had er zelf geen. Tegen mij zei ze dat ze Fortuyn in het Oranje Hotel wilde opwachten. Ik heb haar daar eerder gesproken en toen vroeg ze of ik wist welke kamer hij had. Maar volgens de politie heeft niemand haar daar die avond gezien.'

'O. En thuis?'

'Ook niet, maar dat zegt niks, ze woont boven een garage.'

'Hoe kwam ze dan in dat park? Ze is toch in een park gevonden?'

'Ja. Door een schoft die haar nog heeft willen verkrachten. Kun je nagaan wat een tuig. Maar ze weten niet wat ze daar deed. Ze was in elk geval niet op haar fiets, want die stond wél voor Fortuyns hotel.'

'Is dat park daar ver vandaan?'

'Nee, niet zo erg. Dat dacht de politie ook, dat ze naar het café was gaan lopen waar ze met mij had afgesproken, maar dat zou gek zijn, want ze had net nieuwe schoenen gekocht en die knelden als de pest. En ze had dus ook haar fiets bij zich.'

Lex knikt en herinnert zich Muntinga's opmerking dat ze zo achter haar identiteit waren gekomen.

'Komt u hier vaak?' vraagt Bregstra.

'Wat? Nee. Ik ben wel lid, maar meer uit sentiment. En jij? Toch niet voor Omroep Friesland?'

Bregstra grinnikt. 'Nee hoor. Ik kom net van het ziekenhuis.'

'Sorry?'

'Ik ben net bij Marike geweest. Ik was gebeld door een vrouwelijke psychiater of zo, of ik langs wilde komen. Ze wilde kijken of ik, eh... nou ja, hoe heet dat, haar herinnering aan de praat kon krijgen, maar ze weet echt niks meer.' Bregstra inhaleert en kijkt weer nieuwsgierig langs hem heen. 'Daarom ben ik ook hier, want ik ben hier nooit geweest, dus ik dacht: nou ik hier toch ben...'

Lex knikt en voelt zijn lege maag wanneer een serveerstertje met twee borden gepocheerde zalm en gepofte aardappeltjes langsloopt.

'Hoe lang moet ze daar liggen?'

'Gelukkig niet lang meer. Ze kan alweer lopen, ze praat alleen nog wat moeilijk, maar dat schijnt normaal te zijn als je zo lang in coma hebt gelegen...'

'Hé, De Rooy! Ouwe lul! Goed dat ik je eindelijk zie, man!' Lex voelt een klap op zijn schouder en als hij zich geschrokken omdraait, kijkt hij in de lachende ogen van Hans Smolders. 'Ik heb al een paar keer naar de krant gebeld, maar ze zeiden dat je met vakantie was. Ik krijg nog foto's van je, man!'

Smolders draagt dezelfde das als de lange vent die Anke omhelsde. Hij ruikt naar tabak en jenever.

'Het is uit met mijn vriendin – geeft niks, was toch een hoer –, maar ik kan ze straks altijd op mijn werkkamer op het departement hangen, toch?'

Bregstra's ogen puilen zowat uit zijn bolle gezicht. 'U bent toch de chauffeur van Fortuyn die achter die klootzak aan zat?'

'Yep. En als die klootzak mij niet een paar keer had geprobeerd neer te schieten, had ik zijn kop van zijn romp getrokken. Zeg, De Rooy, wanneer krijg ik die foto's nou?'

'Ja, sorry, maar ik heb er nog niks mee gedaan. Stom, ik heb het druk gehad, en wat ze zeiden: ik was lang met vakantie.'

Smolders grijnst en wenkt de barkeeper. 'Maar niet met je vriendin!'

'Nee, hoezo?'

'Nou ja, die werkt toch voor ons? Lekker wijf, hoor, en behoorlijk slim ook. Het is dat ze met Keje van Essen is, want anders had deze jongen er wel raad mee geweten! Bedoel ik als compliment, hoor, De Rooy. Je zit er toch niet mee? Wijven, allemaal hetzelfde. Wacht even, even een borrel bestellen.'

Lex knikt en kijkt automatisch even opzij, maar ziet Anke en haar lange vriend niet meer.

'Hoorde ik u nou net zeggen dat u naar een departement gaat?' zegt Bregstra. 'Waar wordt u dan minister van?'

Smolders lacht. 'Als het aan mij ligt Justitie. En weet je wat ik dan het eerste ga doen?'

Bregstra kijkt vragend. Lex slikt de opmerking in dat Smolders uit zijn nek lult; hij komt hooguit in de Kamer.

'Eerherstel voor de guillotine op de Dam. Zie je het voor je? Elke werkdag van 's morgens vroeg tot 's avonds laat van die karren met houten wielen die over de keitjes rammelen en breiende vrouwen met mandjes waarin de koppen van die kut-islamieten rollen. Zie je het al voor je?'

Smolders pakt een jonge borrel aan, wipt hem in één keer naar binnen en schuift het glaasje terug naar de barkeeper. 'Doe er meteen nog maar een. Wil jij wat, De Rooy?'

'Nee, merci. Wie is Keje van Essen?'

2

Het is niet voor niets dat Fortuyn uitgerekend zijn tweede huis in Provesano heeft uitgekozen om het nieuws bekend te maken. Italië, het land van zijn grote voorbeeld Berlusconi – sommige tegenstanders beweren ook Mussolini. Het kan ook zijn dat hij wil laten zien dat hij als aankomend staatsman van internationale statuur is – hij heeft zojuist ook een gelukstelegram van Berlusconi laten zien – of wie weet dat hij zelfs op afstand de touwtjes in handen houdt.

Zoals hij erbij staat, gebruind in een modieus zomerkostuum over een fleurig overhemd met open kraag, een roze pochet provocatief in de borstzak, losjes leunend op een afgebroken Romeinse zuil bij zijn huis in Provesano, doet hij vooral denken aan een leider in ballingschap die zijn volk toespreekt. Op de zuil staat een glas witte wijn. Dat hij een van zijn twee Cavalier King Charles-spaniëls op de arm houdt, zoals zijn andere voorbeeld Churchill dat graag deed, om maar niet te spreken over koninginnen als Elizabeth en Juliana, draagt daar alleen maar toe bij.

Maar hij is zichtbaar nerveus en minder zelfverzekerd dan anders, zoals de Nederlandse tv-commentator Job Frieszo steeds weer snerend opmerkt.

Bij hem staat zijn nieuwe woordvoerder en secretaris, Keje van Essen, een gebruinde dertiger in een spijkerbroek en een smetteloos kaki overhemd. Van Essen is bijna een kop groter dan de toch ook niet kleine Fortuyn, wat een van de redenen zal zijn dat hij een stapje achter hem staat. En ook achter Wiegel, die zich kennelijk heeft laten schminken, want al kijkt hij ondoorgrondelijk in de camera's, kleine stroompjes transpiratie vormen voortjes op zijn voorhoofd. Ondanks de felle zon draagt hij zijn bekende outfit, een donker driedelig kostuum, al heeft hij het jasje over zijn vest losgeknoopt. Naast hem staat de nieuwe fractievoorzitter van de VVD Hans van Baalen, en meer dan ooit lijken de twee vader en zoon met hun vlezige, bebrilde en kortgeknipte Hollandse koppen. Geen van beiden knippert met de ogen onder het spervuur van fotografen en cameramensen, die massaal naar het Noord-Italiaanse plaatsje zijn gekomen. De piazza voor het huis staat bomvol pers, op de kerktoren ernaast zit een cameraman van RAI Uno. Aan de overkant bij het caféterras staan tientallen dorpsbewoners tussen de persauto's en de motoren van de carabinieri. De dorpspastoor, een vriend van Fortuyn, staat in vol ornaat vooraan. De directeur van de Rijksvoorlichtingsdienst heeft zich er kennelijk bij neergelegd dat de regie hem uit handen is genomen, en heeft zich teruggetrokken in de schaduw van Fortuyns huis, waar zijn butler Herman met twee Italiaanse vrouwen witte wijn en allerlei hapjes serveert. Daar staan ook twee jonge mannen in lichtblauwe shirts en zwarte broeken, onbeweeglijk op hun ogen na, die onafgebroken heen en weer flitsen, de handen op de kolf van hun pistool.

Het is al een tijdje bekend dat Fortuyn erin is geslaagd een nieuw kabinet te vormen. Vorige week zwaaide hij onder een paraplu op de trap van Huis ten Bosch triomfantelijk naar de verzamelde pers. Een kabinet van LPF en VVD, samen goed voor 77 zetels, kantje-boord, maar het kan, het is meer voorgekomen. Nieuw is dat er geen regeerakkoord is gesloten, maar alleen een beleidsprogramma is opgesteld. Maar werkelijk uniek was dat Fortuyn nog geen enkele naam van de nieuwe regeringsploeg kon of wilde noemen. Dat leidde vanzelfsprekend tot de meest wilde speculaties, maar volgens de RVD had het alles te maken met de afwezigheid van sommige gevraagde bewindslieden wegens de zomervakantie.

'Dames en heren,' zegt Fortuyn, 'ik heb al op 15 mei mijn dank uitgesproken voor het vertrouwen dat u mij en de LPF heeft geschonken.' Hij aarzelt even en glimlacht bijna verlegen. 'Ik heb mij onmiddellijk daarna met alle inzet aan de taak gezet om voor het land een nieuw en breed gedragen kabinet te formeren. Het is u bekend dat dat niet zonder slag of stoot ging. Het was *a hell of a job*. Zeker toen mij al snel duidelijk was dat mijn favoriete coalitie, die tussen het CDA en de LPF, niet mogelijk bleek. Het is hier niet de plaats noch de tijd om op de schuldvraag daarvan in te gaan, want elke partij kent haar af- en overwegingen, al zou ik persoonlijk altijd het landsbelang laten prevaleren.'

Wiegel en Van Baalen glimlachen bij die steek onder water naar Balkenende en zijn mentor Donner.

'Zoals bekend,' vervolgt Fortuyn, 'heb ik vorige week verslag uitgebracht aan Hare Majesteit de Koningin over de vorming van een coalitieregering van LPF en VVD. Daarmee is mijn taak – gelukkig, mag ik haast wel zeggen! – naar eer en geweten volbracht. Ik heb het daar toen tot verwondering van velen even bij gelaten. Want gelooft u mij: het liefst zou ik als premier van dat kabinet meteen de puinhopen van Paars op willen ruimen en het elan, de welvaart en de trots van ons land herstellen. Ik had er ook echt zin an.'

Op dat moment klinkt er applaus aan de overkant van de piazza en blijken er onder de dorpsbewoners toch ook een stuk of wat Hollandse vakantiegangers en LPF'ers aanwezig.

'Ik heb echter anders besloten...'

Fortuyn kiest dit moment om met de roze pochet het zweet van zijn voorhoofd te wissen. Heel even lijkt het alsof hij triest kijkt, dan glimlacht hij.

'... juist omwille van het landsbelang. Denkt u nu niet dat ik terugdeins voor deze taak, maar het dunkt mij dat er juist nu in deze moeilijke tijd een man aan het roer moet staan die naast wijsheid en inzicht ook over een ruime ervaring beschikt...' Hij lacht even het lachje dat tienduizenden net zozeer in vervoering brengt als doet walgen. 'En ik zal de laatste zijn om mezelf die eerste twee eigenschappen te ontzeggen, maar ik ben ook bescheiden genoeg om te erkennen dat ik die politieke ervaring nog ontbeer.' Hij steekt de pochet terug, pakt dan het glas wijn en steekt het omhoog naar Wiegel.

'Vandaar dat het mij een eer en genoegen is u uw nieuwe premier voor te stellen. Dames en heren, uw applaus graag voor Hans Wiegel.'

Enkele seconden blijft het doodstil, tot Keje van Essen begint te klappen, waarna de rest volgt.

In de close-up van tientallen camera's blijven de blauwe oogjes van Wiegel uitdrukkingsloos, maar een dun glimlachje verraadt toch dat hij hier zijn *finest hour* beleeft. Zijn voormalige partijgenoot Van Baalen drinkt hem toe. Ook Fortuyn brengt een toost uit en fluistert iets in Wiegels oor, wat het dunne lachje even verbreedt. Een zwetende Frits Wester van RTL-nieuws komt naar voren, maar ogenblikkelijk verspert Van Essen hem de weg.

'Nog even, Frits! Echt, je bent straks de eerste, maar nog even geduld, ja? Neem nog een glaasje.'

Het duurt even voor Fortuyn zover is. Hij zet zijn glas neer en haalt een vel papier uit zijn binnenzak.

'Dan heb ik nóg een verrassing voor u,' zegt hij terwijl hij met zijn andere hand zijn leesbril uit zijn borstzakje vist.

Die verrassing dringt pas tot iedere aanwezige en elke tv-kijker door als hij na vijf minuten zijn voorhoofd opnieuw afveegt en zijn glas oppakt. Fortuyn zal geen zitting nemen in het nieuwe kabinet.

3

Ook op de foto's met het nieuwe kabinet kijkt Beatrix behoorlijk zuur, al lacht ze er op één wel naar Wiegel. Vast opgelucht, denkt Lex, dat ze voortaan met hem en niet met Fortuyn elke maandagochtend een kopje thee op Noordeinde moet drinken. Hij zoekt naar de beste opname van die ochtend, waarop zijn collega's en hij bijna twee uur lang de traditionele bordespresentatie van de nieuwe regering op Huis ten Bosch hebben gefotografeerd. Altijd lastig, alsof je een klassenfoto moet maken. Het zijn ook net kinderen. De een gaapt net als het zover is, een ander moet zo nodig nog wat tegen zijn buurman zeggen, iemand draait net zijn hoofd om of speelt de lolbroek door voor een ander te gaan staan. Weisglas bijvoorbeeld.

Uiteindelijk houdt hij twee foto's over die hem wel geschikt lijken. Sommige koppen kent hij wel na alle jaren dat hij meeloopt, zeker die van de VVD. Verschillende commentatoren lijken gelijk te hebben gekregen, de liberalen hebben ondanks hun zetelverlies een hoge prijs bedongen om mee te regeren. Ze leveren twaalf van de vijfentwintig nieuwe bewindslieden, zes ministers en zes staatssecretarissen, soms op cruciale departementen. Een verrassing is de voormalige voorzitter van de Tweede Kamer Frans Weisglas op Buitenlandse Zaken, waar iedereen toch aan Van Aartsen dacht. Maar Van Aartsen was waarschijnlijk toch te besmet vanwege zijn paarse verleden. Net zo verrassend zijn de nieuwe VVD-ministers. Roelf de Boer, oud-marineofficier en ex-voorzitter van de Rotterdamse Kamer van Koophandel, komt op Financiën en is tevens vicepremier. Een slimme zet, want ook De Boer zou het lidmaatschap van de LPF hebben overwogen. De oud-ANWB-topman Paul Nouwen wordt minister van Verkeer en Waterstaat en het vroegere uiterst rechtse Kamerlid Oplaat komt op Landbouw en Visserij. In totaal gaat het om veertien departementen. Dat leverde meteen al kritiek van de oppositie en de pers op, want had Fortuyn niet beloofd ook binnen het kabinet drastisch te zullen snoeien? Ook dat zal ongetwijfeld liggen aan de eisen van de VVD. En bovendien zijn er in totaal toch minder bewindslieden dan onder Paars II. Heel opvallend is dat Defensie nog bestaat. Ook dat verraadt de hand van Wiegel, want Fortuyn wilde de land- en luchtmacht afschaffen en de militaire taken beperken tot de marine.

Wiegel, premier en Algemene Zaken, staat vanzelfsprekend rechts van de majesteit. Links van haar staat De Boer, Financiën en vicepremier. Lex grinnikt weer om Weisglas, die schuin naar voren buigt om maar beter op te vallen. Naast hem staat een LPF-minister, de man die het gloednieuwe ministerie voor Veiligheid gaat leiden, oud-politiecommissaris Rob Hessing. Zoals altijd is er sprake van nieuwe ministeries en staatssecretariaten, maar – en dat is de grootste verrassing – Fortuyn blijkt gekozen te hebben voor mensen die nauwelijks bekend zijn. Aan de andere kant tekent het weer hét probleem van de LPF: er zijn gewoon niet voldoende geschikte kandidaten, hooguit voor een staatssecretariaat.

Uiteindelijk luidt de samenstelling van het kabinet: Hans Wiegel (LPF) premier en Algemene Zaken; oud-politiecommissaris Hessing (LPF) op Veiligheid en Antiterreur, met als staatssecretaris Geert Wilders (VVD); Jan van Eerten (partijloos) op Economische Zaken, met als nieuwe staatssecretaris Innovatie Stef Kroon (VVD); mr. Frans de Fraiture (LPF) op Justitie, staatssecretaris Criminaliteitsbestrijding wordt oud-officier van justitie Fred Teeven (VVD); op Onderwijs dr. Vic Bonke (LPF); minister van Gezin en Maatschappelijk Werk Firouze Zeroual (LPF), aparte staatssecretaris voor Sport oud-Wimbledon-kampioen Richard Krajicek (VVD); minister van Media en Cultuur de vroegere popmusicus Cees van Leeuwen

(LPF); staatssecretaris Omroepbeleid oud-tv-maker Wibo van de Linde (VVD); Volksgezondheid prof.dr. B. Smalhout (LPF). Op het nieuwe ministerie van Integratie en Vreemdelingenbeleid komt de aartsconservatieve denker Bart Jan Spruyt (LPF) en het kersverse VVD-lid Ayaan Hirsi Ali wordt staatssecretaris Allochtonenbeleid; op Volkshuisvesting komt de voormalige directeur van een grote woningbouwcorporatie Cor Theunissen, een man die net als de onbekende Van Eerten partijloos is. Een vroegere medewerker van de Militaire Inlichtingen Dienst, Tjeerd Sleeswijk Visser (LPF), wordt minister van Defensie, met als staatssecretaris Bijzondere Operaties de historicus Arend Jan Boekestijn. Binnenlandse Zaken is voor Johan Remkes (VVD), met João Varela (LPF) als staatssecretaris; op Buitenlandse Zaken Frans Weisglas (VVD) en de LPF'er Joost Eerdmans als staatssecretaris Europese Aangelegenheden. Op Sociale Zaken ten slotte treedt tot ieders verrassing de oudgediende Neelie Kroes (VVD) aan, met als haar staatssecretaris Philomena Bijlhout van de LPF.

Tot woede van links bestaat het ministerie van Ontwikkelingssamenwerking niet meer; bepaalde kerntaken daarvan vallen voortaan direct onder minister Weisglas van Buitenlandse Zaken.

Fortuyn is er dus inderdaad niet bij. Hij is voorzitter van de LPF-fractie in de Tweede Kamer; naar verwachting zal zijn jonge protegé Marco Pastors dat na de Statenverkiezingen van komend jaar gaan worden van de LPF-fractie in de senaat.

Enkele nieuwe ministeries dus en nieuwe namen bij de LPF, mensen afkomstig uit het zakenleven. Dat is opvallend, maar niet nieuw; Fortuyn refereerde aan vroegere succesvolle ministers als Sydney van den Bergh en de D66'er Hans Wijers. Twee ministers zijn niet-partijgebonden. Ook dat is wel eens vaker voorgekomen, maar aangezien Fortuyn hen zelf naar voren heeft geschoven, zullen zij ongetwijfeld LPF-sympathieën koesteren. De Fraiture, Van Eerten, Cor Theunissen en ook

Sleeswijk Visser zijn nieuwe gezichten in de politiek. 'Juist daarom!' betoogde Fortuyn. 'We moeten eens af van die erfopvolging in Den Haag. Daar hebben we het koningshuis per slot al voor.'

Heel duidelijk is dat de rechtervleugel binnen de VVD heeft gewonnen. De nieuwe fractievoorzitter in de Tweede Kamer is voortaan Hans van Baalen. Voor de Eerste Kamer wordt dat waarschijnlijk de oud-staatssecretaris van Defensie Jan Gmelich Meyling. Bijzonder is ook de benoeming van de uiterst rechtse Geert Wilders, de man die al eerder opviel door het VVD-standpunt van Dijkstal inzake de Turkse toetreding tot de EU te bekritiseren. Nog opvallender is het staatssecretariaat van de vroegere asielzoekster Ayaan Hirsi Ali, die nog niet lang geleden door Neelie Kroes werd losgeweekt van de PvdA en nu voor de VVD het allochtonenbeleid zal doen.

Als je de LPF'ers bekijkt, valt het eigenlijk nog wel mee, vindt Lex. Wie die nieuwelingen ook zijn, je had ook nitwits als Jan des Bouvrie, Emile Ratelband of Catherine Keyl kunnen verwachten, want die namen zongen een tijdlang rond, zo ook die van Theo van Gogh op Cultuur. En in elk geval is Fortuyn zo verstandig geweest om al die halfwasjes als Janssen van Raaij, Herben, Hoogendijk en Winny de Jong naar de fractie te dirigeren. Als ministers lijken Hessing en ook Bonke niet slecht. De nieuwe man op Media en Cultuur Cees van Leeuwen is nog blanco; het enige wat bekend is, is dat hij ooit in het indertijd populaire bandje Kayak speelde. Spruyt, net als de VVD'er Arend Jan Boekestijn lid van de oerconservatieve Edmund Burke Stichting, op Integratie en Vreemdelingenbeleid ligt voor de hand. Smalhout op Volksgezondheid lijkt logisch, evenals Fortuyns knuffelallochtoontje Firouze Zeroual op het nieuwe Gezin en Maatschappelijk Werk. De andere LPF-allochtoon Varela is als staatssecretaris op Binnenlandse Zaken belast met wat vroeger Koninkrijksrelaties heette, maar nu, net als lang geleden, Overzeese Rijksdelen. En alsof Fortuyn echt van zijn geloof is gevallen, heeft hij ook nog eens de Surinaamse Philomena Bijlhout onder Kroes op Sociale Zaken geposteerd.

Kortom, rechts als het kabinet ook is, over de inbreng van vrouwen en van allochtonen kan niemand zeuren, ook al merkte Lunshof in *De Telegraaf* cynisch op dat opportunisme kennelijk belangrijker is dan ervaring bij deze nieuwe ploeg.

Uiteindelijk besluit Lex toch maar één foto te nemen en mailt die met de tekst naar de fotoredactie. Hij wil al uitschakelen als hij bedenkt dat Smolders zich nu wel teleurgesteld zal bedrinken, en meteen herinnert hij zich zijn belofte in Nieuwspoort. Hij klikt op de map waarin hij ook de foto's van Fortuyns aanvaller bewaart, als de telefoon overgaat.

'Hallo?'

'Spreek ik met Lex de Rooy, de fotograaf?'

De onbekende stem van een vrouw.

'Ja.'

'U spreekt met Thera Post. Kan ik u even storen?'

Hij denkt al dat het zo'n juffrouw is die hem een levensverzekering of lijfrente wil aansmeren, als ze er meteen op laat volgen: 'Het gaat over Marike Spaans. U kent haar toch?'

Hij fronst. 'Ja. Nou ja...'

'Ja. Ik ben namelijk psychotherapeute in het ziekenhuis Westeinde hier in Den Haag waar ze is opgenomen.'

'O. Ja,' zegt hij onnozel. Marike Spaans. Shit, is hij weer vergeten haar een kaart te sturen. Hij heeft zelfs geen seconde meer aan haar gedacht.

'Hoe is het met haar? Ik hoorde dat ze weer bij is.'

'Dat klopt. Al een tijd. Het gaat gelukkig ook goed met haar. Fysiek tenminste. U weet dat ze een deel van haar geheugen kwijt is?'

'Ik hoorde het, ja.'

'Daar kunnen we helaas maar bitter weinig aan doen. Maar verder is ze heel goed hersteld, zeker voor een patiënte die zo lang in coma heeft gelegen. Ze had bijvoorbeeld ernstige spraakstoornissen en ook problemen met haar motoriek, maar het gaat allemaal wel beter, godzijdank. Ze mag zelfs komende week een maand of wat naar familie in Australië om aan te sterken.'

'Mooi.'

Hij vraagt zich af waarom ze hem eigenlijk belt en zoekt ondertussen naar de foto's van Smolders.

'Hoe komt u aan mijn huisnummer?'

Ze lacht. 'Van haar. Dat weet ze nog wel, hoor. Al herinnert ze zich niet dat ze u toen gebeld heeft. Dat hoorde ik van een vriend van haar uit Leeuwarden. Zou het mogelijk zijn dat u hier langskomt? Ik zou graag met u over haar willen praten.'

Hij zwijgt en scrolt langs de foto's. Die vriend zal die dikke jongen wel zijn.

Smolders is er echt voor gaan staan, hij lijkt wel een beetje op Al Pacino: de elleboog op het geopende portier, de andere hand in de zij, een brede grijns, de sigaret in een mondhoek. Nog geen idee dat hij twee uur later achter die vent met dat blauwe petje aan zou rennen. Lex glimlacht en herinnert zich zijn compliment over Smolders' goede conditie.

'Maar ik heb haar in tijden niet gesproken. Ik ken haar eigenlijk ook niet.'

'Maar ze wilde u die dag toch bellen? En ik begreep een paar maal.'

Afwachtend klikt hij een andere foto aan.

'Het zou kunnen dat er iets terugkomt als ze u ziet. Begrijpt u?'

In totaal heeft hij zestien foto's van Smolders gemaakt. Een stuk of wat kunnen weg, die zijn gewoon slecht, op een paar andere rijdt er een auto door het beeld en staan er enkele mensen op de achtergrond.

'Wanneer zou het u schikken?'

'Eh...' Op het moment dat hij zijn bureau afzoekt naar zijn

agenda, herinnert hij zich die boven in de woonkamer te hebben laten liggen.

'Een momentje graag.'

Met de telefoon loopt hij naar de trap. De agenda ligt naast zijn ontbijtbordje van die ochtend. De poes springt van tafel en hij realiseert zich dat hij het dier nog geen eten heeft gegeven.

'U wilt dat waarschijnlijk op korte termijn?'

'Als het kan, graag. En als het kan begin komende week, omdat ze daarna dus een tijd weggaat.'

'Ik zou aanstaande maandag in de ochtend kunnen.'

'Dat is prachtig. Halfelf, schikt dat? Dan is het verplegend personeel net klaar.'

Hij zegt dat dat akkoord is, schakelt uit en zoekt een pen om het te noteren. In de keuken miauwt de kat. Hij loopt ernaartoe, pakt het blikje kattenvoer uit de koelkast en terwijl hij een vork zoekt, zet hij het radiootje op het aanrecht aan.

'... is het toch zo, meneer Van Essen, dat de heer Fortuyn eigenlijk zijn belofte niet is nagekomen? De mensen kozen toch voor hem als premier? En hijzelf zei dat toch ook ettelijke malen, nietwaar?'

'Daar heeft u helemaal gelijk in.' Van Essens stem klinkt alsof hij verkouden is. 'Tegelijk moet u bedenken dat de heer Fortuyn als eerste het landsbelang voor ogen heeft en, zoals hij zelf zei, tot de conclusie is gekomen dat hij niet alleen die ervaring mist, maar toch ook nog omstreden is. Het feit dat miljoenen kiezers op hem hebben gestemd, is vanzelfsprekend...'

'Lul!' zegt Lex en hij draait de knop om. Hij doet de helft van het blikje in het etensbakje, zet dat neer en trekt de fles jenever uit het rek. Niemand die goed weet wie die Van Essen is; hij schijnt advocaat te zijn geweest en heeft een tijdje in de reclame gezeten, dus daar zal Anke hem wel van kennen. Waarschijnlijk heeft ze haar benen een paar keer voor hem van elkaar gedaan om dat baantje te krijgen.

Hij neemt een slokje, vult het glaasje weer bij en loopt ermee de trap af naar het souterrain. Hij zet het neer, wil gaan zitten en ziet dan verbijsterd de witte kapitalen in het diepblauw van de monitor: FATAL ERROR.

4

Direct na de installatie van het kabinet is hij terug naar Provesano gegaan om eindelijk – na meer dan acht maanden – een week vakantie te houden. Wat dat betreft zou hij blij moeten zijn dat hij niet in dat kabinet zit, dat meteen aan de bak moet. Desondanks lukt het hem niet zich te ontspannen en is hij nog steeds doodop. Zijn beste vriend Jan, die met hem mee is gekomen, vindt het niet meer dan logisch. Geen mens houdt zo'n moordend tempo zo lang vol. Hij kan zich inderdaad niet herinneren ooit eerder zo hard en intensief te hebben gewerkt. Zo soepel en gemakkelijk als de coalitie leek te zijn gevormd, zo moeizaam en tijdrovend waren het overleg over een regeerprogramma en de invulling van de poppetjes. Met drieënvijftig zetels tegen de vierentwintig van de VVD zou het een fluitje van een cent moeten zijn geweest, temeer daar Wiegel zelden tegengas gaf – eigenlijk alleen wat Defensie betrof, waar hij net zo fel bovenop zat als Van Baalen. Van Baalen lijkt niet alleen uiterlijk op Hans, met dat zweterige blotebillengezicht en dat démodé brilletje, ze hebben ook dezelfde manier van argumenteren, *gentlemanlike* maar onverzettelijk. Ze leken twee verblufte klonen toen hij zwichtte en hun hun zin gaf. Natuurlijk heeft hij daar voor de buitenwacht wel dagen over gedaan en zelfs gedreigd de formatieopdracht terug te geven. Het was per slot een van zijn paradepaardjes: de reorganisatie van de strijdkrachten en het uitstel van de ontwikkeling van de Joint Strike Fighter. Maar Hans is premier, hij niet. Wat kon hij anders?

Gechanteerd! Opnieuw, na al die jaren!

Wie?

'Onze eisen zijn...'

Het heeft hem op het partijcongres – als je dat zootje ongeregeld zo tenminste wilt noemen – bloed, zweet en tranen gekost om het zover te krijgen. Dat compromis op Defensie was niet eens zo moeilijk te verdedigen. Eindelijk had hij wat aan Herben en aan Hoogendijk, daar had hij ook op gegokt: allebei vurige pleitbezorgers van Defensie en het NAVO-lidmaatschap. De meeste leden zal het trouwens worst wezen, hun gaat het alleen om allochtonen en immigratie. Die issues zijn nauwelijks een discussiepunt geweest in de onderhandelingen met de VVD, meer het hóé. Maar het premierschap was andere koek. Vooral alle patsers die hun zwart verdiende tonnetjes in zijn campagne staken, schreeuwden moord en brand. 'We gaven het toch godverdomme voor jou, Pim! Waarom doe je dit? Je hebt toch maandenlang geroepen dat jij premier wordt? We zijn tweemaal zo groot als de VVD!' De hysterica Winny de Jong was in tranen en de opgeblazen Nawijn, die voortdurend heeft geaasd op een ministerschap, kwam zelfs aan met 'verraad aan de kiezers'.

'Juist niet!' heeft hij betoogd. 'De kiezers zien nu zelf dat de Pim die zij kozen zich aan zijn beloften houdt. Geen mannetjesmakerij, geen persoonsverheerlijking en zakkenvullerij. Ik heb altijd gezegd: het gaat niet om mij. Het is niet: at my service, het is: at your service. Het gaat om het volk. Dit land wordt aan het volk teruggegeven!'

Hij heeft gepraat als Brugman, er steeds weer op gehamerd dat met Wiegel het komende kabinet in goede handen is en dat de partij er juist bij gebaat zal zijn als hij de Kamerfractie aanvoert tegen CDA, PvdA en SP.

'Met name als wij eindelijk een halt willen toeroepen aan het gedoogbeleid van Paars! Aan die zogenaamde positieve discriminatie, die niet anders is dan negatieve discriminatie van mensen zoals u en ik! Willen we ons LPF-programma waarmaken, lieve mensen, dan is een sterke fractie hard nodig, meer nog dan een sterk kabinet!'

Het argument dat zijn woordvoerder Keje van Essen had geadviseerd, deed het ook goed.

'Natuurlijk is het hartverwarmend te weten dat zo veel mensen mij als premier willen. Ik weet ook dat ik het zou kunnen. Maar aan de andere kant: ik ben God niet. Ik doe het kunstje, jullie zijn het circus. Vergelijk me met de architect die het ontwerp op zijn tekentafel schetst, de blauwdruk. Dat is toch wat anders dan de man of vrouw die de brug daadwerkelijk gaat bouwen, zoals een premier dat moet doen. Ik ben ervan overtuigd dat Hans Wiegel dat als geen ander zal kunnen.'

Hans was zelf ook stomverbaasd, maar vanzelfsprekend greep hij de kans met beide handen aan, ijdel en begerig als hij al jaren is om in het Torentje te zitten. En het argument dat hij, Pim, zichzelf toch te onervaren vond, zoals hij dat ook tegenover Beatrix en op de persconferentie gebruikte, klinkt verdomd geloofwaardig. Zelfs Lunshof in *De Telegraaf* prees zijn inzicht en bescheidenheid. En nota bene van Frits Bolkestein, de man die Wiegels bloed wel kan drinken, kreeg hij een felicitatietelegram uit Brussel. Hij glimlacht wrang als hij terugdenkt aan het wat zuinig gemompelde compliment van Trix toen ze zei hem te respecteren om zijn moedige besluit. Reken maar dat ze een gat in de lucht heeft gesprongen en nog een extra flesje rood uit de koninklijke kelders heeft laten halen! Niet dat ze net zo gek is op Wiegel als haar papa, maar naar verluidt had ze nachten niet geslapen.

Hij ook niet. Al zie je dat niet aan hem af na een paar dagen zon, hij is bekaf. Het enige voordeel is dat hij vijf kilo is afgevallen, zijn buikje is vrijwel verdwenen.

Wie? Die vraag heeft hem beziggehouden sinds die late avond dat Herman met de brief binnenkwam. Twee vellen dichtgetypt papier, één foto. Nog steeds als hij in de spiegel kijkt, schemert onder de gebruinde huid boven zijn neus het litteken van de wond die gehecht moest worden nadat hij tegen zijn eigen borstbeeld viel.

'Onze eisen.'

Enkele namen van zakenmensen en een jurist die hij wel van naam kende, maar aan wie hij nooit zou hebben gedacht. Ook daar keek het congres van op, maar hij, en hij alleen bepaalt de kandidatenlijst. Ze zijn net als alle anderen door de BVD gescreend, er valt niets op hen aan te merken. Natuurlijk niet. Wie het ook is, wie het ook zijn, ze zijn sluw als de duivel.

Hij heeft gejankt, hij heeft zich bezopen en daarna heeft hij zich toch door Herman naar de Shaft laten brengen, waar hij als een beest tekeer is gegaan in de darkroom.

Wie? 'U weet wat er gebeurt als u niet ingaat op onze eisen.'

Icarus.

Godnogaantoe, wie?

Een foto met mannen van wie er ten minste drie dood en begraven zijn. Eén van die drie heeft hij ooit betaald. Een vroegere studievriend. Leningen werden het genoemd, leningen die nooit werden terugbetaald. Wat hij ervoor terugkreeg, heeft hij verbrand, zodat hij dacht ervanaf te zijn. Hij weet zeker dat die man dood is. Hij heeft zelf zijn lijk gezien.

Het moet om een van de anderen gaan. Eén? Meer?

De man die hij betaalde, een forse, bebaarde dertiger op de foto, noemde zich Engel. Zelf liet hij zich toen Prof noemen. Er was een Wolf en ook een kleine jonge man die gek was op Russische literatuur, maar hoe die zich liet aanspreken weet hij niet meer. De studievriend had hem met Icarus in contact gebracht. Het is allemaal zo verschrikkelijk lang geleden.

Tot woede van de onderhandelaars en tot verbazing van Wiegel en de fractie is hij dus meteen naar Provesano afgereisd, waar hij zich in wanhoop heeft afgezonderd in zijn huis, dat hij naar zijn moeder heeft genoemd, 'Rocca Jacoba'. De rots van Jacoba. Zijn lieve, lieve moeder die hem altijd heeft gesteund en hem vergeleek met John F. Kennedy.

'Liever niet, mama, stel je voor dat er ergens een Hollandse Lee Harvey Oswald rondloopt!'

'O jongen, zeg dat toch niet!'

Maar Jacoba is dood, hij niet. Er is geen spoor gevonden van de man die hem wilde vermoorden. Volgens de recherche gaat het om een gek of om iemand die een daad wilde stellen.

Was het maar waar! Was het godverdomme maar waar! Er wordt niet over gerept in de brief, maar natuurlijk was het een waarschuwing. Daarom miste die kerel hem. Waarom anders? Hij stond verdomme op nog geen twee meter afstand! Hij schoot opzettelijk mis en raakte die arme donder per ongeluk. Peter Langendam en Ed Maas zijn indertijd namens het bestuur naar de begrafenis gegaan. Hij niet, op aanraden van de politie, maar hij had het waarschijnlijk ook emotioneel niet aangekund. De vrijwilliger was gelukkig ongehuwd en kinderloos. In het nieuwe partijkantoor aan het Korte Voorhout hangt een plaquette te zijner nagedachtenis. Hij was nog maar enkele weken bij de partij, een man van wie niemand eigenlijk iets anders wist dan dat hij zich als vrijwillige bodyguard had aangeboden. De gevonden kogels hebben niets opgeleverd. Geen enkel spoor. Het was spitsuur toen, en aangenomen wordt dat de schutter daarom naar de andere kant van het Mediapark vluchtte om tussen het stilstaande verkeer te verdwijnen.

Waarschijnlijk een gek die alleen handelde.

Godnogaantoe!

'Heeft u zelf enig idee wie er op u kan hebben geschoten?'

'Absoluut niet.'

'U vindt het niet erg als ik zeg dat u veel weerstand oproept en veel vijanden heeft?'

Hij grimlacht. 'Waar Pim komt, komt ruzie.' Hij heeft het altijd als een compliment opgevat, een soort geuzennaam. *The troublemaker.*

Hij loopt het balkonnetje op en kijkt het stille, zonovergoten pleintje af. Het dorpje lijkt te slapen, de wolkeloze hemel hangt als een lichtblauw satijnen dekbed boven de pannendaken. De kerkklok heeft zojuist zeven uur geslagen. Een zondagnamiddag. Zo meteen zal het bakkertje weer opengaan, aan de overkant zullen de vaste klanten van Gina het terrasje op komen om luidruchtig de binnen op tv bekeken wedstrijden te bespreken. En zelfs nu kan hij, vier huizen verder, zijn vriend Bruno vrolijk zingend in zijn werkplaats aan een van zijn grafmonumenten horen beitelen, wie weet wel het zijne. Ook zo absurd: de dag na die aanslag kreeg hij het definitieve ontwerp binnen van het graf dat hij hier op het kerkhofje heeft gekocht. Een prachtig, strak ontwerp van een witte tombe, een golvende witte muur erachter, een klein beeldje van de Maagd Maria ernaast: modern, maar toch één met het geheel, hij ziet het zo voor zich tussen de cipressen. Gisteren is hij er met Jan wezen kijken, Jan die, hoe goed en lang ze elkaar ook kennen, toch maar niet begrijpt waarom hij zich steeds meer katholiek voelt. 'Je bent toch een wetenschapper, Pim. Dan hoor je toch beter te weten.'

Hoeveel avonden en nachten hebben ze niet over het geloof gediscussieerd? Hoeveel liter witte sauvignon erbij gedronken? 'Kijk toch om je heen, man! God is begonnen met Italië te scheppen!'

'Deed hij dat niet ergens in Irak of Iran? In het paradijs?'

'Daar ging het fout, vandaar dat daar islamieten zijn gaan wonen.'

Ook Ari moest altijd lachen als hij zei dat ze ooit in de kerk zouden trouwen. 'En dan wordt ons huwelijk niet ingezegend door een of andere pastoor, lieve schat, maar ten minste door Simonis! En daarna doen we het nog eens over in Provesano bij onze eigen pastoor daar. Gewoon met een paar vrienden en de dorpelingen.'

Ari, godverdomme! De enige die hij, afgezien van Jacoba, in vrijwel alles liet delen en in vrijwel alles vertrouwde. Vrijwel. Nooit helemaal. Zelfs Ari niet. Geamuseerd herinnert hij zich de vermanende woorden van zijn psychiater: 'Pim, zolang je me niet vertrouwt, kan ik je niet helpen.'

Onzin, de man wist zich gewoon geen raad met hem. Je hoeft hem niets te vertellen over Freud, Jung, Ladacci, Foncan, noem ze maar op. Hij weet het allemaal, beter dan de psychiaters weet hij wat hem mankeert; dat heeft niets met vertrouwen te maken – een smoesje om hun eigen falen te maskeren. En wie zou hij dan wel moeten vertrouwen? Zijn broers? Arregadde bah, denkt hij. Marten en Simon! Als er twee opportunisten zijn, dan zij wel! Nooit zagen ze hem zitten, hij, de dandy, de ijdele homo, het moederskindje, de mislukte prof. En nu? Bellen, mailen, schrijven, claimen. 'Lieve Pim dit... Lieve Pim dat... Weet je nog?'

Van je familie moet je het hebben! En dan die kakelende kippen waarmee ze zijn getrouwd! Baantjesjagers, mislukkelingen die het nu over zijn rug proberen.

Uit de kerk komt padre Locello met zijn kapelaan. Ze zijn zo druk in gesprek dat ze hem niet opmerken, sluiten de oude houten deur en lopen achter de toren om. Lieve, simpele mensen in wie geen spat kwaad zit. Hij zucht en vist een sigaar uit de borstzak van zijn overhemd. Hoe graag had hij niet hier met Ari gewoond. Hij schrijven en publiceren, Ari fotograferen en werken in zijn atelier. 's Avonds een wijntje bij Gina, later hier op de binnenplaats nog een grappa voor ze hun liefdesnestje onder de nok van het oude huis zouden opzoeken. Het simpele, gelukkige dorpsleven in Provesano di San Giorgio della Richinvelda. Af en toe naar een marktje, antiek zoeken, een dag shoppen in het echte Venetië waar geen toerist weet van heeft, slapen in een van de romantische hotels in het oude Triëst of aan de nog niet verziekte kust achter Grado. Hij steekt de sigaar aan en kijkt peinzend de kringelende rook na. Veel geld zouden ze niet nodig hebben gehad. Zijn boeken verkopen goed, het leven is hier goedkoop, Ari is een veelgevraagd fotograaf. Hoe zou dat zijn geweest? Ver van al dat gedoe in dat benauwde Nederland, die miezerige spruitjeslucht, die kleinzielige politici en wetenschappers, die nog een punt kunnen zuigen aan de belezenheid en eruditie van padre Locello, die Dante en Petrarca uit zijn hoofd kan citeren, maar even goed op de hoogte is van de Talmoed en de Koran, en die hem groot gelijk geeft met zijn bewering dat de islam een achterlijke, middeleeuwse religie is. In Nederland denkt zo'n Kok dat wel, maar durft hij het niet te zeggen. En dan een man als Berlusconi iets verwijten!

De rinkelende telefoon doet hem opschrikken uit zijn mijmeringen en het duurt even voor hij beseft dat Herman met Jan een tochtje in de omgeving maakt. Tegenwoordig schrikt hij van elk telefoontje, elke postbestelling. Sinds Herman de envelop binnenbracht, heeft hij niets meer gehoord. Wat betekent dat? Dat de afzender tevreden is? Dat kan niet anders, hij heeft aan alles voldaan. Maar de laatste zin was misschien wel de meest dreigende: 'U hoort van ons.'

Bijna niemand heeft zijn telefoonnummer hier, maar ook daarover maakt hij zich geen illusies. Wie belt hem hier op zondag?

Nerveus loopt hij de kleine studeerkamer in en neemt de porseleinen hoorn van de haak.

'Prego?'

'Pim, met Mat. Het spijt me dat ik je lastigval tijdens je vakantie. Stoor ik?'

Hij haalt diep adem en kijkt naar zijn bange ogen in de ovale spiegel. De kleine streber Herben. Pisnijdig dat hij geen minister van Defensie werd! Schuin achter zijn hoofd weerspiegelt zich het bronzen beeld van een naakt Pan-godje dat zijn eigen, reusachtige erectie als fluit hanteert.

'Dat hangt ervan af. Zijn er problemen?'

Herben lacht. 'Nee, nee. Relax maar lekker, we redden het wel. De Kamer wacht muisstil af nu Wiegel bezig is met het regeerakkoord. Overigens mailt hij je vanavond, moest ik doorgeven. Nee, we zaten hier gisteren op kantoor wat te brainstormen en toen opperde Arendo het idee of het eigenlijk geen tijd is dat je biografie wordt geschreven.'

Hij fronst, al is hij niet erg verbaasd. Een uitgever heeft hem vorig jaar nog om zijn autobiografie gevraagd, maar dat werd hem toen door zijn adviseurs afgeraden als te voorbarig. Het klinkt niet slecht, hij mag dan geen premier zijn, maar hij is wel de man achter de schermen. Alleen moet Herben het niet doen, die kan geen drie woorden fatsoenlijk achter elkaar krijgen!

'Anke hier,' zegt Herben, 'heeft een jaar of wat geleden een jubileumboek voor Vroom & Dreesmann geschreven. Natuurlijk wel wat anders, maar zoals je weet is ze een tijdlang journaliste geweest en behoorlijk goed ingevoerd, en ze vindt het leuk om te doen...'

Anke? Hij weet het weer. Anke van Dam. De vriendin van Keje van Essen. Een leuke, zakelijke vrouw die het partijkantoor binnen een mum van tijd op orde bracht en nu trainingen aan de kaderleden geeft. En als Keje er toezicht op houdt, komt het zeker goed.

'Ze komt trouwens uit Groningen, waar ze als kind met haar vader vaak bij jouw promotor Ger Harmsen kwam. Haar vader was lang geleden lid van een of andere club in Amsterdam die jij misschien ook nog wel hebt gekend, Thomas van Aquino...'

Ondanks de warmte voelt hij een ijzige kou over zijn rug trekken. In Thomas van Aquino zat zijn vriend die hem met Icarus in contact bracht!

'En juist nu met het kabinet op de rails en je geslaagde formatie lijkt het iedereen hier een prima idee als zo'n bio zo tegen zomer volgend jaar in de winkels ligt...'

Hij hoort het nauwelijks en staart naar het levensgrote portret van zichzelf als promovendus.

'Ben je er nog?'

'Jaja.'

'Het is ook safe dat zij dat doet en niet een of andere broodschrijver of journalist die je een hak wil zetten. En veel tijd hoef jij er zelf ook niet in te steken. Ze is een prima interviewster, als je stukken hebt, dagboeken, aantekeningen die ze door kan nemen, mensen van wie jij vindt dat ze een wezenlijke bijdrage kunnen leveren, je zussen en broers om het niet de hele tijd over de wetenschap en de politiek te hebben, mensen van vroeger. Jij selecteert ze natuurlijk...'

Verward luistert hij naar Herbens woordenstroom en hij heeft niet eens door dat de sigarenas op het dure Perzische kleed valt. Is het mogelijk? Zonder argwaan te wekken? Zonder haar in te lichten? Hoe doet hij dat in vredesnaam?

'Pim?'

'Ja. Nee, ik dacht even na. Eh... het lijkt me prima, al moet ik het nog even rustig overwegen. Zodra ik terug ben, praten we er verder over. Prik maar iets in het volgende weekeinde in Rotterdam...'

En voor Herben kan antwoorden, zegt hij: 'Sorry Mat, ik heb gasten die ik niet wil laten wachten. Bel me morgenochtend maar terug. En zeg tegen Hans dat ik vanavond graag het concept binnen wil hebben.'

Hij legt neer en kijkt weer in de spiegel. De sigarenrook lijkt een halo boven zijn glanzende schedeldak te vormen.

Hij kijkt op omdat er buiten een auto afremt en loopt terug naar het balkonnetje. Onder hem draait de Daimler net het tuinpad op, het gekef van de hondjes komt boven het geronk van de motor uit. Tegenover hem komt Gina het café uit en zwaait naar hem.

'Buongiorno, signore!'

Hij wuift terug, hoort de opgewonden stemmen van de klanten binnen en staart naar de koepelende hemel, zijn oogleden samengeknepen, een zwart vlekje op zijn netvliezen dat omhoog tegen het helle blauw lijkt te zweven, als een mannetje met vleugels dat opstijgt naar de zon, die als een spotlight boven de wazige heuvels in de verte hangt.

Achter hem hoort hij voetstappen op de trap en de blaffende hondjes. Bijna tegelijkertijd rinkelt de telefoon weer.

'Ben je daar, Pim?'

'Ja, neem even aan, wil je? Ik ben er niet.'

Even later hoort hij Herman zeggen: 'Prego, Rocca Jacoba...'

Carla huppelt het balkonnetje op, en hij wil net het hondje optillen als Herman verbijsterd zegt: 'O jezus! Nee... nee... Ik zal het hem zeggen zodra hij terug is.'

Carla likt zijn wang, maar hij houdt het dier van zich af en ziet Herman het balkon op komen. Ondanks zijn gebruinde huid ziet hij bleek.

'Wat is er?'

Herman lacht een beetje en schudt zijn hoofd. 'Dat was de heer Wiegel. Prins Claus is overleden.'

5

De systeemanalist van de krant, een jongen van begin twintig, schijnt alleen maar in jargon te kunnen praten. Hij heeft het over 'resizen' en 'partitions', denkt dat het om een 'sudden death' gaat en begrijpt niet dat hij geen 'DDL kan relokaliseren' of waarom de 'Realtech' weigert. Na een halfuur heeft Lex er genoeg van. Hij snapt toch niets van computertechniek en het is wel duidelijk dat de jongen een freak is die het liefst alleen wil zijn. Bovendien is de werkster er, die kan hem koffie brengen en de deur achter hem dichtdoen.

'Je vindt het niet erg als ik er niet bij blijf, hè?'

De jongen schudt zijn hoofd en ratelt op zijn eigen laptop.

'Ik ben er weer over een uur of twee. Ik weet niet of jij er dan nog bent.'

Op het scherm van de laptop flikkert een spinnenweb van rode en groene lijnen, wat hem doet denken aan de papieren schema's van lang geleden om je eigen kristalontvanger te bouwen.

'Hij ziet gewoon de C-partitie niet,' zegt de jongen. 'Nee. Ik moet straks naar de krant. Ik kijk wel. En anders neem ik hem wel mee. Je hebt toch een andere?'

'Eh... ja, maar liever deze.'

'Ik doe mijn best.'

'Graag. Ik zal de werkster vragen nieuwe koffie te zetten.'

Hij pakt zijn cameratas en kijkt op zijn horloge als hij de gang op loopt. Het is tien uur geweest. Hij doet er een kwartiertje over om naar het ziekenhuis te komen, laat de Saab daar gewoon staan met zijn perskaart en zal daarna op zijn vouwfiets naar de Bezuidenhoutseweg gaan, want daar zal het wel druk zijn. Het lichaam van prins Claus wordt tegen één uur bij Huis ten Bosch verwacht. Vast en zeker staan er al collega's bij het AMC of onderweg op de viaducten over de A4 te wachten, maar die leeftijd heeft hij gehad. Het is toch een soort lijkenpikkerij, waar hij niet dol op is.

Hij loopt naar de woonkamer, waar Meral bezig is af te stoffen. Haar hoofddoekje doet hem altijd denken aan zijn moeder wanneer ze schoonmaakte. Hij vraagt haar verse koffie aan de jongen beneden te brengen, pakt zijn jack en loopt al naar het halletje, als hij een steek in zijn linkerbal voelt. Sinds enkele dagen heeft hij daar last van. Of het met die verdomde prostaat te maken heeft, weet hij niet, maar hij is toch maar met die pillen begonnen, met het risico dat hij met een stijve pik over straat naar de huisarts moet, maar tot nu toe is er niets gebeurd. Hij werd er ook niet duizelig van, al pist hij nog even moeizaam als ervoor.

Twintig minuten later parkeert hij de Saab naast de uitgang van de EHBO en pakt zijn cameratas. Het zal niet de eerste keer zijn dat ze zijn ruitje inslaan. Zo stil als het op straat was, zo druk is het in het ziekenhuis. Hij grinnikt cynisch als hij bedenkt dat hier de perfecte oplossing ligt voor het probleem van minister Smalhout van Volksgezondheid: de wachtlijsten. Meer dan de helft van de mensen in de grote hal is allochtoon en waar je kijkt, zie je hoofddoeken en boerka's. De nieuwe staatssecretaris van Allochtonenbeleid Hirsi Ali heeft nog voor de kerst voorstellen beloofd om de nieuwkomers dwingend te laten integreren.

Aan een van de portiers vraagt hij naar de afdeling Psychotherapie. Hij moet bij de afdeling Psychiatrie en Medische Psychologie op de eerste verdieping zijn.

Een vriendelijke receptioniste belt Thera Post, die hem enkele minuten later de hand schudt.

'Fijn dat u kon komen.'

Ze is van zijn leeftijd, een jaar of vijftig, maar een kop groter, wat hem bij vrouwen altijd een wat ongemakkelijk gevoel geeft.

Ze is uitgesproken lelijk, met een grote neus en een onderkin, maar heeft wel prachtige volle borsten onder haar truitje, waarop aan een gouden kettinkje haar bril bungelt. Haar lippen zijn bloedrood gestift. Ze lopen een trap op naar de eerste verdieping, waar zeker tien oudere mannen lijdzaam voor zich uit kijken. Hij onderdrukt een grimas wanneer hij het bordje UROLOGIE ziet. Artsen lopen druk heen en weer met mappen onder hun arm, een verpleegster komt haastig een deur uit, een andere verdwijnt erachter. Twee donker gekleurde broeders schuiven een roerloze gestalte op een bed een lift binnen.

'Ik hoop dat u even geduld kunt hebben. Het spijt me erg, maar er kwam net onverwacht een oudere collega van haar op bezoek. Eigenlijk mag dat niet buiten bezoekuren, maar hij is er helemaal voor naar Den Haag gekomen. Ik heb hem gezegd dat hij een kwartiertje kan blijven.'

Hij fronst. 'Ik moet om halftwaalf uiterlijk weer weg.'

'Aha. Dat moet makkelijk kunnen. Marike ligt sinds enkele dagen hier op de gang. Ze is ambulant patiënte.' Ze kijkt even naar zijn cameratas, waarop in goudkleurige lettertjes *NRC Handelsblad* staat.

'De prins?'

Hij knikt.

'Marike vertelde dat ze graag bij uw krant wilde werken.'

'Aha.' Wie niet?

Ze doet een deur voor hem open. Erachter ligt een klein vertrek met een bureau, een zitje met drie stoelen, een dossierkast.

'Wilt u koffie?'

'Graag.'

Ze heeft de koffie klaarstaan in een thermoskan op het bureau, waarop een stapel dossiers naast een monitor ligt. Aan de muur hangen enkele reproducties waarvan hij vermoedt dat ze van Ikea afkomstig zijn. Er hangt een vage geur van een of andere lotion.

'Heeft u iets in uw koffie?'

'Nee, dank u.'

'Ze verheugt zich er erg op u te zien.'

Hij knikt maar. 'U zei dat ze zich niets meer van die avond herinnerde.'

'Niet alleen van die avond.' Ze zet een beker koffie voor hem neer en gaat zelf tegenover hem zitten. Ze draagt een lange broek met een krijtstreepmotief en zwarte halfhoge laarsjes. 'Marike lijdt aan retrograde amnesie, een vorm van geheugenverlies waarbij iemand niet meer weet wat er voor een bepaald tijdstip is gebeurd. Je hebt ook anterograde amnesie en dat betreft het kortetermijngeheugen, zeg maar alles wat er ná een bepaald voorval plaatsvond. Soms lijdt een patiënt aan beide vormen, maar dat is bij haar gelukkig niet het geval.'

Ze drinkt van haar koffie en Lex weet opeens zeker dat ze zich heeft laten liften; de huid bij haar ogen en wenkbrauwen is strak en glad, de ogen zelf zijn wat bol. Hij pakt zijn beker en ruikt al dat de koffie slap is.

'We weten er nog niet veel van,' zegt ze. 'We weten sowieso nog niet veel van onze hersenen. Retrograde amnesie wordt meestal veroorzaakt door een traumatische gebeurtenis die dikwijls ook hersenletsel oplevert, tijdelijk of permanent. Het fenomeen zelf kennen we al heel lang. Eigenlijk wordt het al onderzocht sinds de Eerste Wereldoorlog, toen veel soldaten eraan leden. U kunt het het beste vergelijken met wakker worden en zeker weten dat je hebt gedroomd. Je weet dan nog wel wat je de vorige avond deed, of de week ervoor, maar niet wat die droom was.'

Lex neemt een slokje. Het valt mee.

'Het hoeft zeker niet blijvend te zijn, maar er zijn gevallen bekend waarin het jaren heeft geduurd. Vergelijkt u het maar met de harde schijf van uw pc, waarvan plotsklaps alle informatie om de een of andere reden verdwijnt.'

Lex knikt weer en hoopt dat de systeemanalist het probleem

op kan lossen. Hij is verknocht aan de Mac.

'Er is wel een back-up, bedoelt u.'

Ze zet haar kopje neer, met een felrode rand van haar lippenstift erop. 'Ja. We weten alleen niet waarom die niet meer functioneert, wél dat het niet onherstelbaar hoeft te zijn. Maar het kan soms jaren duren.'

'Maar u behandelt haar dus wel, hoewel u niet weet wat het is.'

'Zo goed en zo kwaad als het gaat. Als er sprake is van een hersenbeschadiging, heb je in elk geval een houvast. Is er sprake van een psychische oorzaak – en daar heeft het in haar geval alle schijn van –, dan is de vraag natuurlijk wat er dan gebeurd is en hoe de patiënt dat heeft ondergaan. Wat we niet weten, omdat ze het zelf niet weet, begrijpt u. We werken in een multidisciplinair team met een neurochirurg, een psychiater en ikzelf, maar nogmaals: als je niet weet waar te beginnen...'

'En hypnose?'

Ze glimlacht. 'Gelooft u daarin?'

'Eh... nou nee, maar het wordt toch toegepast?'

'Apekool, meneer De Rooy. Er is geen enkel overtuigend bewijs dat het werkt. Weliswaar bestaat er hypnotherapie als onderdeel van een psychotherapeutische behandeling, maar dan alleen om de patiënt bijvoorbeeld rustiger te laten worden of hem in staat te stellen zich beter te concentreren. Hij moet het echter zelf doen, het zelf oplossen. Wij reiken alleen technieken aan die daarbij kunnen helpen. Maar als iemand zich bewust moet worden van problemen die hem bijvoorbeeld al vanaf zijn jeugd parten spelen, moet hij wel in staat zijn zich ook daadwerkelijk iets van die jeugd te herinneren, begrijpt u?'

Hij knikt. 'Ze weet dus wel wie ze is?'

'O ja. Heel goed zelfs. Er is niks mis met haar, behalve dat ze natuurlijk behoorlijk verzwakt was. Maar ze is in elk geval al weer zover dat ze de reis naar Australië...'

Ergens klinkt opeens muziek – salsa. Ze zet haar tas op schoot en haalt er een parelmoerkleurig mobieltje uit.

'Sorry. Mag ik even?'

Hij knikt.

Ze neemt aan. 'Thera... Ja... hallo.'

Kennelijk is het vertrouwelijk, want ze wendt zich wat af. 'Ja, begrijp ik, ja.'

Lex kijkt op zijn horloge, het is bijna kwart voor elf. Eigenlijk zou hij nu het liefst weggaan. Wat moet hij hier? Hij heeft dat meisje al in geen jaar gezien, hij kent haar nauwelijks. Rot als het voor haar is, het heeft zo te horen geen enkele zin. Wat kan hij zeggen? Hij is daar niet eens geweest die avond.

Hij staat op en loopt naar het raam. En ziet tot zijn schrik beneden hem een parkeerwachter een bon uitschrijven bij de Saab. Wat is dit godverdomme? Zijn perskaart staat toch achter de voorruit? Kan die lul niet lezen?

Hij pakt zijn tas, rent naar de deur en stuift de gang op naar het trappenhuis, wanneer hij een hoog gillen hoort en geschrokken inhoudt. Vlak voor hem komt een oudere man in overjas en met wit haar uit de kamer waaruit het gegil klinkt. Hij haalt zwaar adem, zijn ogen flitsen achter dikke brillenglazen naar de cameratas en dan naar Lex: 'Is er ergens een verpleegster? Er is iemand plotseling niet goed geworden.'

'Sorry. Ik heb geen idee. Eh...'

De man trekt nerveus met zijn mond. 'Ik ga wel even kijken.'

Met snelle passen loopt hij de andere kant uit en verdwijnt om de hoek. Lex kijkt hem verbaasd na. Waarom is die man zo bang? Het gillen is overgegaan in een soort gekreun. Tegenover hem komt een broeder haastig uit een kamertje. 'Wat is er aan de hand?'

'Ik weet het niet. Er kwam een man uit die kamer daar die zei dat er iemand niet goed was geworden.'

De broeder holt de kamer al binnen wanneer Thera Post de

tochtdeuren openduwt. Haar bolle ogen nemen hem stomverbaasd op.

'Wat is er?'

Pas dan dringt het tot hem door dat het Marike was die gilde.

6

Tegen één uur in de middag, als de lijkwagen met het lichaam van de dode prins Claus voorafgegaan door zes motoragenten van de rijkspolitie in Den Haag arriveert, rijden in Leeuwarden twee politieagenten in hun surveillanceauto door een nieuwbouwwijk. Ze hebben net vier broodjes bal en frites gehaald bij een snackbar, zodat ze wat langzamer rijden dan normaal. Op de radio zegt Maartje van Weegen met omfloerste stem dat er duizenden mensen op de viaducten staan. 'Het heeft wel wat weg van de 4de mei; indrukwekkend hoe de Hagenaars afscheid nemen van prins Claus.'

'Krijg nou het heen en weer!' zegt de agent aan het stuur. Hij is de jongste van de twee. 'Hij zat toch in de oorlog bij de ss, niet?'

De ander schudt zijn hoofd en slikt een stuk bal door. Hij is brigadier. Er zit wat mosterd aan zijn snorretje. 'Dat was Bernhard. Claus was goed.'

'O ja?'

'Ik krijg net bericht uit Hilversum,' zegt Maartje, 'dat Pim Fortuyn op Schiphol is geland en met spoed onderweg is naar Den Haag. Prinses Juliana zou nog niet op de hoogte zijn gesteld vanwege haar...'

De brigadier buigt zich voorover als er een staccato piepje klinkt en drukt een toets in.

'Centrale voor wagen 31,' zegt een vrouwenstem met een dik Fries accent.

'Wagen 31.'

'Kunnen jullie even kijken in de Everhardstraat? Er is een melding binnen van de bewoner van nummer 113 dat er een hond al vierentwintig uur in een woning staat te blaffen.'

'Oké.'

'Everhardstraat,' zegt de agent. 'Woon jij daar niet in de buurt?'

De brigadier knikt en steekt een handvol frites met mayonaise in zijn mond.

'... zal naar alle waarschijnlijkheid vanaf morgenmiddag worden opengesteld voor het publiek,' zegt Maartje. 'Bij mij zit journalist Fred Lammers, die al jarenlang de koninklijke familie op de voet volgt en veel over de leden van het Koninklijk Huis heeft gepubliceerd. U kende de prins persoonlijk, is het niet?'

'Wat een gelul,' zegt de agent. 'Mijn grootvader zei altijd: er is niets beters dan een dooie Duitser.'

'Jawel hoor,' zegt de brigadier. 'Twéé dooie Duitsers. Volgende straat moet je naar links.'

Wanneer ze stoppen voor een laag flatgebouw, komt er een bebaarde man in djellaba naar buiten. Hij zwaait met beide handen. Achter hem doemt een jonge man op in een wit overhemd.

'Allah il Allah,' zegt de brigadier. 'Laten we hopen dat ze Nederlands praten. En hou je hand op je pistool, je weet het nooit met die geitenneukers.'

Ze stappen uit en lopen naar de mannen toe.

'Hij zit op eenhoog,' zegt de man in het witte overhemd. 'Een herder.' Zijn Nederlands klinkt nagenoeg perfect. 'We zijn al op het balkon geweest, maar alles is op slot en de gordijnen zijn dicht.'

'Wie is de eigenaar?' vraagt de agent.

De man in het witte overhemd begint Arabisch tegen de bebaarde man te praten. Pal boven, op eenhoog, komt een Hollandse vrouw in een roze nachthemd het balkon op. 'Jullie kunnen dat beest maar het beste doodschieten. Hij is hartstikke vals.'

'Volgens mijn oom werkt hij 's nachts in een hotel,' zegt de man in het witte overhemd. 'Maar hij is sinds gisteren niet meer thuisgekomen.'

'Hij geilt op vrouwenkleren,' roept de vrouw. 'Hij heeft vorige maand slipjes en een behaatje van mijn waslijn gejat!'

De brigadier knikt naar de jonge man. 'Bent u Marokkaan?'

'Ja. Ik ben hier op bezoek bij mijn familie.'

'Is de eigenaar van die hond ook Marokkaan?'

'Een blanke,' roept de vrouw. 'Volgens mij komt hij uit Amsterdam.'

'En niemand heeft een sleutel?'

De vrouw schudt haar hoofd. De agent vindt haar wel aantrekkelijk. Hij valt voor opgestoken lichtblond haar. Voor zover hij kan zien heeft ze mooie benen.

'Zullen we maar?' vraagt hij. Hij houdt nog steeds zijn hand op de kolf van zijn pistool.

'Klik de auto even open,' zegt de brigadier.

'Waarom?'

'Doe nou maar.'

De brigadier loopt naar de auto, trekt het portier open en komt terug met een van de zakjes van de snackbar. Hij trekt zich niets aan van de verbaasde blikken van de twee Marokkanen en loopt langs hen heen de hal binnen. Boven aan de trap staan twee donkere kleine kinderen. Op de eerste verdieping horen ze de hond als een gek blaffen.

'Het lijkt me een grote,' zegt de agent. Als ze bij de voordeur zijn, kijkt hij door de brievenbus, maar hij schrikt als de hond als een razende begint te grauwen.

'Godverdomme,' zegt hij en hij komt haastig overeind.

De brigadier belt aan, een schel gerinkel. De hond blaft.

In de deuropening ernaast kijken de twee donkere kinderen roerloos toe. Een deur verder komt de vrouw in het nachthemd naar buiten. Ze draagt muiltjes met hoge hakken en de agent ziet dat ze inderdaad mooie benen heeft. Om een enkel glinstert een brede gouden ketting in de zon. Maar als ze dichterbij komt, ziet hij ook dat ze al oud is; haar borsten hangen en ze heeft lijnen in haar onopgemaakte gezicht. Op haar linkerschouder heeft ze een rood-met-blauwe vlinder laten tatoeëren. Opeens weet hij zeker dat ze een hoer is.

'Kunnen jullie hem niet door de brievenbus gewoon voor z'n kop knallen?' vraagt ze. 'Ik heb godverdomme de hele nacht geen oog dichtgedaan!'

'Kunnen we via het balkon achterom?' vraagt de brigadier aan de Marokkaan met het witte overhemd, die achter hen aan is gekomen. 'U had het toch over een balkon?'

'Ja. Komt u maar mee.'

Ze lopen samen met hem naar de kinderen, die terugwijken. In het flatje hangt de weeë geur van wiet. Het is er keurig opgeruimd en schoon, ook in het keukentje. Op het balkon staat een wasmand vol wasgoed. Op het aangrenzende balkon ligt een beschimmelde matras. De ramen van de balkondeuren zijn afgeschermd met kreukelige lakens. Kennelijk staan er binnen deuren open, want zodra de brigadier over het tussenhek stapt, begint de hond weer als een bezetene te blaffen.

De brigadier trekt zijn pistool, de snackbarzak met het broodje bal in zijn andere hand. Al verend loopt hij met hoog opgetrokken benen over de matras, als naast hem opeens de bliksem lijkt in te slaan en een groot zwart hondenlijf in een wolk van glasscherven tegen hem aan slaat.

Hij schiet toch nog.

7

De broeder had Marike in shock aangetroffen, een arts had haar vervolgens een kalmerende injectie toegediend. De oudere collega die bij haar op bezoek was geweest, was niet meer teruggekomen. Althans niet in de paar minuten die Lex nog was gebleven. Hij had Marike heel even gezien. Een wit, verkrampt gezicht, dat hij, ook al door het schemerdonker in haar kamer, nauwelijks had herkend. Haar hartslag en bloeddruk waren te hoog en haar ademhaling onregelmatig, zodat de arts haar extra zuurstof had toegediend. Waarom ze zo gegild had, was niet duidelijk, maar hij opperde dat haar collega haar mogelijk iets had verteld wat haar zo had aangegrepen dat ze weer was weggezakt. Hij was zichtbaar boos dat daar geen rekening mee was gehouden. De broeder was erop uitgestuurd om te kijken waar die collega was gebleven; het kon best dat de oudere man ergens in het kolossale ziekenhuis ronddwaalde, hij had op Lex een zeer verwarde indruk gemaakt. Volgens Thera Post heette hij Schuursma of Schuurman. Ze had de receptie gevraagd de redactie van het *Friesch Dagblad* te bellen om navraag te doen, maar daar had Lex niet op gewacht.

Tegen vijven parkeert hij de Saab en sjouwt de boodschappen naar binnen, als hij merkt dat Tessel thuis is. Haar jack ligt naast haar rugzak op de grond, maar ernaast ligt nog een jack dat hij niet kent. Met roze letters staat er ANOUK FOREVER! op gekalkt. Zal wel een schoolvriendin zijn. Voor een vriendje is hij nog niet benauwd. En als er soms een is, zitten ze samen braaf achter haar spelcomputer. Wat doet ze hier op maandag? Als ze door de week langskomt, belt ze meestal even, maar misschien heeft ze dat wel gedaan. Hij had zijn mobieltje in de auto vergeten toen hij na de fotosessie bij Huis ten Bosch langs de Haagse redactie van de krant was gegaan. Hij komt daar liever dan in het hoofdgebouw in Rotterdam, het is klein en overzichtelijk. In Rotterdam is de sfeer bovendien sinds enkele maanden om te snijden vanwege gelazer met de uitgever, wantrouwen jegens de hoofdredacteur en bezuinigingen. De foto's van de rouwstoet zijn redelijk gelukt. Zijn chef vroeg hem om morgenmiddag de voorbereidingen te fotograferen voor de chapelle ardente in Paleis Noordeinde, waar de prins over drie dagen wordt opgebaard. Normaliter lukt dat je niet, maar de hoofdredacteur is een persoonlijke vriend van Beatrix, wat voor de redactie meestal een nadeel is, maar nu dus eens een voordeel.

Hij zet de boodschappen op het aanrecht. De kat kom miauwend door het kattenluikje binnen. Op het aanrecht ligt naast een aangebroken fles cola een briefje van de systeemanalist dat hij de Mac heeft meegenomen. Hij doet zijn uiterste best, schrijft hij, maar het is maar zeer de vraag of hij de bestanden kan redden. Kut. Nou ja, dan werkt hij vanavond wel op zijn laptop. Het is niet zo erg als er bestanden verloren gaan. De vakantiefoto's uit Amerika had hij gelukkig al eerder geselecteerd en op schijf gezet; de rest was niet erg belangrijk. Jammer voor Smolders, maar die heeft inmiddels als kersvers Kamerlid niet te klagen over media-aandacht.

Hij geeft de kat eten en vraagt zich af of Tessel hier blijft eten, want dan mag ze zelf nog even naar Albert Heijn. Met een borrel loopt hij naar haar kamertje, maar daar is ze niet.

'Tessel?'

Beneden uit het souterrain klinkt gestommel, even later de deur. 'Hé, pap!'

'Wat doe je?'

'Ik ben met Soemeya.'

Ze staat beneden aan het trapje, achter haar een lang meisje met een felgeel T-shirt en een enorme bos pikzwart krullend haar. Hij herinnert zich dat ze hier wel eens meer is geweest. Ze glimlacht verlegen. 'Dag meneer.'

Hij knikt. 'Hallo. Wat zijn jullie aan het doen?'

'Foto's van haar laptop aan het printen,' zegt Tessel. 'We moeten om zeven uur weer op school zijn.'

'O. Waarom?'

'We hebben toch die presentatie?'

Presentatie? Waar heeft ze het over?

'Over Bosnië! Waar haar vader vandaan komt!'

Hij weet het weer. Haar vader is iets hoogs bij het Joegoslavië-tribunaal. Een jaar geleden was er een interview met hem in de krant na de arrestatie van Milosevic, maar hij wil niet worden gefotografeerd.

'Je komt, hoor! De uitnodiging hangt op het prikbord. Alle ouders komen. Mama ook.'

Shit. Wat doen die scholen tegenwoordig in jezusnaam? Nota bene op maandagavond. De helft van de tijd zijn die leraren met cursus of afgebrand, na acht weken hebben ze alweer een vakantie om bij te komen, en dan gaan ze 's avonds nog eens de ouders verplichten om op te draven voor een of andere maatschappelijk betrokken toestand. En maar klagen dat het onderwijs naar de kloten gaat! Wat dat betreft heeft Fortuyn wel goede voorstellen.

'Ja. Ik weet niet of ik kan,' liegt hij. 'Ik moet misschien naar Paleis Noordeinde vanwege prins Claus. Blijven jullie hier eten?'

'Nee, doen we op school. Pap, je moet komen!'

'Ik kijk wel. Maak je geen rotzooi?'

Hij loopt terug naar de keuken, waar de werkster de post heeft neergelegd. Het is niet veel – nooit op maandag. In de blauwe envelop zit godzijdank alleen de bevestiging dat ze zijn bezwaarschrift hebben ontvangen. Er is een uitnodiging van een vroegere collega die een tentoonstelling in Pulchri heeft. Hij moet er niet aan denken. Hij trekt zijn jasje uit en haalt zijn agenda uit zijn binnenzak om de afspraken voor de komende week te checken. Tussen zijn vingers zit de parkeerbon. Vijfendertig euro. De parkeerwachters, een mooie Surinaamse en een of andere oetlul die nauwelijks kon schrijven, luisterden niet eens. 'Meneer, u staat te dicht bij de uitgang voor de ambulances, klaar.'

Mierenneukers, die ambulances konden er met gemak langs.

Hij drinkt en vraagt zich af of ze die collega van Marike al getraceerd hebben. Een oudere man in paniek. Logisch als iemand opeens een toeval krijgt. Waar zou ze zo overstuur van zijn geweest?

In de woonkamer rinkelt de telefoon. Hij loopt ernaartoe als Tessel roept: 'Pap! Kom eens kijken!'

'Seconde!'

Hij neemt op.

'De Rooy.'

'U spreekt met Bart Bregstra. Van Omrop Fryslân. Weet u nog?'

Hij fronst. De dikke vriend van Marike.

'Ja. Hallo.'

'Sorry dat ik bel. Stoor ik u?'

'Nee. Hoe gaat het met je?'

'Goed. Ik heb afgelopen juli mijn examen gedaan...'

'Gefeliciteerd.'

'Dank u. Ik freelance hier nou, maar ik wil eigenlijk naar het westen.'

'O.' Dat dus. Contact. Bregstra zoekt een kruiwagentje. Maar wie zit er met die bezuinigingen te wachten op een afgestudeerde van de School voor de Journalistiek?

'Pap!'

Hij kijkt om en ziet Tessel gebaren. 'Kom nou!'

'Tessel, ik zit aan de telefoon, dat zie je toch? Ik kom zo!'

Ze trekt een grimas en loopt weg.

'Sorry. Ga verder.'

'Dus ik dacht: misschien kan ik een afspraak met u maken. Ik heb aardig wat geschreven voor mijn vorige stage hier bij het *Friesch Dagblad*. Wel veel over voetbal, maar toch...'

'*Friesch Dagblad*? Zat Marike daar niet?'

'Ja.'

'Ken je daar mogelijk iemand die Schuursma heet? Of Schuurman? Een oudere man, iets van een jaar of zestig, bril, dik wit haar, klein?'

'Nou, nee... Ik geloof van niet, maar het zou kunnen, ik ken niet iedereen...'

Lex zwijgt en staart naar de ingelijste foto van twee Marokkanen in djellaba op de Wallen waarmee hij lang geleden de Zilveren Camera won, in de tijd dat allochtonen nog gastarbeiders werden genoemd. Hoe komt hij van die jongen af?

'O, trouwens,' zegt Bregstra, 'ik vergeet u helemaal te vertellen dat ze Marikes tasje hebben gevonden. Ik wou haar straks in het ziekenhuis bellen.'

'Haar tasje?'

'Ja.'

Lex neemt verbluft een slokje. Haar tasje, na bijna een halfjaar.

'In dat park?'

'Nee, bij een vent die hartstikke dood in zijn flat hing. Nou ja, vent, hij was half verbouwd.' Bregstra lacht weer. 'Een trafo. Ze hebben hem gevonden omdat zijn hond de buurt al vierentwintig uur wakker hield. Je gelooft het niet, maar hij had zich aan een stel jarretels in zijn douchecabine opgehangen. Hij werkte hier in Leeuwarden als nachtportier in het Oranje Hotel, maar in de weekeinden zag je hem vaak in de binnenstad. Ze hebben bij hem thuis de gekste dingen gevonden: slipjes, behaatjes, damesschoenen. Hij vulde gewoon zijn voorraad aan uit de koffers van de gasten, begrijpt u...'

'Hoe kwam hij dan aan haar tasje?'

'Zal hij wel gepikt hebben toen ze die avond daar was. Het zat tussen allemaal andere gestolen troep onder zijn bed. Haar portemonnee was weg, die zal hij wel weg hebben gegooid. Er is niets van haar rekening gepind, dus dat zal hem niet gelukt zijn. Haar paspoort en rijbewijs heeft hij waarschijnlijk verkocht, net als haar recordertje en mobieltje. Alleen haar agenda zat er nog in, in een zijvakje, misschien heeft hij dat niet eens gezien. Lekker dom natuurlijk om die erin te laten zitten.'

'Ja.'

'Eh... Ik ben de 15de voor de krant in Den Haag voor de begrafenis van prins Claus. Zou ik u dan misschien wat artikelen van me kunnen laten zien? Het zou ook de volgende dag kunnen...'

'Pap!' roept Tessel ergens op de gang.

'Ik kom! Sorry, mijn dochter roept me. Weet je wat? Bel me nog even als je hier bent, dan kijk ik wel.'

'Dat zou geweldig zijn! Ik dacht zelf dat ik misschien wat over de gasboringen hier op Ameland zou kunnen schrijven nu het kabinet daar verder mee wil. Ik bedoel, ik heb hier veel contacten en ik kom geregeld op Ameland...'

'Lijkt me prima. Bel me maar.'

'Eh... zou ik ook uw mobiele nummer mogen voor het geval dat? Dan geef ik ook het mijne.'

Hij noteert dat laatste ongeduldig en hangt op, maar blijft toch even zitten denken aan de trafo die zichzelf heeft opgehangen. Onderbroekjes en behaatjes. Spullen die je niet aangeeft. Er lopen er meer rond die erop geilen. Maar wurgseks? Dat dat nog voorkomt. Dan moet je toch ook wel ver heen zijn. Goddomme, hij heeft nu al in bijna geen halfjaar seks gehad, heeft er tot zijn eigen verbazing ook geen behoefte aan, hoewel hij zich soms zorgen maakt of dat misschien met zijn prostaat van doen heeft. Een trafo. Vroeger was dat een transformator.

'Pap? Ben je nou klaar?'

Hij daalt het trapje af en voelt zijn bal weer steken. Morgenochtend zit hij bij de huisarts, hij kan zo langzamerhand wel een abonnement nemen!

'Wat is er nou?'

De twee meisjes zitten achter zijn laptop. De printer ratelt en er schuift langzaam een foto uit waarop hij de contouren van het Joegoslavië-tribunaal herkent.

'Soemeya heeft die foto's van die chauffeur van Pim Fortuyn op haar laptop. Weet je wel? Die in je Mac zitten. Ik heb ze alvast op de jouwe gezet.'

Hij trekt een krukje naar zich toe en komt achter hen zitten. Het kleine scherm staat vol foto's van het tribunaal. 'Hoe kom je daar dan aan?'

'Weet je nog dat ik die foto's van Ferri naar haar mailde?'

'Ferri?'

'Jezus, pap...!'

'Ik weet het, ik weet het! Die jongen uit *Goede Tijden*. Die naar Amerika is gegaan.'

Soemeya knikt heftig. 'Hij krijgt een hoofdrol van Steven Spielberg!'

'O. O ja? Oké. Wat is er dan met die andere foto's? Heb je die toen meegestuurd?'

'Per ongeluk. Omdat jij zo'n haast had, weet je nog?'

Hij knikt en ziet de foto's van de blonde slijmbal in de BMW-cabrio.

'Het was haar moeders laptop, maar die heeft een nieuwe. We waren helemaal vergeten dat die foto's erop stonden.'

'Aha. Wat doet je moeder?'

Tessel schudt geïrriteerd haar hoofd, terwijl ze de foto's van Smolders aanklikt. Ze haat het als hij haar vriendinnen dat soort vragen stelt.

'Ze vertaalt.'

'O. Wat?'

'Contracten en zo. Hé Tes, we moeten echt weg, hoor!'
'Ja.' Tessel staat op en hij schuift op zijn eigen bureaustoel.
'Je komt wel, hè?'
'Wat? Ja. Tenminste, ik doe mijn uiterste best.'
Ze kijkt hem even aan alsof ze dat niet gelooft, knikt dan en pakt de papieren bij de printer.
'Ga je met mama mee naar huis vanavond?'
'Ja, natuurlijk. Trouwens, Soemeya mag waarschijnlijk mee naar Zeeland. Goed hè?'
'Zeeland?'
'Jezus, pap! Mama en ik gaan in de herfstvakantie naar Zeeland, weet je nog? Ben ik eindelijk van je af!'
Hij lacht. 'En ik van jou. Oké, schat. Kus. Ik doe echt mijn best om nog even te komen.'
Een beetje gegeneerd geeft ze hem bliksemsnel een kus op een wang.
'See you.'
'See you. Dag Soemeya.'
'Dag meneer.'
Hij hoort ze giechelend naar boven stommelen en kijkt weer naar de foto's van Smolders. Zestien stuks. Al Pacino in de bocht. Jammer dat er op sommige een paar andere mannen staan. Hij wil die opnamen al verwijderen, als het tot hem doordringt dat een van de twee een wit jack draagt, een forse vent, een meter of twintig achter Smolders. Het dringt ook tot hem door dat de man in dat jack een paar uur later daar werd doodgeschoten, maar hij zoomt verbluft in op de kleine man, tot zijn gezicht bijna het beeld vult. Een oudere man met zilverwit haar en een bril. En al is het beeld een tikkeltje onscherp, hij weet zeker dat hij die man eerder heeft gezien. Vanochtend nog, in de gang van het ziekenhuis. Vergist hij zich?
Godverdomme, hoe kan dat?
Verward zoekt hij het nummer van de politieman in Leeu-

warden, trekt het gele briefje van zijn bureaulamp en pakt de telefoon al, als hij Tessel boven aan de trap hoort.

'Hé pap!' roept ze. 'Anke staat in de krant! Ze gaat de biografie van Pim Fortuyn schrijven!'

8

Het eerste wapenfeit van het nieuwe kabinet lag voor de hand. Het was een stokpaardje van zowel de VVD als de LPF, maar toch stijgt de populariteit van de coalitiepartijen binnen 24 uur met meer dan 10 procent.

Het zo versmade kwartje van Kok wordt nog voor het nieuwe jaar afgeschaft. Sommige pomphouders hebben er al een voorschot op genomen en de prijs van een liter benzine met tien eurocent verlaagd. De autobranche voorziet juichend in 2003 een stijging van de autoverkoop.

In een paginagrote advertentie feliciteren de ANWB en de BOVAG minister van Verkeer en Waterstaat Paul Nouwen.

9

Hij heeft niet in het hotel gegeten. Niet omdat het duur is – al is dat zo –, maar omdat hij er zo min mogelijk wil worden gezien. Hij is ook al op het terras geweest. Waarom zou een gast daar niet even rondkijken? Maar toch neemt hij zijn voorzorgen; hij is er niet zeker van dat ze, wie ze ook zijn, niets vermoeden. Hij heeft in de kamer gewacht tot het schemerde en is toen naar buiten gegaan. 'Kamer' is overigens niet het juiste woord; het riante vertrek wordt aangeprezen als *executive business room*. Hij hoopt erop dat de receptionist zich hem niet zal herinneren vanwege zijn pak. Je ziet eraan af dat het veel gestoomd is, net als zijn overjas. Hij heeft tevoren contant betaald, gezegd dat hij zijn creditcard vergeten is. De kamer kost bijna driehonderd euro, doodzonde van het geld, want hij is niet van plan hier te slapen.

'Het is toch de kamer waar Pim Fortuyn overnachtte?'

Hij hoorde de receptionist al denken: weer zo'n gek!, maar de man beaamde het en zei dat wel meer mensen daarom die kamer wilden.

Het werd al donker toen hij een restaurantje binnenliep, waar ze helaas geen vis hadden, zodat hij een vegetarische maaltijd heeft genomen.

Godzijdank is het er rustig, een doordeweekse avond, al staat er wel een enorm tv-toestel aan met een speciale uitzending over de laatste tocht van Claus van Amsterdam naar Den Haag. Hij zíét Elly voor zich, gekluisterd aan het scherm, ze was altijd al gek van de Oranjes. Als ze nog enigszins goed ter been is, zal ze ongetwijfeld naar Paleis Noordeinde zijn gegaan.

Terwijl hij eet, denkt hij aan de man in het ziekenhuis. Een man van een jaar of vijftig in een leren jack. Een fotograaf. Hij drinkt van de witte wijn. Vroeger, in zijn tijd, werkte hij veel met persmensen. Journalisten zijn niet verdacht, vallen niet op als ze vragen stellen. Kan het toeval zijn? Daar gelooft hij niets van. De fotograaf heet De Rooy, Lex de Rooy, en is in dienst van *NRC Handelsblad*. Dat laatste stond op zijn cameratas. Eén telefoontje naar die krant was genoeg. Een man met enigszins onverzorgd grijzend haar en een getekend mager gezicht.

Hij mag dan vierenzestig zijn, zijn geheugen functioneert nog prima. De Rooy was op het Mediapark toen Wouterse werd doodgeschoten. Hij kwam aan op een vouwfiets, net op het moment dat hij uit de auto wilde stappen. Een minuut of tien later, toen Wouterse en hij elkaar bij die studio spraken, liep De Rooy naar de bosjes achter de auto van Fortuyn en bukte zich, dat heeft hij zelf gezien. Hij heeft er toen in zijn haast geen aandacht aan geschonken. Waarom ook? Een fotograaf die op Fortuyn wachtte.

Maar toen hij eergisteren na de lange rit van het ziekenhuis terug was in de bungalow en de krant van de 7de mei erop nalas, besefte hij het pas. De moordenaar had in die bosjes gewacht! En de politie dacht dat hij mogelijk een handlanger had. Iemand met een vluchtauto. Had De Rooy die buiten het Mediapark geparkeerd? Moest De Rooy die jongen soms vertellen wie Wouterse was? Bracht hij het pistool waarmee Rob Wouterse werd doodgeschoten? Een fotograaf?

Doodmoe en op van de zenuwen heeft hij zichzelf een borrel ingeschonken en daarna nog een.

Want hoe kon De Rooy weten dat hij bij die Marike in het ziekenhuis was, hoe kan dat verdomme? Het kán ook niet, maar waarom was hij er dan? Kent hij haar? Dat zou kunnen, allebei in de journalistiek. Maar een persfotograaf van de NRC en een leerling-journaliste? Weet hij wat ze op het terras deed? Was hij een van de mannen die nacht? In haar halflege kamer in Leeuwarden waar hij vanmiddag heeft rondgekeken, ligt niks wat aan hem refereert. Geen agenda, geen briefje, geen notities, ook niet waarom ze daar die nacht was. Is De Rooy daar eerder geweest? Dat durfde hij niet te vragen aan de Turkse garagehouder van wie ze de kamer huurt.

Hij denkt er even aan dat hij een nieuwe lamp voor zijn remlicht moet halen. Jammer dat die garagehouder die niet had. Hij wil nu helemaal het risico niet lopen om aangehouden te worden.

Hij zal nog voorzichtiger moeten zijn. Als die therapeute zich zijn naam nog herinnert, kunnen ze er niets mee. Schuurman. Elly's meisjesnaam.

Vergist hij zich toch? Paranoia na de dood van Wouterse? Hopelijk zullen ze in dat ziekenhuis gewoon aannemen dat hij van slag was toen de jonge vrouw begon te gillen. Waarom raakte ze zo in paniek toen hij haar de foto liet zien? 'Wie bent u?' had ze gevraagd.

'Weet je dat niet meer?'

'Nee.'

Zo makkelijk als hij zijn leven lang heeft kunnen liegen, zo moeilijk vond hij het nu, tegen een weerloze jonge vrouw die maanden in coma heeft gelegen en zich niets meer herinnert.

'Ik zag je in het Oranje Hotel. Je vroeg me of ik wist in welke kamer Pim Fortuyn logeerde.'

Haar bruine ogen hadden hem hulpeloos aangekeken. 'Het spijt me, ik weet het echt niet meer. Hebben ze u niet verteld dat ik aan geheugenverlies lijd?'

'Jawel.'

Dat was waar. De therapeute had hem verteld dat ze aan geheugenverlies leed als gevolg van de shock. Zo goed als hem dat uitkwam, zo slecht ook. Wat had ze daar gedaan die avond? Een stagiaire. De politie dacht dat ze Fortuyn had willen interviewen, maar waarom was ze daar dan op dat donkere terras geweest? Op haar knieën met een schroevendraaier?

'Bent u van de politie?'

'Ja.'

Hij zou zo de politiekaart kunnen laten zien die Wouterse hem had gegeven.

'Maar ik heb toch al verteld dat ik er niets meer van weet?'

'Jazeker. Maar we weten nu dat je 's avonds aan de achterkant van het Oranje Hotel was, op het terras van de suite van meneer Fortuyn.'

Er was geen spoor van herkenning in haar ogen te zien geweest, alleen pure verbazing.

'Iemand heeft je daar toen op dat terras gezien. Je zat op je knieën en je had een schroevendraaier bij je. Zegt dat je ook niks?'

Niks.

Hij was zenuwachtig geworden. Hooguit een kwartiertje, had de psychotherapeute gezegd. Hij had de polaroid die Wouterse hem die 6de mei had gegeven tevoorschijn gehaald.

'Ken je deze man? Zegt zijn gezicht je wat?'

Toen opeens, in minder dan een seconde, was haar gezicht verwrongen en had ze gegild.

Ze kende hem dus. Was hij een van de mannen die nacht?

Hij rilt weer als hij terugdenkt aan de afschuw in haar ogen, haar hoge gillen hoort. Hij was de gang op gerend. Nog herinnert hij zich zijn paniek toen hij de fotograaf zag staan. Godzijdank dat hij zo alert had kunnen reageren! Hij was via de zijvleugel van het ziekenhuis naar buiten gegaan, langzaam, de pijn vlammend in zijn linkerarm, happend naar adem vanwege de druk op zijn borst. In een plantsoen had hij zeker een uur op een bankje gezeten, tot hij het had aangedurfd naar de Volkswagen terug te gaan.

De vw staat nu achter het hotel in het stille straatje waar zij bijna een halfjaar geleden naartoe rende. Hij veegt zijn mond af, drinkt het laatste restje van de witte wijn, neemt zijn pil in met een slokje water en legt vijfentwintig euro neer bij de rekening op het schoteltje. Twee euro vijftig fooi, niet te veel, niet te weinig, niemand die zich hem hoeft te herinneren. Hij loopt de stille gracht af en volgt de bordjes naar het station. In de zijzak van zijn overjas klemt zijn hand zich om de kruiskopschroevendraaier die hij uit de kleine gereedschapskist in de vw heeft gehaald. Hij heeft geen idee of hij iets zal aantreffen wat de moeite waard is. Volgens het verslag in de krant was ze het slachtoffer van een roofoverval. Haar tasje was verdwenen, met haar portefeuille en portemonnee, haar mobieltje en een recordertje.

Hij loopt de stille lobby van het hotel binnen. Hij heeft zijn kamersleutel niet afgegeven, die zal hij straks in de deur laten zitten, een gast die om de een of andere reden onverwacht vertrok. De sleutel van de suite eronder hangt er wel. Hij zou die suite graag willen bekijken, maar durft het niet; en trouwens, wat zou er nog te vinden zijn na ruim vijf maanden? Door de glazen deur ziet hij enkele mensen aan de bar. Ongezien loopt hij over de dikke vloerbedekking naar de trap. Een stelletje passeert hem op de tweede etage en groet. Niet erg, een oudere gast die al vroeg gaat slapen.

Hij sluit de kamerdeur achter zich, maar houdt zijn overjas aan. Achter de terrasdeuren is het pikkedonker. Er zit een schakelaar voor de buitenlamp, maar hij heeft behalve de schroevendraaier ook een kleine staaflamp uit de auto meegenomen en hij weet al welk luchtrooster hij moet hebben.

Het kost hem nog geen kwartier om het los te krijgen en weer vast te schroeven.

Nog geen uur later rijdt hij om een rotonde, volgt het bord naar de N32, richting Grouw en Heerenveen, en drukt bij een rood verkeerslicht op de toets PLAY van de kleine Sony-recorder. Ondanks zijn zenuwen is hij heel tevreden met zichzelf.

Hij kan het nog!

10

Op het balkonnetje rookt Anke een sigaret en kijkt naar de honderden mensen beneden haar tussen de bomen van het Lange Voorhout. Hoog erboven cirkelt een helikopter, verder weg klinken de zwaarmoedige klanken van kopermuziek. Voor midden oktober is het fantastisch weer en ze bedenkt cynisch dat de tientallen radio- en tv-reporters wat verderop voor Paleis Noordeinde het bij een vrolijker gelegenheid ongetwijfeld over het Oranjezonnetje zouden hebben. Maar het is de dag van de begrafenis van prins Claus, zijn lijkkist zal per koets naar de koninklijke grafkelders in Delft worden gebracht. Als ze zich wat vooroverbuigt over de balustrade, kan ze net de vlaggen halfstok aan de kop van de Hofvijver zien. Daar ziet het zwart van de mensen die er al uren staan om straks de stoet voorbij te zien rijden. Ze heeft het net op de televisie in haar werkkamer bekeken – altijd vreemd wanneer zoiets zich tegelijkertijd bij je om de hoek afspeelt.

Het nieuwe LPF-kantoor bevindt zich in een herenhuis naast het befaamde café De Posthoorn aan de korte poot van het Lange Voorhout. Het oude kantoor werd al snel te klein voor de organisatie, maar bovendien had Fortuyn de eigenaar, John Dost, net als enkele andere prominente bestuursleden wegens malversaties uit de partij gezet. Het nieuwe onderkomen is eigendom van een horecamagnaat die al eerder een paar ton aan Pim doneerde en de ruimte om niet ter beschikking van de LPF heeft gesteld. Op de parterre en de eerste verdieping is een kleine handelsbank gevestigd, maar ze heeft er nog nooit iemand naar binnen zien gaan. De opgang naar het LPF-kantoor is ernaast, achter een fraaie gebeeldhouwde deur met een bronzen bord: PARTIJKANTOOR LPF. Al de dag na de presentatie van het kabinet-Wiegel was er met roze haarlak een swastika op gespoten, die ze er met veel moeite af heeft gepoetst.

Op de twee bovenste etages is het partijkantoor gevestigd. Vandaag is het net als alle overheidsgebouwen gesloten. Hoewel Pim republikein is, is de partij dat niet. Over de rol van de majesteit en haar Huis wordt geen woord gezegd in het partijprogramma, laat staan in het regeerakkoord. Alle bewindslieden en veel Kamerleden van de partij zullen straks in de Nieuwe Kerk in Delft zijn, al zullen ze de ruim twaalf kilometer wel niet gaan lopen. Haar vader mag graag vertellen hoe hij indertijd als jonge man slaande ruzie met zijn vader kreeg, omdat hij het verdomde mee te lopen achter de baar van koningin Wilhelmina. Gisteravond, toen ze bij hem op bezoek was, vroeg hij of Fortuyn naar Delft zou gaan. Hij stemt wel niet voor Pim, maar bewondert hem wel. Natuurlijk gaat Pim, alleen al qualitate qua, maar haar vader vond dat maar niks. 'Echte republikeinen in mijn tijd, zoals Bakker, Van der Lek en Van der Spek, zongen de Internationale dwars door het Wilhelmus heen!'

Ze is er zeker van dat hij vandaag radio en televisie uit laat.

Aan haar andere hand kan ze boven de boomkruinen de vlag halfstok van Hotel Des Indes zien. Daar zitten nu bestuur en medewerkers in een zaaltje tv te kijken. Zij zal er zo heen gaan. Later op de dag houdt de partij er een plechtige herdenkingsbijeenkomst. Zelfs daar is Pim mee akkoord gegaan. Je kunt natuurlijk ook niet anders als grootste regeringspartij.

Ze rookt en bedenkt dat Pim toch vaak akkoord gaat met Wiegel. Het lijkt soms zelfs alsof het hem allemaal niet meer bezighoudt. Maar het kan natuurlijk ook dat hij inderdaad meent wat hij zei: 'Hans is de eerste die me laat zien dat het compromis geen nederlaag betekent, maar een uitgestelde overwinning.' En toch. Zo gemakkelijk als hij toegaf om Defensie niet te reorganiseren of de aanschaf van de JSF toch door te laten gaan; dat was opvallend. Alsof er sprake is van een andere Pim. Zelf lachte hij dat weg. 'Je moet nu eenmaal nemen en geven, mevrouw Van Dam. En als ik er op die manier mijn andere prioriteiten door kan krijgen – onderwijs, de verzorgingsstaat, de uit de hand gelopen multiculturele samenleving, de veiligheid op straat –, ben ik daar absoluut niet rouwig om.'

Dat klinkt heel plausibel. De LPF-fractie heeft onder zijn leiding op die punten meteen al een groot aantal voorstellen gedaan, die weliswaar tot grote commotie bij de oppositie hebben geleid, maar wel door de Kamer zijn geloodst, dankzij de steun van coalitiepartner VVD, het CDA, klein christelijk rechts en dikwijls ook van de SP. Pim wil het daar overigens zo min mogelijk over hebben voor zijn biografie. Begrijpelijk, hij heeft er zelf tientallen publicaties over geschreven. Ze heeft er nog maar een paar keer met hem over kunnen praten, en dan nog kort. Hij heeft bitter weinig tijd en hun eerste echte afspraak is straks tijdens het kerstreces. Wel duidelijk is dat hij het boek graag wil toespitsen op zijn jeugd en vooral op zijn tijd als student en beginnend wetenschapper, al moest hij bekennen daar zelf niet erg veel meer van te weten. 'Laten we zeggen dat ik die woelige periode verdrongen heb, om niet te zeggen verdronken!' Hij bezit zelf een behoorlijk archief, maar nauwelijks iets over eind jaren zestig, begin jaren zeventig, de tijd dat hij in Amsterdam studeerde en nadien lesgaf op Nyenrode en in Groningen. Kennissen uit die tijd heeft hij niet meer, vandaar dat hij erg benieuwd was naar haar vader, die weliswaar tien jaar ouder is, maar die periode in Amsterdam en Groningen nog goed heeft meegemaakt. Ze heeft zich voorgenomen zich in elk geval voor de kerst zo goed mogelijk in te lezen. Als ze er tenminste zelf tijd voor heeft, want op haar bureau liggen stapels ander werk.

Op haar horloge is het even over elven. Ze wil net naar binnen lopen, als ze verrast haar ogen wat samenknijpt. Komt Lex daar beneden uit De Posthoorn? Maar meteen, en toch wat teleurgesteld, ziet ze dat ze zich vergist; de man lijkt wel op hem met zijn warrige grijze haar en zijn leren jack, maar hij is langer en hij loopt anders, langzamer. Lex is altijd gehaast, zelfs al is er geen reden voor. Het zou anders heel goed kunnen dat hij hier nu is voor de krant. Het is toch gek dat ze elkaar in al die maanden niet meer hebben gezien. Afgezien van die ene keer in Nieuwspoort dan. Als Keje toen niet was opgedoken, was ze wel even naar hem toe gegaan. Niet uit schuldgevoel, geen spatje voelt ze. Alle vriendinnen die haar toen waarschuwden, hadden gelijk: begin nooit wat met een oudere man, want veel meer dan het ontbrekende stukje in zijn puzzel word je toch niet. En dat was ze – of beter: dat werd ze –, want aanvankelijk leek het allemaal rozengeur en maneschijn. God weet hoe ze haar best heeft gedaan, ook met Tessel, zelfs met die bitch van een ex als een soort wraakgodin op de achtergrond, van wie hij nooit echt is losgekomen. Zijn puzzel, niet de hare. Geen gezin meer, zei hij. Goed, dan niet. Dat vond ze toen, net dertig, niet eens zo erg. Onzeker als de pest, daarom kijken jongere vrouwen zo op tegen oudere mannen: zoeken naar papa, wat een cliché het ook is.

Eigenlijk ziet ze dat pas goed in sinds ze Keje heeft ontmoet. In één keer, in één minuut was ze stapelverliefd, alsof ze weer zestien was. Geen bewondering, maar echt hoteldebotel. Een man die je het gevoel geeft dat jij iemand bent, geen toegevoegde waarde. Geen cynicus die iedereen afzeikt en alles van vroeger beter vindt. Had ze moeten zeggen dat ze vreemd was gegaan met Keje? Daar voelde ze zich niet schuldig over, hoogstens medelijdend, net als toen ze hem zag in Nieuwspoort: een oudere man alleen aan de bar.

Ze schudt haar hoofd, trapt de peuk uit, loopt het kantoor in en sluit de balkondeuren vanwege het lawaai.

Op de kleine televisie wordt een animatiefilm van de koninklijke grafkamers vertoond. Ze zet het toestel uit en schuift achter haar bureau.

Naast de laptop ligt een stapel prints. Voornamelijk voorstellen aan het dagelijks bestuur om de partijstructuur aan te passen. Dat is hard nodig, want wat ze afgelopen mei aantrof was een puinhoop. Eigenlijk verbaast het haar nog meer dan de politiek analisten en commentatoren dat de partij binnen drie maanden de grootste van het land is geworden. Natuurlijk komt dat vooral door Fortuyn. Ze heeft hem nu de afgelopen maanden van nabij meegemaakt en is elke keer weer onder de indruk van zijn overtuigingskracht en charisma. Maar het blijft onvoorstelbaar dat hij helemaal alleen voor dat ongeëvenaarde succes heeft gezorgd. Wat heeft meegespeeld is dat zijn tegenstanders zich geen raad met hem wisten of hem openlijk hebben gedemoniseerd. Dat werkt als een boemerang. Je moet je vijanden nooit zelf doodslaan, maar het graf in prijzen, dat is zowat de eerste les die ze zelf aan de beginnende politici geeft. Nooit schelden of afbranden, dat willen de mensen niet, die kiezen per definitie de kant van de underdog. Simpel, de meesten zijn dat zelf. Gedemoniseerd is overigens onzin, dat heeft Fortuyn er zelf slim van gemaakt, maar hij is wel behoorlijk verguisd. Uitgemaakt voor fascist, racist, nazi; door zo'n geborneerde salonsocialist als Marcel van Dam een 'minderwaardig mens' genoemd, door anderen vergeleken met Mussolini, Haider, Le Pen, Dewinter. De hele Tweede Wereldoorlog, inclusief de eeuwige Anne Frank is erbij gesleept. Dat werkt allemaal in je voordeel bij de kiezers. De boodschapper wordt altijd onthoofd, dat zie je maar weer bij Thom de Graaf.

Maar dan nog. Fortuyn mag dan wel appelleren aan de gevoelens en wensen van de man en vrouw in de straat, als aperte en aanstellerige nicht is hij toch niet bepaald de ideale schoonzoon voor tante Mien in Almere. En toch ook niet de held van allochtoon Nederland of de Vader des Vaderlands voor het christelijke deel van de natie.

Er was ook nauwelijks sprake van een goed geolied partijapparaat, laat staan van een doortimmerd program, professionele adviseurs, spindoctors, marketingmensen. Het partijbureau zat in een omgetimmerde loods op een Rotterdams industrieterrein waar Mat Herben samen met Pims chauffeur en nog enkele omhooggevallen minkukels de lakens uitdeelde. Iedereen noemde zich 'chef', iedereen was alleen maar bezig met zijn eigen roem; drie blonde dellen zaten niet gehinderd door enige kennis de telefoons te beantwoorden en notulen uit te werken. Het bestuur bestond uit hielenlikkers en foute zakenmensen die te veel zopen en met elkaar op de vuist gingen. De broers van Fortuyn die een graantje mee probeerden te pikken, vastgoedpenoze die met Bentleys en Porsches Cayenne op de gekste tijden aankwam om Pim te spreken, neuken tijdens de lunch in het toilet, je kon het zo gek niet bedenken of het gebeurde. Ze kan zich niet herinneren ooit zo hard te hebben gewerkt. Vlak voor de verkiezingen werd de bezem door de partij gehaald. Het is een publiek geheim dat Hans Wiegel dat had geëist. Drie dagen lang hebben Pim en hij in een hermetisch afgesloten hotel op de Veluwe met alle kandidaten op de LPF-lijst gesproken. Volgens Keje, die er toen net bij was, is er nog nooit zoveel geschreeuwd, gedreigd, gevloekt en gejankt als toen. Van de zestig kandidaten zijn er twintig overgebleven, de rest werd van de lijst geschrapt. Pim trok zich terug in zijn Palazzo en kwam een paar dagen later tot ieders verbazing met drie nieuwe kandidaten, outsiders: een industrieel, een hoge militair en een jurist. De laatste is een oude bekende van Keje en Keje is er danig trots op dat Pim zijn advies heeft opgevolgd. Daarna vertrok Pim naar Provesano. Niemand mocht mee, behalve zijn oudste vriend Jan 't Hooft en zijn butler Herman. Hij wilde niemand sprcken. Ook gek, want zo briljant als hij is, hij is dol op publiciteit. Maar goed, hij zag er ook slecht uit, hij moet kapot zijn geweest.

Ze toetst haar wachtwoord in om het document met haar voorstellen tot reorganisatie op te roepen. Het rapport zal in concept komende maandag door het bestuur worden besproken, maar ze wil het eerst nog door Keje laten lezen. Hij heeft dan wel geen kaas gegeten van management, maar hij weet wel hoe je de boel moet verkopen. Wat dat betreft is er een hoop ten goede veranderd sinds Mat Herben naar de Kamer is weggepromoveerd. Nou ja, echt een lul is hij ook niet en ze heeft het toch aan hem te danken dat ze die biografie kan gaan schrijven, wat ze ontzettend leuk vindt, ook al denkt Keje dat ze er beter nog even mee hadden kunnen wachten.

Ze begint net te lezen, als de telefoon op het bureau van de secretaresse overgaat. Ze besluit niet aan te nemen. Als het belangrijk is, bellen ze wel Kejes nummer of het hare. Ze leest verder terwijl de telefoon door blijft rinkelen en dan zwijgt. De secretaresse die het stuk heeft getikt heeft per ongeluk 'Fortuijn' in plaats van 'Fortuyn' geschreven, en Anke herstelt dat. Een kleine verschrijving, maar Pim wordt er altijd boos om, kinderachtig genoeg, want eigenlijk heet hij echt zo. IJdel als hij is, heeft hij het veranderd omdat hij het chiquer vindt. Ze trekt een grimas wanneer de telefoon opnieuw rinkelt, schuift haar stoel opzij en kan net de hoorn pakken zonder op te staan.

'Hallo?'

'Spreek ik met de LPF?' Een wat schorre, gehaaste mannenstem.

O no, denkt ze meteen, een querulant. Iemand die weer allerlei voorstellen voor Pim heeft. Elke dag zijn er honderden gekken die mailen en bellen, vaak ook met scheldkanonnades en bedreigingen.

'Dat klopt, maar het kantoor is vandaag gesloten.'

'Dat begrijp ik. Gelukkig dat u toch de telefoon aanneemt.'

Wat zal ze zeggen? Dat ze de schoonmaakster is?

Het is anders wel een beschaafde stem, van een wat oudere man, dunkt haar.

'Met wie spreek ik?'

'Ik spreek toch met het secretariaat?'

Ze fronst. Waarom zegt hij zijn naam niet?

'Ja.'

'Ach, mevrouw, zou u zo goed willen zijn een vertrouwelijke boodschap door te geven?'

Ze fronst weer. Wie is die man?

'Aan wie?'

'Ik besef dat het dom klinkt, maar dat weet ik niet.'

Jezus. Waarom hangt ze niet op?

'Meneer, hoe wilt u dat ik een boodschap doorgeef als ik niet weet aan wie?'

Hij lacht even. 'Dat is niet zo moeilijk, mevrouw. Het gaat om iemand die waarschijnlijk een belangrijke functie binnen uw partij bekleedt. Ik begrijp dat de partij vanmiddag een bijeenkomst heeft ter nagedachtenis van prins Claus. Bent u daar ook?'

'Eh... ja.'

'Ik neem aan dat men daar een condoleanceregister kan tekenen?'

Ze hoort iemand achter de gangdeur en ziet verrast Keje binnenkomen. Hij lacht, werpt haar een kushand toe en beduidt dat hij naar het secretariaat gaat.

'Zou u zo aardig willen zijn daar een briefje bij te leggen dat is bestemd voor de heer De Sjeik?'

'De Sjeik? U wist de naam toch niet, zei u?'

De man lacht weer, schor. 'Dat klopt, maar ik ben er zeker van dat iemand weet wie er bedoeld wordt.'

Een gek.

'Ik zou graag willen dat u een boodschap noteert en die daar in een envelop neerlegt.'

'Waarom doet u dat zelf niet?'

'Ik ben daar helaas niet toe in staat, mevrouw. Maar het is werkelijk heel belangrijk.'

Achter de halfopen schuifdeuren ziet ze Keje door de bureauagenda van de secretaresse bladeren.

'En wat wilt u dan doorgeven?' Waarom hangt ze niet op?

'Dat ik de heer De Sjeik graag vrijdagmiddag aanstaande om vijf uur in een filiaal van Albert Heijn hier in Den Haag zou willen ontmoeten.'

Ze weet niet wat ze hoort. 'Een Albert Heijn?'

'Ja. Op het Willem Royaardsplein.'

Dit is helemaal absurd!

'Als u erbij wilt zetten dat het Icarus betreft, dan zal hij begrijpen waar het om gaat.'

'Icarus?'

'Met een c, ja. En zet u erbij dat het met Keulen 1971 te maken heeft.'

'Ik kan toch moeilijk...'

'Mevrouw, ik weet dat u nu denkt dat ik gek ben. Maar ik verzeker u, dat ben ik niet. Alstublieft!'

De stem heeft iets dwingends, maar ook iets vertederends. Hoe komt ze hiervanaf? Gewoon ophangen?

'Goed, ik schrijf al,' zegt ze, maar ze blijft gewoon zitten. 'U wilt een afspraak vrijdagmiddag in de AH aan het Willem Royaardsplein om vijf uur. En het gaat over Icarus. En Keulen 1971.'

'Ja. Ik ben u zeer dankbaar, mevrouw. En vergeet u niet de envelop duidelijk aan de heer De Sjeik te adresseren.'

'Schrijf ik dat met een j of een h?'

'Dat maakt niet uit.'

'En als niemand de envelop nou op komt halen?'

'Maak u geen zorgen. Ik ben u zeer erkentelijk, mevrouw.'

Ze zit stil, de hoorn tegen haar oor, maar schrikt op als ze Keje tussen de schuifdeuren ziet staan en hangt op.

Ze schudt haar hoofd en pakt een sigaret.

'Een man die zijn naam niet noemde. In elk geval niet goed snik. Wilde dat ik een briefje zou schrijven voor iemand die De Sjeik heet.'

'De Sjeik?'

'Ja.'
'Wie is dat dan?'
'Weet ik veel. Volgens hem iemand bij ons.'
'Bij ons?'
'Ja. Gestoord. Ik word echt gek van al die idioten!'
'Wat doe je hier dan ook?'
Ze steekt de sigaret aan en inhaleert diep. 'Ik wou het rapport voor het DB nog even corrigeren.'
'Dat kan toch ook nog morgen?' Hij loopt naar haar toe, buigt zich voorover en zoent haar in haar nek, terwijl zijn handen haar borsten pakken.
'Tikfout,' zegt hij. 'Bomhoff is met twee f'en.'
'Wat? O ja. Keje!'
Want zijn handen trekken haar blouse omhoog en dan haar beha naar beneden.
'Keje! Het is de begrafenis van de prins!'
'So what? Ai, ai, ai, multa grande titta!'
Ze lacht en leunt achterover, terwijl hij haar stoel draait. Sinds ze samen bij haar thuis *A Fish Called Wanda* hebben gezien, imiteert hij het Italiaans van Kevin Kline wanneer hij Jamie Lee Curtis verleidt.
'Jezus, Keje, mag de luxaflex dan tenminste dicht?'
'We zitten driehoog, schatje.' Hij zakt op zijn hurken, schort haar leren rokje op en likt langs de binnenkant van haar dijen. 'Zou Claus dat nou ook in de Gouden Koets hebben gedaan terwijl Bea zwaaide?'
Ze lacht weer terwijl ze zich dat even voorstelt, legt haar benen over zijn schouders en leunt nog verder achterover, terwijl hij haar slipje opzijtrekt. Ze voelt dat ze nat wordt, zijn tong gaat langs haar clitoris en ze pakt zijn hoofd vast alsof ze hem naar binnen wil duwen, maar schrikt dan van haar rinkelende telefoon.
'Láát,' gromt Keje. Hij komt overeind. Kennelijk heeft hij zijn riem en de sluiting van zijn broek al losgemaakt, want hij

rukt hem naar beneden, buigt zich naar voren en begint in haar te stoten. De stoel rijdt tegen het bureau en schokt ertegenaan terwijl de telefoon door blijft rinkelen. Het geluid giert als een alarm door haar hoofd, zijn geel-blauwe LPF-stropdas schemert slingerend voor haar ogen, haar handen klemmen zich krampachtig aan de armsteunen vast, de telefoon zwijgt opeens als Keje om zijn moeder roept, zijn manier van klaarkomen, en zij haar lichaam voelt verstrakken, haar benen zo stijf mogelijk om zijn rug om het moment maar langer te laten duren. Dan gaat de telefoon op het bureau van de secretaresse over. Keje vloekt half lachend, trekt zich terug en hijst zijn hagelwitte Tommy Hilfiger-onderbroek op.

'Love you,' zegt hij, en hij kust haar en strompelt met zijn broek op zijn enkels naar de rinkelende telefoon.

Ze trekt haar slipje recht en haar rokje naar beneden en komt nog nahijgend overeind, als hij de telefoon opneemt.

'Ja? Wie? Hallo?'

Hij trekt een grimas naar haar, roept nog een keer vragend: 'Hallo?', en hangt dan op.

'Dan niet,' zegt hij en hij trekt zijn broek op. 'Wil je dat briefje nog schrijven voor die vent?'

Ze schudt haar hoofd en knoopt haar blouse dicht. 'Ben je gek. Dan kun je wel aan de gang blijven.' Ze lacht. 'Gaan we?'

11

'Wat is het toch een heerlijke stad,' zegt Muntinga. 'Mensen zweren dan wel bij Amsterdam, maar geef mij maar een stad aan zee. Je ruikt het meteen, zelfs hier in de binnenstad.'

Hij ziet er totaal anders uit dan zijn zware telefoonstem en zijn Friese naam doen vermoeden. Ook anders dan een politieman. Klein en gedrongen, kalend met dun donker haar. Hij heeft een wat opgeblazen gezicht met een zware baardgroei en twee pientere, bruine oogjes. Mediterraan type. Hij draagt een grijs pak over een wit overhemd zonder das. Zijn regenjas heeft hij over de stoel naast zich gelegd. Die doet als enige aan de stereotiepe rechercheur denken.

Als hij gaat zitten, kijkt hij nieuwsgierig naar de cameratas. 'Zeker veel gefotografeerd vandaag.'

Lex knikt. 'Redelijk.'

'Bent u ook nog in Delft geweest?'

'Nee, dat heeft geen zin met alle tv.'

Muntinga wenkt de ober. 'Wilt u er ook nog een?'

'Graag.'

Muntinga haalt een blikje sigaren uit zijn aktetas. Ze zitten aan het raam met uitzicht over het Lange Voorhout, waar het nu stil is. Er zijn niet veel klanten in De Posthoorn: enkele oudere echtparen, een jong meisje dat als een gek in een schriftje schrijft.

'Sigaartje?'

Lex schudt zijn hoofd. 'Dank u.'

Zijn bal steekt weer. De huisarts heeft geen idee wat het kan zijn, hij heeft een verwijsbriefje voor de uroloog meegegeven.

'Dus Bregstra vertelde u al dat we haar tasje hebben gevonden.'

'Ja. Bij een soort fetisjist, is het niet?'

'Een fetisjist, een transseksueel en een kleptomaan.' Muntinga steekt een flinterdun sigaartje op. 'En dat in Leeuwarden.'

Hij grinnikt en geeft hun lege glaasjes aan de ober.

'Kan hij het gedaan hebben?'

'Omdat hij in dat hotel werkte? Het lijkt me niet. Hij begon daar om middernacht. Hij was ook op tijd, maar had tot kwart voor twaalf in een coffeeshop gezeten. Dat zou dan wel erg snel en toevallig zijn geweest.' Hij nipt van zijn borrel en trekt aan het sigaartje. 'Hij was bovendien niet agressief, eerder het tegendeel. Hij had ook geen wapen.'

'Hoe kwam hij dan aan haar tasje?'

Muntinga blaast een kringetje rook uit. 'We gaan ervan uit dat hij het 's nachts buiten heeft gevonden. Waarschijnlijk op de binnenplaats, want hij kwam altijd via de achterpoort binnen.'

'Dan zou ze daar dus zijn geweest.'

'Daar lijkt het wel op.'

'Nogal gek als ze Fortuyn wilde interviewen. Dan wacht je toch binnen op hem?'

'Dat vinden wij ook.'

'Kan ze achterom naar zijn suite zijn gegaan?'

'Ja, maar dan zou ze zijn gezien. Er stonden bodyguards en we hadden een rechercheur op de gang.'

De ober zet de glaasjes neer. Lex vraagt zich af hoe Wiegel daar dan ongezien is binnengekomen.

Muntinga heft het zijne. 'Proost. Op de prins. Het leek me een aardige vent.'

Lex nipt van zijn borrel. Zo aardig was Claus niet, weet hij van zijn hoofdredacteur. Hij was ongehoord driftig en snauwde het hofpersoneel af, wat hem vaak op een reprimande van Bernhard kwam te staan.

Een man gaat op het terras zitten en zwaait naar hem. Een collega van het AD.

'Volgens Bregstra sprak hij haar aan het einde van de middag in de lounge. Ze noemde toen ook uw naam. Indertijd vond Bregstra dat nogal gek, want waarom zou ze per se u vragen om een foto van Fortuyn te maken? Dat had toch evengoed iemand van haar krant kunnen doen?'

'Behalve als ze heeft geweten dat Fortuyn daar met Wiegel zou zijn. Tegen mij had ze het over een primeur. Daar bedoel je geen interview met Pim Fortuyn mee.'

Muntinga's bruine oogjes nemen hem nieuwsgierig op. 'Wat zou u in zo'n geval doen?'

'Wanneer?'

'Als u wist dat Wiegel en Fortuyn in een hotelkamer met elkaar gingen beraadslagen, rechercheur voor de deur, bodyguards erbij?'

'Niks,' zegt Lex. 'Daar ben ik te oud voor.'

Muntinga glimlacht. 'En als u jonger was? Zo jong als zij?'

'Geen idee. Als ze inderdaad wist dat Wiegel er zou zijn, is het behoorlijk naïef om te denken dat je foto's zou kunnen maken. Dat kon misschien vroeger, maar nu niet meer.'

Muntinga houdt zijn glaasje op naar de passerende ober.

'In haar tasje zat een bon van de fietsenstalling tegenover het hotel bij het station. Niet van haar fiets, want die stond voor het hotel, maar van de aankoop van een setje schroevendraaiers.'

'O?'

'Ja. Dat kocht ze daar tegen zeven uur.'

'Wat raar. Weet u waarom?'

'Geen idee. Misschien had ze ze gewoon nodig. We nemen althans niet aan dat ze er de suite van de heer Fortuyn mee binnen wilde komen.'

Buiten schuift een bureauredactrice van *Den Haag Vandaag* aan bij de collega van het AD, Lex kent haar wel. Ze is niet mooi, maar op de een of andere manier heeft ze altijd wel een parlementariër in haar bed.

De ober komt aan met de fles, maar Lex bedankt.

'Ze is daarna naar een eetcafé gegaan en toen naar die LPF-bijeenkomst, waar ze tegen negenen weer wegging. Waarheen weten we niet, maar ze zou alvast naar het Oranje Hotel gegaan kunnen zijn. U heeft haar niet gesproken in het ziekenhuis, toch?'

'Nee. En volgens haar psychotherapeute herinnert ze zich er ook niets meer van.'

Muntinga knikt. 'Zou kunnen.'

Lex fronst verbluft. 'Wat denkt u? Dat ze dat speelt?'

'Ik weet het niet. Ik neem aan dat ze daar hun vak verstaan, maar ik heb wel gekkere dingen meegemaakt. Enfin, ik spreek straks haar arts nog.'

Hij neemt een teugje en steekt dan het gedoofde sigaartje weer aan.

'Iets anders. U zei er zeker van te zijn dat de man op de foto die u van Fortuyns chauffeur nam, ook de man was die haar opzocht in het ziekenhuis.'

Lex knikt, bukt zich en haalt een envelop uit het zijvak van de cameratas. 'Ik heb een paar vergrotingen gemaakt, zoals u wilde.'

Hij schuift de twee foto's naar Muntinga toe, die er een schuin omhooghoudt vanwege het licht.

'Het lijkt erop dat hij stond te praten met die bodyguard van Fortuyn.'

Muntinga knikt nadenkend en pakt de andere. 'Waarom heeft u deze toen niet meteen aan mij toegestuurd? U kon toch weten dat ze van belang konden zijn?'

'Eerlijk gezegd was ik ze totaal vergeten.'

'Vergeten?' Muntinga glimlacht weer. 'Is dat niet vreemd voor een persfotograaf? De plaats van de aanslag, de auto, de chauffeur die achter de dader aan ging?'

Jezus, denkt Lex, wat wil hij? Maar hij dwingt zichzelf kalm te blijven en drinkt zijn glaasje leeg.

'Ik had nogal een hectische tijd. En verder crashte mijn computer.'

'Ach. Maar u had ze toch op uw camera staan?'

'Gewist. Mijn dochtertje had hem meegenomen op hockeykamp. Het is geen duur ding.'

'Aha.'

Muntinga bestudeert de foto weer.

Buiten wuift de redactrice, Lex steekt een hand op.

'Weet u al wie het is?'

'Nee. In elk geval werkt hij niet bij het *Friesch Dagblad*. Dat zou ook gek zijn, want waarom zou hij dan helemaal naar Hilversum zijn gekomen, als Fortuyn diezelfde avond in Leeuwarden was, nietwaar? De namen Schuursma en Schuurman zeggen ook niks. We zijn er nog maar net mee bezig.'

Lex zwijgt. We. Hij herinnert zich weer dat Muntinga zei van de nationale recherche te zijn.

'Eigenlijk beschouwden we de zaak van Marike Spaans als gesloten,' zegt Muntinga, 'maar dit geeft vanzelfsprekend een nieuwe kijk. Al zou het mogelijk een journalist van een andere krant kunnen zijn. Dat zou deze foto van u dan kunnen verklaren.'

'Waarom dan?'

'Ik zeg niet dat het zo is. Het lijkt er inderdaad op dat hij die bodyguard aanschiet. Het zou dus kunnen dat hij die kende.'

Het dringt langzaam tot Lex door. 'Een tipgever?'

'Misschien. Die bodyguard kan hem geïnformeerd hebben over de afspraak tussen Wiegel en Fortuyn 's avonds in Leeuwarden, en deze man Marike Spaans weer. U krijgt toch ook wel eens tips?'

Lex knikt verbouwereerd. 'Maar die man was toch een gewone vrijwilliger?'

Muntinga neemt een slokje. 'Mogelijk. Maar hij meldde zichzelf aan, en nog maar kort daarvoor. Hij kan iets hebben opgevangen op het kantoor van de LPF. Voor zover ik begreep liep iedereen daar gewoon in en uit. Wat zou u betalen voor zo'n tip?'

'Dat hangt ervan af. Wat het is.' Lex wenkt alsnog de ober.

'In elk geval klopt het met de tijd. Volgens u maakte u deze foto even over vieren. Als hij direct daarna met Marike heeft gebeld om het nieuws door te geven, strookt dat met wat Bregstra vertelde, namelijk dat ze tegen zes uur het Oranje Hotel binnenkwam. Ze zei dat ze u toen had geprobeerd te bellen.'

Lex knikt aarzelend. Het klinkt logisch.

'Dan is het ook niet zo gek dat hij haar in het ziekenhuis bezocht, al blijft het een raadsel wat daar dan plaatsvond. De naam Schuursma of Schuurmans komt niet voor in de agenda die nog in haar tasje zat. Overigens ook de naam Ab Toet niet.'

'Wie is dat?'

'Die vrijwilliger die werd doodgeschoten.'

Lex herinnert zich de naam weer. 'En in de spullen van die Toet?'

'Nee. Niks.' Muntinga legt de foto's neer. 'Ze hoeven elkaar niet gekend te hebben. Schuursma kan hem gewoon hebben benaderd.'

Lex staart naar het gezicht van de oudere man. Zelfs op de wat onscherpe vergroting valt te zien dat hij zenuwachtig was, zijn ogen staan geschrokken achter de brillenglazen. Wel oud voor een journalist, denkt hij, maar het kan. Hij noemde zich een collega van haar en Schuursma klinkt als een Friese naam.

'De vraag blijft natuurlijk waarom ze zo in paniek raakte.'

'En waarom hij niet meer terugkwam. U herinnert zich niets anders meer?'

'Nee. Ik heb hem nauwelijks gezien.'

'Maar u herkende hem wel meteen op deze foto.'

'Wat bedoelt u?'

'Niets.' Muntinga zet zijn lege glaasje neer, kijkt op zijn horloge en komt overeind. 'Ik moet helaas naar haar arts. Kan ik een foto meenemen?'

'U mag ze allebei.'

'Eén is genoeg.'

Muntinga steekt een foto in zijn binnenzak en pakt zijn blikje sigaren.

'Heeft u kosten gemaakt?'

'Wat? Nee.'

Muntinga knikt. 'Ik begreep trouwens van Bart Bregstra dat hij een afspraak met u heeft?'

'Eh... ja. Zo meteen. Hij zoekt een baan in het westen.'

'Aha. Ja. Zo zijn er wel meer. Terwijl Friesland toch zo'n mooie provincie is!' Muntinga grinnikt. 'Nou ja, dat moet u maar aan Wiegel vragen bij gelegenheid.' Hij geeft een hand. 'Ik reken dit natuurlijk af. Het was me een genoegen, meneer De Rooy.'

Hij pakt zijn jas en ziet de ober net naar buiten lopen.

'U hoort nog van me.'

Zijn sigaartje ligt te smeulen in de asbak. Muntinga rekent buiten af en verdwijnt tussen de bomen. Lex dooft de sigaar. Een setje schroevendraaiers, denkt hij. Waarom? Gewoon voor thuis? Denk je daaraan als je op een primeur aast? Hij drinkt en staart voor zich uit. Het klinkt inderdaad aannemelijk wat Muntinga zei. Die vrijwilliger Toet kan, betaald of niet, de tip hebben gegeven en de oudere man heeft die op zijn beurt doorgebeld aan Marike. Maar dat hij haar zomaar in het ziekenhuis zou hebben willen bezoeken is natuurlijk flauwekul.

Hij schrikt op van Tessels hoge stem in zijn binnenzak. 'Papa, telefoon! Papa telefoon!'

Het jonge meisje kijkt verbaasd op van haar schrift, maar lacht als ze begrijpt dat het zijn ringtone is.

'Hallo?'

'Hé, pap, met mij.'

'Hé, meisje! Hoe is het daar?'

'Hartstikke leuk. We zijn vanmiddag naar Middelburg geweest om te shoppen. Hé, pap, luister, zou je zo lief willen zijn om wat voor me te doen?'

Buiten ziet hij Bregstra aankomen. De jongen ziet eruit alsof hij naar de begrafenis van Claus is geweest: een lange zwarte overjas, een zwarte broek en glimmend gepoetste zwarte schoenen. Hij draagt een glanzende aktetas. Vol uitgeknipte stukjes natuurlijk.

'Wat dan?'

'Zou je de twee bibliotheekboeken die op mijn nachtkastje liggen willen terugbrengen?'

'Hoeveel te laat zijn ze?'

'Ik geloof een week, maar ik betaal het wel van mijn zakgeld, hoor!'

'Hoeft niet, schat. Doe ik wel. Hoe heten ze?'

'Weet ik niet meer, maar het zijn er twee. Hé, mama wil dat ik ophang, we moeten nog boodschappen doen...'

'Veel plezier, doe mama de groeten. En Soemeya.'

'Dank je wel. Jij ook. Doei!'

Bregstra lacht wat schaapachtig en steekt een koude, mollige hand uit.

'Hallo. Aardig van u om te komen.'

Hij trekt zijn blonde wenkbrauwen op als hij de foto op het tafeltje ziet.

'Wie is dat?'

'De man die Marike in het ziekenhuis bezocht.'

'Goh, hoe komt u daar nou aan?'

'Ken je hem?'

Bregstra schudt aarzelend zijn hoofd. 'Nee, ik geloof het niet. U wel?'

'Nee.' Lex heeft geen zin om het hele verhaal weer te vertellen. 'Ga zitten. Wil je wat drinken?'

'Een pilsje graag.'

Hij zet zijn tas neer en trekt zijn jas uit. Eronder draagt hij een krijtstreeppak à la Fortuyn, het vest bolt over zijn buik. 'Waar is het toilet hier?'

'Helemaal achterin, langs de bar. Kun je meteen die pils bestellen.'

'En kan ik wat voor u meenemen?'

'Zeg nou gewoon je. Eh... een tonic graag.'

Lex kijkt hem na, vraagt zich af wat de beste smoes is om snel weg te kunnen, kijkt dan weer naar buiten en bevriest als hij Anke ziet oversteken. Ze draagt een kort bontjasje en een leren rokje dat hij zich nog herinnert, een prijzig gevalletje dat hij tijdens een weekeinde samen in Brussel voor haar kocht. Ze ziet er goed uit. Kutwijf. Hij wist het wel, maar had er niet aan gedacht dat het LPF-kantoor sinds kort naast De Posthoorn zit. Zou geestig zijn geweest als ze hier binnen was gekomen. 'Hé, hallo. Hoe gaat het? Ik las dat je de biografie van die eikel gaat schrijven.'

Ze zal wel naar Des Indes gaan. Hij was daar zelf een uurtje geleden om de foto's voor Smolders bij de receptie af te geven. Smolders wilde ze graag afgedrukt om er een aan zijn moeder te geven. In de lounge stond dat de LPF vanmiddag een herdenkingsbijeenkomst voor Claus heeft waar ook Fortuyn zal spreken. De hypocrisie ten top natuurlijk. Hij kijkt haar na tot ze tussen de bomen verdwijnt. Haar vriendje zal daar ook wel zijn. Ooit heeft hij ergens gelezen dat het wel een paar jaar kan duren voor je over een verloren liefde heen bent, maar de afgelopen maanden heeft hij zelden aan haar gedacht. Hij grinnikt wat wrang. Carla zou het wel weten. Die heeft hem altijd al een oppervlakkige lul gevonden.

Bregstra gaat zitten en zet een glas tonic voor hem neer. Hij drinkt gulzig van zijn bier.

'Ik heb een portie bitterballen besteld, want in Delft kreeg ik geen kans om wat te eten.'

'Hoe was het daar?' vraagt Lex. 'Ik zag op tv dat Bernhard bijna onderuitging.'

Bregstra grijnst. 'Geen mooier gezicht dan de ene mof die de andere ten grave draagt, zou mijn opa hebben gezegd.'

Opeens buigt hij samenzweerderig naar voren, hoewel de tafeltjes achter hen onbezet zijn.

'Ik heb misschien een primeur.'

O nee, denkt Lex. 'O ja?'

'Ja! Heeft u – sorry, heb je ook gezien dat er een blonde vrouw met de koninklijke familie mee de grafkelder in liep? Een jaar of dertig, lijkt een beetje op Lousewies van der Laan.'

Lex fronst. 'Nee.'

'Niemand wist wie ze is. Ze schijnt bij Friso te horen. Gek natuurlijk dat ze dan meteen al mee mag bij zo'n plechtigheid, maar de koningin zou ons, de pers, even duidelijk willen maken dat haar Frisootje helemaal geen homo is.' Hij grijnst weer en neemt een fikse teug.

'O. En wat is jouw primeur dan? Weet jij wel wie ze is?'

'Ja. Ze was begin jaren negentig het liefje van Klaas Bruinsma!'

'Pardon? Hoe weet je dat in godsnaam?'

Bregstra lacht triomfantelijk. 'Omdat ik toen veel zeilde. En Bruinsma ook. Nou ja, hij had een motorschip, de ouwe reddingsboot Neeltje Jacoba. En daar was zij vaak met hem.'

Hij kijkt op omdat een serveerster aankomt met een schaaltje bitterballen, en steekt er meteen een in zijn mond. Al kauwend zegt hij: 'Ze heet Mabel. Mabel Wisse Smit. Maar op de zeilclub noemden we haar Wippe Smit. Die Neeltje Jacoba lag als een gek te schudden, terwijl er geen zuchtje wind stond, begrijp je?' Hij slikt door en pakt zijn bier. 'Zou het wat zijn? De prins en het gangsterliefje?'

12

Het lijkt erop dat het kabinet plotseling in een stroomversnelling terecht is gekomen.

Fortuyn mag dan de pest hebben aan vergaderingen, de Eerste Kamer draait overuren met alle wetsvoorstellen die in hoog tempo binnenkomen. Doorgaans heerst er de sfeer van een ouderwetse herensociëteit waar dames schoorvoetend worden getolereerd, maar sinds het nieuwe kabinet begint het er meer op een fabriekshal te lijken. En het zal niet eerder zijn voorgekomen dat veel senatoren snakken naar de komende Statenverkiezingen in de hoop nu eens niet te worden herkozen. Al betekent dat, zoals de opiniepeilingen aangeven, dat er ook in de senaat een grote meerderheid van de LPF zal plaatsnemen. Met in het kielzog daarvan de VVD. Een unicum, want doorgaans daalt de populariteit van een kabinet al vrij snel na zijn aantreden. De afschaffing van Koks kwartje heeft aanzienlijk bijgedragen tot het tegenovergestelde effect. Maar de tomeloze inzet en daadkracht van de vakministers en de twee regeringsfracties niet minder. Wat dat betreft wordt dat puinruimen van Paars letterlijk genomen, maar tegelijkertijd worden de Tweede en Eerste Kamer overspoeld door nieuwe, ingrijpende wetsvoorstellen.

Op Justitie is dat bijvoorbeeld een verscherping van de strafmaat voor zware vergrijpen. Levenslang dient voortaan ook werkelijk levenslang te zijn. De zogeheten longstay-plaatsen voor TBS'ers moeten worden uitgebreid. Er komen in elke provincie strafkampen voor jeugdige criminelen. Grote winkelcentra, parkeerplaatsen, verdachte buurten en straten krijgen camerabeveiliging en minister De Fraiture bereidt een wet voor waarin nu verjaarde zware zaken alsnog op gerede verdenking opnieuw voor de rechter kunnen komen.

Op Economische Zaken is voorgesteld de vennootschapsbelasting voor multinationals en banken drastisch te verlagen. Links stond op zijn achterste benen, maar de eerste berekeningen van het Centraal Plan Bureau laten zien dat verwachte investeringen en arbeidsplaatsen het verlies van inkomsten al binnen een jaar meer dan goed zullen maken. Binnen dat jaar wil Defensie de dienstplicht weer invoeren, zowel voor jongens als voor meisjes. Verder is er druk overleg met de Amerikanen over de verdere ontwikkeling van de JSF. Bij dat Kamerdebat ontbrak Fortuyn overigens – niet zo vreemd als apert tegenstander –, maar desondanks stemden dertig LPF-leden voor, wat samen met de VVD, het CDA en de kleine christelijke partijen ruim voldoende was.

Staatssecretaris Hirsi Ali trotseert de woede van D66, SP en GroenLinks met een vuistdikke nota waarin vooral een beperking van het aantal moskeeën, de afschaffing van separaat islamitisch onderwijs en verplichte inburgeringscursussen opvallen.

Verkeer en Waterstaat scoorde al met dat kwartje, maar heeft inmiddels nieuwe voorstellen voor het doortrekken van de A4 bij Schiedam en de uitbreiding van Schiphol met de zogenoemde tweede Kaagbaan.

En dat is nog maar een greep.

Vanzelfsprekend leidt een en ander tot woedende commentaren en protesten. Er gaat zelden een dag voorbij zonder demonstraties of petities op het Binnenhof. Maar het kabinet heeft duidelijk de wind mee. De economische groei in de VS helpt natuurlijk, maar Nederland staat bovenaan in Europa, het aantal werklozen daalt gestaag, de inflatie is gering en de te verwachten fiscale maatregelen hebben de eerste buitenlandse ondernemingen al gelokt. Uiterst tactisch is natuurlijk de aankondiging om elke werknemer eenmalig een prijscompensatie te geven van vijfhonderd euro, wat weliswaar een forse uitgave op de begroting is, maar aardig opgevangen wordt door het snijden in de uitkeringen. Het effect is dat de grootste vakbond, de FNV, nog maar weinig mensen op de been krijgt. Hetzelfde geldt voor de politiebonden nu de salarissen van de politie met 4 procent netto zullen worden verhoogd. En buitengewoon slim is het om regelmatig de mening van 'het volk' over de voorgenomen maatregelen te laten peilen; in vrijwel alle gevallen levert dat sippe gezichten op bij de oppositie, die getalsmatig toch al ver in de minderheid is. Zo werd de afgelopen week duidelijk dat 61 procent van de stemgerechtigde Nederlanders een herziening van het subsidiestelsel voor de uitvoerende en beeldende kunsten wil. Een dergelijke peiling heeft wel niet de status van een bindend referendum, maar toch moet je als politicus, en ook als adviesorgaan, sterk in je schoenen staan om er stelling tegen te nemen, juist met die naderende Statenverkiezingen. Hier en daar kraakt het dan ook bij de oppositie, bij de PvdA bijvoorbeeld, en bij de SP.

13

Hij onderschat hen niet, niet na de manier waarop ze Wouterse hebben uitgeschakeld, maar zeker niet na het ziekenhuis. Ze. Meervoud. Want hij is ervan overtuigd dat de man hier niet alleen zal komen. Daarom is hij twee uur eerder gearriveerd. En niet met de kever. Achteraf betreurt hij het met de auto weer naar Leeuwarden te zijn gegaan. Ze weten immers hoe hij eruitziet. Dat is erg genoeg, al is hij er zeker van dat ze niet van 'Het Strokapje' op de hoogte zijn. Dan zouden ze daar allang zijn geweest. De kever staat beschut bij het tuinhuisje achter de bungalow. Zelf heeft hij de bus naar Apeldoorn genomen en daar de trein naar Den Haag.

Tot zijn ergernis is hij bang en nerveus. Maar het is dan ook lang geleden dat hij dit soort risico's nam, de laatste keer in 1997, vlak voor hij zijn hartaanval kreeg. Waarom doet hij dit? Voor Wouterse? For old times' sake? Omdat hij na jaren weer het gevoel heeft iets te betekenen, iemand te zijn? Dat allemaal, maar het belangrijkste – als hij niet zo bang was, zou hij zelfs 'leukste' denken – is het spel weer te spelen, zo kinderachtig als het klinkt. Elke stap die hij zet, elk plan dat hij overweegt, pompt de adrenaline door zijn lijf. En paradoxaal genoeg voelt hij zich ondanks zijn angst, of juist dankzij die angst, beter dan ooit. En waarom zou hij eigenlijk bang zijn? Om dood te gaan? Dat is wat laat na vierenzestig jaar, Crypto, denkt hij grimmig. En dan nog is de keuze simpel: er is niets of er is iets. Zoals zoveel mensen gelooft hij het eerste, maar hoopt hij op het laatste.

Voor de zoveelste maal houdt hij zichzelf voor dat er niets kan gebeuren. Om deze tijd is het druk bij de supermarkt, maar vanuit zijn positie en met de kijker kan hij iedereen die er in- en uitloopt goed zien. Zij hem niet. Hij heeft niet voor niets deze locatie gekozen. Het filiaal van Albert Heijn ligt in een klein winkelcentrum, een door flatgebouwen omringd plein dat spottend Place des Invalides wordt genoemd, omdat hier veel gepensioneerden en bejaarden wonen.

Eigenlijk wel heel toepasselijk dus dat de man op wie hij wacht mogelijk mank loopt, met een stok. Daar heeft hij nog niemand mee gezien, wel achter zo'n rollator of in een invalidenwagen. En zelfs al loopt er iemand anders mee, dan nog zou precies vijf uur wel heel toevallig zijn.

Het bokje en de tijger.

Hij kijkt op zijn horloge, het is tien voor vijf. Het flatje is van zijn moeder geweest. Na haar dood is haar boezemvriendin er komen wonen. De flats zijn zeer gewild vanwege de gegoede buurt en alle faciliteiten in de directe omgeving. Hij noemt haar tante en zoekt haar regelmatig op na zijn scheiding. Ze is een Javaanse en ondanks haar bijna negentig jaar nog heel vitaal en ondernemend. Elke zondag tennist ze in een nabijgelegen tennispark, elke vrijdagmiddag is ze in het Indisch Huis, waar ze met andere Indische Hagenaars naar gamelanmuziek luistert, Indisch eet en herinneringen aan tempo doeloe ophaalt. Ze vond het heel gezellig dat hij weer eens langskwam. 'Adoe, Ben! Je hebt je tante schandelijk verwaarloosd, sinjo! Je mag wel een flinke bos bloemen meenemen! Ik ben om acht uur thuis. Als je wat eerder bent, je weet waar de sleutel ligt. Er staat een borrel voor je in de koelkast, maar laat wat over voor je ouwe tante Dewi, ja!'

Hij heeft de vitrages niet zelf dicht hoeven doen, want ze haat het uitzicht op de schreeuwerige borden van de winkels en het parkeerterrein. Niemand die dat buiten opvalt, ook de kleine 9 x 24-kijker tussen de kieren niet.

Dat de man alleen zal komen, lijkt hem dus onwaarschijnlijk, dat zou hij zelf ook niet doen. Ze weten hoe hij eruitziet, maar meer niet, ook zijn naam niet, hij is voorzichtig genoeg;

ze zullen hem dus willen volgen. Daar maakt hij zich geen illusies meer over na het ziekenhuis. Hij had gelijk. De fotograaf werkt voor hen.

Hoe omzichtig hij ook te werk is gegaan, hij heeft onnoemelijk geluk gehad. Hij was er niet van overtuigd dat de vrouw op het LPF-kantoor zijn boodschap voor de Sjeik naar Des Indes zou brengen. Haar scepsis was onmiskenbaar. Het was ook een absurde boodschap. Daarom had hij het risico genomen om later die middag zelf de ingang van Des Indes in de gaten te houden. Zo riskant was dat niet. Een man met een stok. Althans, daar hoopte hij op. De grootste drukte was voorbij, maar er waren toch nog steeds veel mensen. Hij liep met zijn jagershoedje en zonnebril op tussen de bomen, toen hij de fotograaf zag. Het kon nog toeval zijn, een persfotograaf die op de dag van de begrafenis van Claus naar café De Posthoorn ging. Maar niet meer toen de ander kwam. De man op de foto van Wouterse! Nóg voelt hij de benauwende druk op zijn borst toen hij hem het terras op zag lopen. Wisten ze dat hij daar was? Het kan niet, het is onmogelijk. Hij heeft geen fout gemaakt zoals Wouterse. Wouterse moet zichzelf hebben verraden. Daarom moest hij dood; natuurlijk was het geen ongeluk.

Hij voelt kramp in zijn linkerbeen en gaat weer zitten. Ook vanuit de fauteuil kan hij door de kier van de vitrage kijken. Op de klok beneden bij de krantenkiosk is het zes voor vijf. Hij snakt naar de borrel die hij zichzelf heeft beloofd.

Wie is de man die met de fotograaf sprak?

Marike Spaans in het ziekenhuis herkende hem op de foto, anders had ze nooit zo gegild.

De Sjeik is hij niet. Dan zou Wouterse dat gezegd hebben.

Is een van de stemmen op het bandje de zijne? Twee mannenstemmen. Maar niet die van Fortuyn en Wiegel. Er is nauwelijks iets te verstaan. Misschien doordat het recordertje al die maanden in weer en wind achter dat luchtrooster heeft gezeten. Kan die Marike de man daar hebben gezien? Een stagiaire bij een krant. Hoe wist ze ervan? Niet van de fotograaf, die hoort bij de anderen, bij de mannen die haar grepen. Natuurlijk wist ze ervan, waarom hadden ze haar anders willen doden?

Het roostertje zit onder de balkondeuren van Fortuyns suite, maar is van het ontluchtingskanaal van de suite eronder. Een suite die de nacht van de 6de mei op naam van De Vries was geboekt. Is die De Vries de Sjeik? De man op de foto?

Hij heeft het bandje steeds weer afgespeeld in de auto. Er worden namen genoemd. Namen van LPF'ers die in het kabinet zitten, maar ook namen die hij nog nooit heeft gehoord. Ook van Fortuyn. En van iemand die als Wolf wordt aangeduid. Hij is er zeker van dat ook dat een codenaam is, net als de Kat en Boris. Ook hebben ze het veel over Icarus. Pas nadat hij de band ettelijke keren had beluisterd, verstond hij de naam Keulen. Die stad komt een paar keer voor in de stukken van Wouterse. De opname duurt maar ruim zeven minuten, de laatste honderdtwaalf minuten ruis. Hij herinnert zich dat er ook in de suite op de eerste etage al licht brandde, achter gesloten gordijnen. Het meisje zat gehurkt op het terras. Ze moet toch bang zijn geweest om betrapt te worden, ze heeft het roostertje na een paar minuten immers weer bevestigd. Waarschijnlijk dacht ze dat het veiliger was daar niet te blijven en wilde ze het recordertje later ophalen. Die kans heeft ze niet gekregen. Hij huivert als hij zich haar doodsbange ogen in het ziekenhuis voor de geest haalt.

Wat weet ze? Vertrouwt ze De Rooy?

Dat is de reden dat hij haar een kaart heeft gestuurd. Een vrolijke kaart met 'Beterschap!' erop. Hij heeft er geen naam op gezet, hij is niet gek. Misschien begrijpt ze wat hij bedoelt, al is de kans heel erg klein. Hij heeft de kaart in de bus gegooid nadat hij eerst de envelop voor Fortuyn heeft afgegeven. Zo gewoon mogelijk. De portier van de Kamer nam hem in ontvangst alsof het de gewoonste zaak van de wereld is dat onbekenden Fortuyn post brengen. Dat is ook zo.

Even zit hij strak, de kijker trillend in zijn hand. Een oudere vrouw schuifelt achter een rollator langs de man met de daklozenkrant en verdwijnt de Albert Heijn in. Elly? Hij grimlacht. Dat zou wel toevallig zijn, maar het kan, ze woont hier ergens in deze buurt. Ze moest eens weten hoe vaak hij op het punt heeft gestaan haar te bellen, al was het maar uit schuldgevoel. De klok bij de kiosk loopt één minuut voor op zijn horloge, waarop het vier voor vijf is.

De kans bestaat dat er niemand komt; die kans is zelfs groot, ook al zei de vrouw dat ze het briefje zou brengen. Maar zelfs dan is het niet zeker. De man kan per slot ook níét naar die LPF-bijeenkomst in Des Indes zijn gekomen.

Is hij de Sjeik?

Hij weet nu bijna alles. Hij heeft het allemaal opgeschreven en bewaart het veilig in zijn postbus. Bijna alles. Morgenochtend zal hij het stuk voor Fortuyn afmaken.

De man loopt met een stok, daar gokt hij op. Op het bandje klinkt onregelmatig staccato getik op het parket. Het stopt opeens en er valt iets kletterend op de grond. Een man met een geaffecteerde stem zegt iets onverstaanbaars. Daarna dat 'Herben er wel blij mee zal zijn'. Daar heeft hij lang over nagedacht voor hij het begreep.

Nerveus kijkt hij weer op zijn horloge en dan weer naar de ingang, waar een vrouw een kinderwagen naar binnen duwt.

En dan lijkt het alsof hij een elektrische schok krijgt. De kijker valt uit zijn handen op de plavuizen, maar hij hoort hem niet vallen. Hij beeft als een gek, het gezicht van een oudere man die tegen de zon in omhoogkijkt op zijn netvlies gebrand. De tintelingen jagen als stroomstoten door zijn linkerarm en zijn borstkas lijkt verpletterd te worden. Hij kreunt van pijn en klauwt met een hand naar zijn hart, terwijl hij onderuitzakt. Maar nog voor hij op de grond ligt, lijkt hij te zweven, en heel even kijkt hij stomverbaasd naar zijn eigen witte gezicht beneden hem. Dan lijkt hij razendsnel een donkere tunnel in te worden gezogen, alsof hij wordt voortgestuwd door een orkaanwind, tollend als een herfstblad, tot het helle licht hem overspoelt en hij lachend de vrouw herkent die hem wenkt.

Deel III

I

VOORJAAR 2003

NIEUWE AANSLAG DOET PIM ZWICHTEN! is de suggestieve kop boven het openingsartikel van het *Algemeen Dagblad*. Ernaast staat een foto waarop Fortuyn met een wezenloze glimlach achter in zijn nieuwe Bentley zit. Op het portierraampje kleven veertjes en bloed. De foto en die aanslag dateren alweer van een week geleden. Dat het AD er nu aan refereert, heeft te maken met Fortuyns verrassende mededeling gisteren in de Kamer dat hij pal staat achter zowel een Nederlandse militaire missie in Afghanistan als achter politieke steun aan een eventuele Amerikaanse inval in Irak.

DRAAIKONTERIJ! vlamt *de Volkskrant*, ook eens blij de aandacht van de blunderende PvdA-leider Wouter Bos af te kunnen leiden.

Trouw vermoedt dat Fortuyn bang is zijn krediet bij rechts te verspelen. Eerdere analyses, al voor zijn monsterzege op 15 mei 2002, hadden voorspeld dat hij nog veel meer kiezers had kunnen winnen als hij zich niet zo uitgesproken antimilitair en anti-Washington had opgesteld. Dat had weliswaar wel een aantal linkse kiezers opgeleverd, maar die zijn weer afgehaakt toen het LPF-VVD-kabinet tot stand kwam en Wiegel premier werd. Het is bovendien een feit dat Wiegel qua populariteit Fortuyn naar de kroon steekt. Fortuyn, schrijft *Trouw*, wil zijn positie versterken nu de Statenverkiezingen eraan komen. *De Volkskrant* houdt het erop dat Fortuyn eindelijk zijn ware gezicht laat zien. Het kan ook, zeggen anderen, het bekende politieke spelletje van geven en nemen zijn. Dat zou ook eerder al het geval zijn geweest, toen hij zo makkelijk toegaf bij Defensie en met de JSF. *De Telegraaf* vindt Fortuyns ommezwaai getuigen van 'wijs staatsmanschap'.

Misschien zit het AD wel het dichtst bij de waarheid. De krant noemt het woord 'islamofobie' niet, maar geeft wel een paar staaltjes van Fortuyns spreekwoordelijke rancune en onverzoenlijkheid.

De vorige week schoot een man met een telescoopgeweer vanaf het dak van een winkelpand aan het Plein op Fortuyn, die net uit het Kamergebouw achter in zijn Bentley stapte. De kogels raakten hem niet; de raampjes van de gepantserde Bentley zijn van kogelvrij glas. Het enige dodelijke slachtoffer was een Haagse duif. Nog een geluk dat het laat in de avond was. Fortuyns bodyguards renden naar het winkelpand en schoten de etalageruit aan diggelen, terwijl de eerste sirenes van de Haagse politie al jankten. De kans om een nachtelijke schutter te pakken is uiterst gering, zeker wanneer die zich via de aangrenzende daken uit de voeten kan maken. Dat deed hij ook, tot aan de Korte Houtstraat, waar een door de schoten en sirenes gealarmeerde bewoonster een man op de dakrand zag staan. Enkele seconden later sprong de man. Hij zou de overkant gehaald hebben, wanneer een bodyguard hem niet, net als hij die duif, uit de lucht had geschoten. Hij moet al dood zijn geweest voor hij de grond raakte.

De man bleek een illegale Afghaan te zijn die op het punt stond te worden vastgezet in het gloednieuwe cellencomplex op het oude Schiphol. Misschien schoot hij wel uit frustratie, maar hoe kwam hij aan een geweer dat de Russen nog in Afghanistan gebruikten? De BVD, die inmiddels sterk is uitgebreid en tegenwoordig Algemene Inlichtingen- en Veiligheidsdienst ofwel AIVD heet, onderzoekt of hij banden onderhield met moslimfundamentalistische jongeren of met de islamitische terreurorganisatie Al-Qaida.

Rancuneus als Fortuyn is, het blijft toch bizar dat uitgerekend híj zijn fiat geeft om militaire steun aan Washington toe te zeggen. Hij heeft immers voortdurend betoogd dat Nederland niets te zoeken heeft in Afghanistan. Hij verweet de vs Vietnam-politiek in het Midden-Oosten en eerder was hij mordicus tegen de bombardementen op Servië. In alle tv-debatten en interviews herhaalde hij een principieel voorstander te zijn van 'respect voor de nationale soevereiniteit van een land'.

'Zoals ik geen islamitische overheersing hier duld, heb ik er ook begrip voor, hoe achterlijk en despotisch de meeste islamitische landen ook zijn, dat zij geen inmenging van ons dulden.'

Nu pleit hij er nota bene voor om een Amerikaanse inval in Irak 'onvoorwaardelijk te steunen'!

Het is ook opvallend hoe hij, toch de vleesgeworden ijdelheid en ambitie, pers en publiciteit mijdt. Zijn woordvoerder Keje van Essen schermt hem zo veel mogelijk af door te verwijzen naar de defensiespecialisten – maar ja, wat verwacht je van een vent als Michiel Smit, die nog maar kortgeleden werd aangeklaagd als 'racist', of de VVD'er Henk Kamp, die naar verluidt in zijn jeugd een dag heeft zitten janken omdat hij werd afgekeurd voor militaire dienst? Maar de enkele keer dat Fortuyn spreekt, zegt hij op zijn standpunten terug te zijn gekomen wegens de toegenomen dreiging van het fundamentalistisch islamitische gevaar. Dat is ook de reden dat hij tegen het EU-lidmaatschap van Turkije is. Zijn vriend en adviseur-achter-de-schermen, de cineast-columnist Theo van Gogh, vindt het prachtig. Die plaatste direct een advertentie voor op *Het Parool*. 'Meteen doorvliegen graag! Tripoli, Damascus, Teheran, Islamabad, Pyongyang!'

De tegenstanders van het kabinet, en dat zijn er nogal wat, hebben het er maar moeilijk mee. SP, GroenLinks en D66 spreken over 'een wolf in schaapskleren'. Vooral de onbekende Pechtold – een blozend manneke dat Lex nog graag eens als misdienaar zou fotograferen – die bij D66 de hulpeloze Boris Dittrich is opgevolgd, probeert fel oppositie te voeren, maar staat machteloos alleen met zijn drie zetels. Wouter Bos roert zich nauwelijks. Linkse commentatoren brengen dat in verband met de matigende invloed van Hans Wiegel, en daar zit wel wat in. Al is hij dan premier namens de LPF, hij gedraagt zich meer als een staatsman die boven de partijen staat. Tactiek natuurlijk, maar het werkt wel. Het is bijna aandoenlijk hoe hij in de Kamer de jonge Balkenende inpalmt en zelfs Marijnissen, toch een straatvechter, complimenteert. In vergelijking met alle naoorlogse kabinetten heeft de regering-Wiegel, met uitzondering van het kabinet-Schermerhorn-Drees direct na de bevrijding, in het eerste jaar de meeste wetten en wetswijzigingen doorgevoerd, en dat vrijwel zonder kleerscheuren. Geen wonder met een parlementaire meerderheid, hoe krap ook, maar Wiegel slaagt er steeds in, samen met een opvallend milde Fortuyn namens de LPF-fractie, ook het CDA, klein christelijk rechts en soms zelfs de SP mee te krijgen. Bij de laatste gaat het dan vooral om Fortuyns stokpaardje, de uit de hand gelopen multiculturele samenleving. De SP is daar de afgelopen jaren, meegezogen door het gedoogbeleid en de aanwas van veel radicale leden, met een wijde boog omheen gelopen, maar Fortuyn herinnerde Marijnissen er fijntjes aan hoe hij en zijn kompaan Remi Poppe eertijds een keihard anti-immigratiestandpunt innamen. Wat ook meewerkt is dat er een soort katalyserend effect uitgaat van de nieuwe regeringsploeg: nu het openlijk gezegd wordt, blijken Eerste en Tweede Kamer, onder het dominante juk van Wim Kok vandaan, eindelijk van het gedoogbeleid af te willen. Wat nog meer helpt, is de onverwachte steun uit de hoek van de allochtonen. Niet zo verrassend natuurlijk; het beleid van de afgelopen drie decennia heeft, zoals minister Spruyt van Integratie en Vreemdelingenbeleid in een vlammend betoog stelde, hun 'niets anders dan getto's, discriminatie, lage status en werkloosheid' gebracht.

Een meesterzet was vervolgens Fortuyns ingediende motie om de in 1997 uitgezette Turkse kleermaker Gümüs terug te laten keren en hem en zijn gezin te legaliseren. 'U herinnert zich hem vast en zeker nog wel. De heren Kok en Melkert, die mij van racisme en xenofobie beschuldigden, staken toen als minister-president en minister van Sociale Zaken geen hand voor hem uit – integendeel, die wasten ze in onschuld, samen met de heer Pechtolds partijgenote, mevrouw Sorgdrager.'

Wouter Bos zweeg, net als Pechtold. Alleen Femke Halsema stelde dat de VVD toen als regeringspartij ook niets had ondernomen, maar haar partij juist wel.

'Dan ben ik er gerust op dat GroenLinks voor deze motie stemt,' had Fortuyn droogjes opgemerkt.

Twee maanden later stemde een Kamermeerderheid in met het wetsvoorstel van de LPF dat af moet rekenen met het gedoogbeleid inzake immigranten, vluchtelingen en asielzoekers. Pechtold noemde het een 'schande die aan het Nederlandse volk werd opgelegd'.

'Weet u wat?' had Fortuyn geantwoord. 'Dan leggen we het eerst voor aan het volk. Een referendum. Daar zult u het toch absoluut mee eens zijn, meneer Pechtold, dat is toch hét kroonjuweel van uw partij. En dan niet over die flauwekul van wel of niet een gekozen minister-president, maar over iets wat die bevolking echt raakt. En dan ook een bíndend referendum, meneer Pechtold, dus geen zoethoudertje.'

Slim natuurlijk. Want volgens de laatste peiling wil ruim 70 procent van het Nederlandse volk een strakker immigratiebeleid.

'En verwijt u mij vooral dat ik populistisch bezig ben, meneer Pechtold, dan zal ik vertellen dat *populus* "het volk" betekent, en bij mijn beste weten bent ook u door het volk gekozen. Nou ja, door een klein deel ervan.'

Vanzelfsprekend rekent de oppositie op de controlerende taak van de Eerste Kamer, waar de verhoudingen nog anders liggen. Maar aangezien Balkenendes CDA beducht is voor de volkspeilingen, durft het niet het risico te nemen straks met de

Statenverkiezingen nog meer stemmen te verliezen. De VVD-senatoren willen geen bonje met hun vroegere medesenator premier Wiegel. RPF/GPV, SGP en de eenmansfractie OSF zitten bij de meeste issues dicht tegen het gedachtegoed van het kabinet. De oppositiepartijen PvdA, GroenLinks, D66 en SP hebben samen negenentwintig zetels, minder dan de helft. Slechts bij ethische of religieuze kwesties lukt het soms een wetsvoorstel te blokkeren. Zo had Fortuyn adoptie door homoseksuele echtparen hoog op zijn lijstje staan, maar vond daarvoor een meerderheid van CDA, klein christelijk rechts en de VVD tegenover zich. In veel gevallen wil de oppositie ook het oordeel van de Raad van State, maar dat is slechts een adviesorgaan, ook al wordt het voorgezeten door de koningin. Ooit was er sprake van dat Fortuyn wilde proberen een grondwetswijziging door te voeren om de Raad af te schaffen. Het is ook een overleefd instituut dat achter gesloten deuren vergadert, en bovendien is het absurd om de majesteit, haar zoon en haar schoondochter politieke adviezen te laten geven waar zij niet verantwoordelijk voor zijn. Maar daar hoort niemand Fortuyn meer over.

Waarom ook? Het kabinet zit op rozen, en het mag dan wel het eerste kabinet-Wiegel heten, iedereen weet dat Fortuyn het beleid bepaalt. Althans, de meeste mensen denken dat.

2

Twee dagen na de aanslag op het Plein had hij weer een brief ontvangen. Hetzelfde handschrift. Er wordt met geen woord aan de aanslag gerefereerd, maar natuurlijk realiseerde hij zich al meteen dat die Afghaanse illegaal niet op eigen houtje opereerde.

Een waarschuwing.

Groot als de schok was, het bevestigt alleen maar dat ze inderdaad binnen zijn eigen kring zitten. Want wie anders kon ervan op de hoogte zijn dat hij van plan was zich te onthouden van de stemming over steun aan de Amerikanen? Een van de drie nieuwelingen die hij zelf heeft voorgedragen? Heeft moeten voordragen? Wie weet zelfs alle drie? Maar noch De Fraiture op Justitie, Van Eerten op Economische Zaken of Theunissen op Volkshuisvesting zit bij het fractieberaad. Iemand in zijn fractie dan?

Misschien dat hij twintig van zijn fractieleden goed kent, en wat is goed? Een man als Eberhard is gewoon een crimineel. Nawijn is niet alleen een rasopportunist, maar ook verbitterd omdat hij geen minister is geworden. Van As loopt rond met een pistool op zak. Iedereen is te koop, iedereen chantabel. Dat laatste hoef je hem niet te vertellen! Het is om gek van te worden, het is nog een wonder dat hij het al niet is, een normaal mens zou zich verhangen! Een normaal mens wel.

Hij glimlacht moe naar zijn held John Kennedy, van wie een grote foto op zijn bureau staat. Hij zit in de oude werkkamer van zijn andere held, Joop den Uyl, met uitzicht over de Hofvijver. De Uyl, van wie ook een portret aan de muur hangt, mocht dan wel de Gelijkheid preken, maar hij wist verdomd goed dat sommigen meer gelijk zijn dan anderen. En waarom ook niet? Hij bewondert Den Uyl nog steeds, maar meer om zijn doorzettingsvermogen dan om zijn ideeën – 'Das war einmal.' En anders dan met Kennedy voelt hij ook geen persoonlijke verwantschap met de oud-PvdA-premier. Toch te klein, te burgerlijk. Anke van Dam, die hier gisteren een uurtje met hem zat te praten, was het wel met hem eens. Den Uyl was net als Drees ongetwijfeld begaafd, maar ze misten toch de vonk, de durf en de moed om die ene stap te zetten die nou eenmaal nodig is als je werkelijk vernieuwend wilt zijn. Ook al zal dat ten koste gaan van de democratie – dat is per slot toch *in the end* een kwestie van de grootste gemene deler.

'Den Uyl was toch te gewoontjes, te normaal.'

'En jij?'

'Zo gek als een ui. Je moest eens weten!'

'Grapje. Zal ik daar maar aanhalingstekens omheen zetten?'

Prima meid. En ze moest inderdaad eens weten! Natuurlijk is hij niet normaal, hij zou het niet willen zijn. Zijn IQ, zijn ambitie, zijn seksualiteit, zijn hele levensfilosofie staan mijlenver af van die van anderen, dat beseft hij al vanaf zijn vroegste jeugd, altijd de eenling. Vaak denkt hij dat hij evolutionair zijn tijd ver vooruit is, een tijdreiziger die per ongeluk in de middeleeuwen is gestrand. Dat zou een reden kunnen zijn waarom hij op zoveel mensen als arrogant overkomt en zoveel vijanden maakt. Zijn psychiater onthoudt zich natuurlijk van een oordeel, al zal hij wel denken dat hij knettergek is; de man heeft ook alimentatie, een loodzware hypotheek en twee studerende kinderen. Maar hij zei wel dat het heel goed kon verklaren waarom hij instinctief zo bang is voor islamieten. Want dat is zo. Zijn afkeer heeft niks te maken met racisme of xenofobie, met haat of jaloezie; het is pure afschuw van de domheid en de achterlijkheid, bijna lijfelijk als hij hen op straat passeert, het angstzweet op zijn rug. Hij kan er niets aan doen, het is sterker dan hij, het heeft hem zelfs de liefde van zijn leven gekost. Hij heeft alles gedaan om Ari te behouden. Hij heeft zichzelf gedwongen om samen met hem op een zaterdagmiddag te gaan winkelen op de Lijnbaan, waar het lijkt alsof je niet in Rotterdam, maar midden in Istanbul of Tanger loopt. Kotsmisselijk en rillend alsof hij koorts had, is hij weggerend. Ze zijn zelfs in de nieuwe moskee niet ver van het Palazzo geweest, zijn schoenen uit, schuifelend tussen al die mannen en jongens naar binnen, tot hij halverwege flauwviel. Hij kan het niet, het is een vleesgeworden nachtmerrie voor hem.

Zijn het dan moslims? Fundamentalistische islamieten? Toen, die nacht dat Herman de eerste brief binnenbracht, heeft hij dat na de eerste paniek gedacht, maar tegelijkertijd leek het zo onlogisch. Want hoe kunnen die ervan weten? De man die hem er ooit mee chanteerde, ging het puur om het geld, maar die man is al jaren dood.

Tevergeefs heeft hij de meest krankzinnige samenzweringstheorieën overwogen en al zijn vijanden van de afgelopen jaren de revue laten passeren. Hij verbaasde zich erover hoeveel dat er zijn, zowel in zijn persoonlijk leven als vanwege zijn ideologische en politieke standpunten. Rancuneuze oud-collega's op de universiteit, vroegere medewerkers bij het OV-jaarkaartproject, verbitterde minkukels bij Leefbaar Nederland zoals Jan Nagel, Henk Westbroek, Kaj van der Linden, alle afgewezen minnaars. Radicale activisten? Maar hoe zouden die in godsnaam weet kunnen hebben van toen, meer dan dertig jaar geleden? Hij heeft zelfs gedacht aan de generale staven, omdat hij hun macht wilde beknotten. Aan het militair-industrieel complex, omdat hij twijfelt aan de miljoeneninvesteringen in de JSF. Aan het bedrijfsleven, omdat hij niet aan die geldverslindende Betuwelijn wilde. Ze zijn ertoe in staat en het klinkt logisch. Maar dat geldt ook voor de machtige lobby in de gezondheidszorg, waar hij drastisch in wilde snoeien. Zelfs voor het Europees Parlement, dat wat hem betreft vandaag nog mag worden opgedoekt. Dat geldt ook voor de net zo machtige topambtenaren op de departementen, waar hij de bezem door wilde halen. Ze hadden er allemaal belang bij dat niet hij, maar Wiegel premier werd. En Wiegel zelf? Wiegel heeft minstens even grote belangen in de zorg, vriendschappen in Den Haag. Zelfs de krankzinnige gedachte dat het Hof erachter zou zitten, is bij hem bovengekomen. Beatrix haat hem, persoonlijk en om zijn politieke standpunten. En hij merkt nu hoe groot haar macht en invloed zijn. Maar in alle gevallen zouden ze, wie het ook zijn, en zeker moslims, hem hebben willen uitschakelen, en dat is het absurde: die eis is niet gesteld. Sterker nog, een van de eisen is juist dat hij de LPF blijft leiden! Waarmee hij op Wiegel na de belangrijkste politicus van het land is. Als leider van de grootste fractie zelfs de machtigste, beweren sommigen, en formeel is dat natuurlijk zo. Eén woord van hem en er is sprake van een Nacht van Fortuyn. Maar ook dat hebben ze voorzien. Waarom? Wat willen ze?

Natuurlijk heeft hij de politie niet durven informeren. Ook al door dag en nacht te werken aan de formatie en de slopende vergaderingen waren er ten slotte dagen voorbijgegaan dat hij er niet meer aan dacht. Er was ook nooit meer een brief gevolgd, geen mail, geen telefoontje.

Tot de dag na de begrafenis van Claus. Een ander handschrift.

De Sjeik. Een lachwekkende naam, als de boodschap niet zo huiveringwekkend was.

Een bericht tussen de poststukken in zijn kamer op het Binnenhof, een envelop gericht aan 'de heer Fortuyn persoonlijk'. Gewoon afgegeven aan de portier bij de hoofdingang aan het Plein. Een opgevouwen A4'tje. Niet getypt, maar geschreven.

'De man die in uw plaats stierf werd met opzet vermoord...'

Even had hij nog gedacht met een gek van doen te hebben,

zoals er elke dag weer post binnenkomt van complotteurs, miskende genieën, gekken en zielige mislukkelingen.

'Ik denk te weten dat het met Icarus van doen heeft, en mogelijk met Keulen 1971, al weet ik niet wat daarmee kan worden bedoeld. Ik heb een man in dat verband echter uw naam horen noemen. Hij noemt zich de Sjeik en hij kent u. Helpt u mij, dan help ik u. Kunt u mij bericht sturen naar Postbus 117, 7313 HD Apeldoorn ten name van Katelijne? Vertrouwt u mij. Een vriend.'

Hij had zeker vijf minuten ijskoud achter zijn bureau gezeten, tot zijn secretaresse binnenkwam, die hem ontsteld had opgenomen. 'Pim! Wat is er met je? Je ziet lijkbleek!'

Hij had gezegd dat hij zich al sinds zijn terugkeer uit Italië niet goed voelde, maar had haar bezwaren afgewimpeld en was zoals gewoonlijk naar de vrijdagmiddagvergadering met het kernkabinet op het Catshuis gegaan, waar Marianne Wiegel, als altijd de perfecte gastvrouw, hem al net zo bezorgd had gevraagd wat hem scheelde.

De Sjeik. Wie is dat? Net zo'n fake-naam als Boris, als Wolf. Een man die hem kent. Uit die tijd? Hij kent goddomme honderden mannen, intiem, professioneel. Waarom noemt iemand zich de Sjeik? Toch moslims? Maar afgezien van enkele imams en een stuk of wat Marokkaanse schandknaapjes kent hij geen moslims.

In het weekeinde erop had hij na rijp beraad een kort briefje op de computer geschreven waarin hij zich weliswaar op de vlakte hield, maar een ontmoeting had voorgesteld, bij voorkeur op zijn enige vrije avond, de zaterdag. De plaats mocht Apeldoorn zijn, dat kwam hem zelfs goed uit vanwege een zus van zijn vader die daar woont, maar vanzelfsprekend niet in een openbare gelegenheid.

Daar was nu al meer dan vijf maanden geen antwoord op gekomen. Waarom niet? Was de briefschrijver bang? Had hij zich om wat voor reden dan ook bedacht? Wie was hij? Katelijne. Een vrouw, maar toch ondertekend met 'een vriend'. De ergste gedachte was dat de schrijver dood zou zijn, net als die vrijwilliger. Hij had er met iemand over willen praten, maar dat uit angst en schaamte nooit gedaan. Ook niet over die verbijsterende boodschap dat de vrijwilliger met opzet was doodgeschoten. Wie was hij eigenlijk geweest? Hij had er Keje van Essen en passant naar gevraagd, maar Van Essen had niet meer geweten dan dat de man Ab Toet heette, een werkloze Scheveninger met een sportschool die failliet was gegaan en die zichzelf uit woede over dat faillissement als lijfwacht had aangeboden.

Wisten ze soms ook dat hij dat briefje had geschreven en hadden ze die postbus in de gaten gehouden? Waarom heeft die Katelijne nooit meer iets van zich laten horen?

Op de verjaardag van zijn tante heeft hij Herman gevraagd haar met de Bentley een mooi boeket te brengen, omdat hij zelf in Brussel was. 'Dan kun je Kenneth en Carla ook weer eens laten uitrennen op de Veluwe. En Hermie, luister eens: als je daar toch bent, zou je dan discreet iets voor me willen nagaan?'

Aan zijn broers zou hij dat nooit durven vragen. Bovendien zijn die blijkbaar door die verschrikkelijke vrouwen van ze opgestookt om geen contact meer met hem te onderhouden sinds hij botweg geweigerd heeft hen in de fractie op te nemen. Zijn zusje Tineke is een lieverd, maar een roddelaarster. Met zijn jongere zusje Eefje heeft niemand meer contact, een soort kluizenaarster.

Herman vraagt nooit iets. Net zo loyaal als de hondjes. En bovendien is het niet gek dat hij er een dag met ze tussenuit gaat. Een postbus op een bijkantoor van de PTT in een nieuwbouwwijk van Apeldoorn. Herman heeft gevraagd of hij hem kan huren, juist dat nummer 117, omdat hij zei dat het ook zijn huisnummer is, maar het is in gebruik. Door wie dan?

Een man, aan de stijl te oordelen een oudere man, die zijn

naam heeft gehoord in verband met Icarus en Keulen 1971. Een vriend. Godnogaantoe, wie is hij? Waarom gaf hij nooit antwoord?

Zijn secretaresse komt binnen met een stapeltje dossiers onder haar arm.

'Vergeet je niet dat je over twintig minuten de commissie EU hebt?'

Hij fronst geïrriteerd. Ook dat nog. Het gezeik van Pechtold. Typisch zo'n omhooggevallen burgemeestertje, alles net een maatje te groot voor hem. Zal wel weer hameren op de noodzaak om Turkije toe te laten, omdat hij meent dat dat bijdraagt aan de solidariteit tussen islamieten en de westerse cultuur, of dergelijk gewauwel. Wat dat betreft is de jonge Wilders een prima steun. Die las gewoon in de Kamer een paar teksten uit de Koran voor die er niet om logen. Mannetje Pechtold kreeg bijna een rolberoerte.

'En of je dit nog even wilt doorkijken van Hilbrand.'

Ze legt een stuk voor hem neer met onder een paperclip het kaartje van Nawijn eraan. Ook geen zin an. Nawijn met dat slijmerige lachje, altijd en eeuwig moties willen indienen die kant noch wal raken. Die kerel is geil op zichzelf, maar ja, hij is de enige in de fractie die ingevoerd is in de vreemdelingenwetgeving.

Hij aarzelt, trekt de lade van zijn bureau open en haalt er de envelop uit waar hij een paar minuten geleden 'Anke van Dam/Strikt persoonlijk!!' op geschreven heeft.

'Zou je dit even met spoed bij Anke willen laten bezorgen?'

De secretaresse lacht. 'Nieuwe onthullingen voor je bio?'

'Reken maar. Hoe mijn trouwe secretaresse mij alsnog van mijn perfide seksuele geaardheid wist te genezen!'

Giechelend en overdreven met haar heupen wiegend loopt ze de kamer uit. Hij komt overeind en loopt naar de hoge ramen. In de Hofvijver zijn werklui op platforms bezig stellages op te richten ter gelegenheid van Beatrix' komende vijfenzestigste verjaardag. Wiegel heeft hem gisteren van haar zorgen op de hoogte gesteld. Ondanks zijn afkeer van haar voelt hij toch iets van medelijden, bekakt en autoritair als ze is; het is bewonderenswaardig hoe ze zich heeft gehouden na de dood van Claus. Nu komt daar ook nog eens die del Wisse Smit bij die de boel grotelijks belazert, niet alleen met Bruinsma, maar ook nog eens met een relatie met een Bosnische oplichter. En dat terwijl die Friso natúúrlijk homo is, dat hoef je hem niet vertellen. Arme jongen, net als zijn vader de gevangene van dat idiote systeem. Je moet toch wel keihard zijn om dat als moeder te ontkennen. Maar toch. En dan dat nichtje Margarita van haar, dat dreigt met onthullingen als ze haar zin niet krijgt. Enfin, hij heeft verdomme wel andere zorgen aan zijn kop.

Heeft hij er goed aan gedaan om de foto aan Anke te geven? Ze zei dat haar vader een uitgebreid persoonlijk archief heeft en het een hele eer vindt om mee te werken. Het blijft riskant, ook al is de man ruim tien jaar ouder dan hij en heeft hij die periode daar toen niet meegemaakt.

Hij kijkt geërgerd op omdat zijn witte telefoon rinkelt, loopt er toch naartoe en neemt aan.

'Ja!'

'Pim, met Keje. Stoor ik je?'

Hij herademt. Keje is oké. Een stuk slimmer dan Herben en een prima adviseur, ook al is hij het er dan niet mee eens dat die biografie wordt geschreven, omdat hij dat te vroeg vindt.

'Hou je vast. Hans wil nog vanavond spoedberaad, want Ayaan Hirsi Ali stapt uit het kabinet.'

3

Het nieuws van die ochtend opent met het onverwachte aftreden van Ayaan Hirsi Ali. De reden zou zijn dat ze zich niet thuis voelt in het politieke circuit en zich meer bezig wil houden met publiceren en lezingen geven.

Een smoesje, denkt Lex te weten. Ze is wat je noemt een *one issue*-politica, eigenlijk alleen maar bezig met haar eigen onverwerkte trauma's en frustraties als vluchtelinge en ex-moslima. Hij heeft haar een paar keer tijdens persconferenties gefotografeerd; ze maakt een mooi plaatje, maar ze praat drammerig en warrig en vooral over zichzelf. Er is voor haar met iemand als Fortuyn in de Kamer ook geen eer te behalen in het kabinet als het om vreemdelingen en migranten gaat.

Het zal allemaal wel, vindt Lex.

Een fotograaf neemt geen standpunt in, behalve in bed en achter zijn camera. Dat principe van hem is een belangrijke reden dat zijn huwelijk met Carla is mislukt. Dat ze het nog bijna tien jaar hebben volgehouden, kwam juist door haar fanatieke betrokkenheid bij alles wat ook maar riekte naar engagement, want van de zeven avonden per week zat ze de helft ergens te vergaderen, zodat ze elkaar thuis tenminste niet in de haren konden vliegen. Honderden keren heeft ze hem verweten een parasiet te zijn die zich niets aantrekt van zijn medemensen, of hem haar stopwoordje 'de samenleving' naar het hoofd geslingerd. Ze heeft ooit eens een cartoon van Peter van Straaten uitgeknipt waarop een fotograaf een stervend kind in de Sahel fotografeerde met de tekst: 'Kun je misschien even in de camera kijken?'

Ja, jezus, wat kan een fotograaf anders?

'Als die foto van dat meisje onder de brandende napalm niet

was gemaakt, zaten de Amerikanen nu nog in Vietnam.'

Ze begreep het nog niet.

Anke wel. Hij herinnert zich als de dag van gisteren hun eerste gesprek. Wat een opluchting. Zo kon je dus ook praten met een vrouw op wie je stapelgek was: zakelijk, geestig, ad rem. Niet dat geborneerde eigen gelijk, maar gewoon professioneel bezig zijn. Kunnen relativeren. Volgende generatie, zelfde soort vak. Dat laatste is waar, het eerste heeft hem de das omgedaan. Dat ze uit elkaar zijn, heeft ook niks met die kinderachtige ruzie over de LPF te maken. Voor haar was het allang over, alleen heeft hij dat niet gezien en zij dat niet gezegd. Hij weet zeker dat ze hem al langer met die klootzak Van Essen besodemieterde. Hij is gewoon afgedankt en ingeruild. Achteraf toch goed, woede en rancune verzachten de pijn. Val maar dood. Volgens Tessel moest Carla lachen toen ze het hoorde. Dat zal best.

Hij doet het koffiezetapparaat aan en het radiootje uit en loopt wat moeizaam terug naar het souterrain.

Het gaat nog niet vlekkeloos na de operatie. Het was geen grote ingreep: een ruggenprik, een sneetje in zijn lies, vocht van zijn linkerbal verwijderd en de boel weer dichtgenaaid. Een operatietje van dertig minuten. Geen wachtlijst meer. Dat moet hij dit kabinet nageven: nog geen halfjaar na zijn aantreden had minister Smalhout het Belgische model aan de ziekenhuizen opgelegd, zodat je nauwelijks op je beurt hoeft te wachten. Onverwacht dook er echter een complicatie op die hem langer in het ziekenhuis hield. Dat betekent een achterstand in het werk – niet voor de krant, maar voor een klus die hij ernaast doet: ruim tweehonderd foto's van aantrekkelijke historische en markante plaatsen in de stad voor een luxe uitgave van het gemeentebestuur. Hij wist niet eens dat Den Haag na de sloopwoede in de jaren zeventig nog zoveel van die locaties bezit. Een promotiecampagne moet meer buitenlandse en internationale organisaties naar de stad lokken. Logisch,

Den Haag is een sterk vergrijzende gemeente met een relatief hoge werkloosheid. En al zijn de meeste departementen weer terug uit Zoetermeer en Leidschendam, de uitvoering van Fortuyns voornemen om het mes te zetten in de overheidsbureaucratie is begonnen. Tot woede van de ambtenarenbonden is er een algehele vacaturestop voor de lagere functies afgekondigd. De eerste wilde stakingen zijn al een feit, maar daar lijkt Neelie Kroes niet mee te zitten. Ze heeft meteen het oude stakingsverbod voor ambtenaren uit de kast gehaald, altijd al een stokpaardje van de VVD, en dat voorgelegd aan de rechter. LPF en VVD hebben hoog ingezet om de bureaucratie te bestrijden. Onderzoek wijst uit dat meer dan 30 procent van het ambtelijk apparaat overbodig is. Nog eens 20 procent kan veel efficiënter en goedkoper door het werk uit te besteden aan administratiekantoren, uitzendkrachten en thuiswerkers. Dat is koren op de molen van Verkeer en Waterstaat, want het heeft in korte tijd al geleid tot een stevige afname van de dagelijkse files. Daarmee heeft minister Nouwen meteen een streep gezet door het miljarden verslindende project van rekeningrijden en tolpoorten. De oppositie verwijt hem woedend belangenverstrengeling met zijn oude werkgever de ANWB, maar daar doe je niks mee als bijna 90 procent van de automobilisten er ook tegen is. Voor de gemeente Den Haag betekent een ambtenarenstop echter een forse aderlating. In vergelijking met Amsterdam en Rotterdam heeft de stad weinig werk te bieden; er is geen haven, nauwelijks industrie. Het ligt dus voor de hand dat het college van B&W het imago van internationale Vredesstad flink wil oppoetsen. Na de oorlog in het voormalig Joegoslavië heeft dat ook gewerkt, dus waarom nu niet met al het gesodemieter in Irak, Liberia en Afghanistan? En dus moet de stad gepromoot worden als aantrekkelijke woonplaats. Diplomaten en goedbetaalde juristen verruilen Londen of Tokyo nu eenmaal liever niet voor een verregende Vinex-wijk.

Het is saai werk, dat fotograferen van zeventiende-eeuwse

panden, historische gebouwen, luxe flats aan zee, de statige, uitgestorven negentiende-eeuwse wijken en parken. Stilstaand materiaal, je kunt er weinig mee als fotograaf, en bovendien willen ze geen bijzonder werk, maar veredelde kalenderplaten. Hij zou de klus ook nooit hebben aangenomen als er geen dertigduizend euro voor drie maanden werk tegenover stond. Dat kost hem de weekeinden, nu ministers en staatssecretarissen zowat om de dag persconferenties beleggen om hun plannen toe te lichten. Daar komt bij dat hij straks ook voor het *M-magazine* naar de Antillen moet om een fotoreportage te maken. LPF en VVD willen daar aandringen op structurele wijzigingen in het Koninkrijksstatuut. Dat hij 'moet' is trouwens niet het goede woord, hij heeft het voorstel zelf binnengebracht. Hij kent de Antillen goed en hij komt er graag, het is altijd dankbaar fotograferen.

Achteraf bekeken komt het dus wel goed uit dat Tessel hem aan zijn kop zeurde of zij niet wat voor hem kon doen. Natuurlijk, mevrouw is veertien en heeft geld nodig. Kleding, make-up, cd'tjes, beltegoed, computerspelletjes, cadeautjes, de hockeysoos, belachelijk dure frisdrankjes waar Carla allemaal geen geld voor zegt te hebben. Hij was er niet voor, een veertienjarige, maar de serie die Tessel van een nieuwe villawijk maakte, ziet er heel goed uit. Eigenlijk is hij apetrots op haar, want je moet er toch oog voor hebben. Ze werkt nu op de vroege zondagochtend voor hem, vijftig euro per keer, onder de strikte voorwaarde dat ze er met niemand over praat, ook niet met Carla. Als iemand haar zo bezig ziet, zegt ze maar dat het een opdracht voor school is. Vriendjes en vriendinnen zal ze op zondagochtend niet tegenkomen, het is al een hels karwei om haar zelf dan vroeg uit bed te krijgen. Ze heeft tegenwoordig elke zaterdagavond wel wat. Van die vijftig euro betaalt hij er twintig uit, de rest zet hij op haar bankrekening.

Het merkwaardige is dat Bart Bregstra hem die opdracht

toespeelde – de omgekeerde wereld. Bregstra timmert aardig aan de weg sinds hij in Den Haag zit. Natuurlijk had de krant niks voor hem. Wat wil je ook met abonnees die gemiddeld zestig jaar zijn? De cynische grap is dat er in elk geval nog winst op de overlijdensadvertenties wordt gemaakt. Er zijn plannen om een speciale ochtendkrant voor de beter opgeleide jongeren te maken. Een wanhoopspoging natuurlijk, met de ontlezing, internet en twee gratis krantjes. Bovendien is de NRC niet bepaald dé krant voor een Fries die gek is op voetbal. Ook niet voor een primeur over Friso's liefje dat met wijlen Bruinsma in bed zou hebben gelegen. Bart heeft het verhaal aan *De Telegraaf* verkocht, die er breed mee opende. Hoeveel geld hij ervoor ving, wil hij niet zeggen, maar feit is dat hij inmiddels wel een eigen bureautje heeft, nota bene aan het Nassauplein. Hij doet aan fitness en is minstens tien kilo afgevallen, loopt in een soort Fortuyn-pakken en least een dure Audi. De teksten bij de foto's schrijft hij zelf. Tessel glom toen hij Lex complimenteerde met de foto's van die villawijk. Maar dan nog, ook met haar samen redt hij het niet.

Het is een regenachtige zaterdagochtend. Tessel zit op een voorjaarskamp van haar hockeyclub ergens in Groningen. Hij had foto's van dure penthouses aan de boulevard willen maken, maar dat heeft nu geen zin, zodat hij in arren moede begonnen is zijn archief op te ruimen. Het souterrain is een zootje. Het is strikt verboden terrein voor de werkster en hij is niet iemand die wekelijks de stofzuiger hanteert. Zojuist heeft hij een koffiekopje gevonden met een gifgroene laag harde schimmel onderin, plus twee aangevreten muizenlijkjes en een verkreukeld pikant slipje dat hij ooit voor Anke kocht. Het zat verfrommeld tussen de kussens van het bankje en hoewel zijn geheugen niet denderend is, herinnerde hij zich ogenblikkelijk hoe het daar terecht is gekomen. Bijna een jaar geleden. Kun je nagaan. Het deed hem toch wat. Wat de liefde betreft, die is voor zijn kind, en aan seks dénkt hij niet eens. Wat wil je met die bal? Tot zijn verbazing had hij in het ziekenhuis een kaart van Anke gekregen, waarop ze hem beterschap wenste. Maar Bart vertelde dat ze bij hem op kantoor was geweest en dat ze naar hem had gevraagd. Barts oom, de bestuursadviseur van burgemeester Deetman, is weer bevriend met haar vriend Van Essen. Anke had Bart gevraagd om haar ruwe teksten van Fortuyns biografie bij te vijlen. Het kleine Haagse wereldje. Toch aardig dat Bart hem erover belde.

'Vind je toch niet vervelend als ik dat doe?'

'Welnee.'

Volgens Bregstra ging ze binnenkort samenwonen met die Van Essen. Ze doet maar. Hij heeft de muizenlijkjes heel symbolisch in het slipje gerold en in de vuilnisbak gepropt.

Het is onvoorstelbaar hoeveel foto's hij van Fortuyn heeft liggen. Misschien kan hij ze wel aan Anke verpatsen voor die biografie! De ijdele lul, vijfenvijftig jaar oud, een biografie! De meeste foto's heeft hij ook afgedrukt, hij vindt dat toch lekkerder werken dan van het scherm. Het moeten er honderden zijn: Fortuyn met Nagel en die nitwit van Westbroek bij Leefbaar Nederland; met Harry Mens toen hij nog de Liberale Partij Nederland wilde oprichten. Met die flikkerhondjes op het strand in Noordwijk; met die foute imam Haselhoef; met een aangeslagen Melkert; belaagd door Marokkaans tuig bij restaurant Saur; poserend in driedelig kostuum onder zijn eigen portret, nog eens naast dat van JFK; met taart op zijn gezicht tijdens een boekpresentatie in Nieuwspoort; op de eerste bijeenkomst van de LPF; beëdigd raadslid in Rotterdam; nog eens als Kamerlid; samen met een groep hotemetoten ergens aan een diner; met onroerendgoedbonzen als De Kroes, Paarlberg, Thunnissen, Maas. Ook al heeft Fortuyn grote schoonmaak gehouden binnen de partij, alle foto's worden bewaard. Er lopen verschillende processen tegen grote jongens die Fortuyn indertijd sponsorden, dus je weet maar nooit. Net twee maanden geleden werd de gewezen Heineken-ontvoerder Cor van

Hout op straat geliquideerd, en hij zou via een Amsterdamse advocaat connecties hebben gehad met de onroerendgoed-penoze rond Fortuyn. Ook al ratst iedereen tegenwoordig van internet, een uitgebreid archief kan een dikke appel voor de dorst zijn voor een fotograaf.

De bel schalt door het gangetje als hij net het trapje op loopt om koffie te halen. De stofzuiger zwijgt en Meral komt al uit de woonkamer, maar hij beduidt dat hij wel open zal doen.

'Is er nog koffie?'

'Net gezet.'

Als hij de deur opentrekt, kijkt hij vragend naar een kleine gebruinde jonge vrouw die hem glimlachend opneemt.

'Nou zeg! Ken je me niet meer?'

Dan ziet hij wie ze is.

'Hé, Marike! Jij ziet er goed uit! Hoe lang ben je al terug?'

'Sinds afgelopen weekeinde. Stoor ik je?'

'Ben je gek. Kom binnen! Wat leuk.'

Ze lacht weer en houdt een papieren zakje op. 'Ik heb appelpunten gekocht.'

Ze loopt langs hem heen en hij sluit de deur. In de woonkamer zoemt de stofzuiger weer.

'Hoe lang ben je weg geweest?'

'Bijna vijf maanden.'

'Zo! Wat heb je daar al die tijd gedaan?'

'O, hartstikke veel. Australië is groot, hoor!'

'O ja?' Hij lacht en pakt een mok uit de kast. 'Suiker? Melk?'

'Zwart graag. Stoor ik je echt niet?'

'Nee hoor. Ik zat in mijn archief te rommelen. Laten we maar beneden gaan zitten, want de werkster is hier boven bezig.' Hij schenkt de koffie in en probeert zich te herinneren waar haar ansichtkaart vandaan kwam.

'Waar zat je nou ook alweer?'

'Adelaide, in het zuiden, bij de zus van mijn moeder. Maar ik heb de meeste tijd rondgereisd, een jeep gehuurd. Gaaf, hoor. Maar ik ben toch wel blij dat ik terug ben.'

'Ik had je nog in het Westeinde willen opzoeken, maar je moeder zei dat je al weg was.'

'Dat zei ze ja. Eigenlijk wilden ze me niet laten gaan, maar ik wilde er echt weg. Ik had bijna zes maanden in ziekenhuizen gelegen.'

'En wat ga je nou doen?'

'Geen idee. Ik zit voorlopig in de WAO. Ik hou mijn kamer in Leeuwarden nog aan, maar daar wil ik eigenlijk niet meer zitten.'

Ze loopt achter hem aan het trapje af.

'Wat leuk! Ik heb altijd al een souterrain willen hebben.'

'Dat zegt iedereen, maar je kunt er niet veel mee. Altijd kunstlicht en steenkoud in de winter, zeker hier aan de noordoostkant. Kom binnen.'

Hij laat haar voorgaan. Hij is ervan overtuigd dat Meral zich boven afvraagt of Marike zijn vriendin is, ze heeft al vaker gezegd dat hij een nieuwe vrouw moet nemen. Geïntegreerd als de pest, maar toch, een vrouw 'neem' je dus. Marike Spaans. Kom op! Hoe oud zou ze zijn? Een jaar of tien, twaalf ouder dan Tessel? En net zo klein. Hij houdt van lange vrouwen.

'Sorry voor de troep.'

'Moet je bij mij komen! Kan ik daar gaan zitten?'

Ze knikt naar het bankje.

Hij glimlacht. 'Natuurlijk.'

Als ze ernaartoe loopt, ziet hij dat ze een beetje trekt met haar rechterbeen.

'Wat een zooi foto's! Ontwikkel je nog steeds zelf?'

'Ja.' Hij zet haar mok op het rotantafeltje. Ze gaat zitten en kijkt naar een grote foto van Tessel in haar keeperspak, haar helm als een trofee in een hand.

'Wie is dat?'

'Mijn dochter. Ze is keepster hier bij HDM.'

'O ja, dat is waar. Je had haar een keer bij je op de redactie toen ik stage bij jullie liep. Mooie meid, hoor. Je hebt toch ook zo'n mooie vriendin, Anneke of zo?'

'Anke. Hád. We zijn al een tijdje uit elkaar.'

'O. Sorry, hoor.'

'Ben je gek. Moet je eigenlijk nog terug naar het ziekenhuis?'

'Nee. Ik moet nog wel naar fysio en spraakles. Hoor je wat aan me?'

'Een heel klein beetje.' Dat is zo. Af en toe hapert ze.

'Ze zeggen dat het wel overgaat. Maar ik ga wel met mijn therapeute binnenkort naar Leeuwarden.'

'O?'

'Ja. Ik ben er niet meer terug geweest. Volgens haar kan het helpen.'

'Waarmee?'

'Nou, ik ben wel mooi twee dagen uit mijn geheugen kwijt. Misschien dat er iets terugkomt als ik er ben.'

Hij knikt, al gelooft hij er niks van. Als je niet weet wat er is gebeurd die achtenveertig uur, waar moet je dan heen?

'Mag ik hier roken?'

'Tuurlijk. Eh...' Hij pakt het schoteltje onder zijn kopje vandaan. 'Doe het hier maar op.'

Ze maakt haar schoudertas open. 'Hé. Moet je horen. Echt idioot.'

In plaats van sigaretten haalt ze een opengescheurde rode envelop uit de tas.

'Ik snap er geen hout van. Die man, hè... die me toen opzocht, weet je wel...'

Verbaasd ziet hij dat ze een wenskaart uit de envelop trekt.

Ze lacht. 'Echt knettergek. Lees zelf maar. Hij kwam toen ik al weg was. Het ziekenhuis heeft hem naar mijn moeder doorgestuurd.'

Op de voorkant van de kaart staan twee gefotografeerde pinguïns en daarboven een ballon met daarin: BETERSCHAP! Met stijgende verbazing leest hij de tekst achterop, die in een keurig ouderwets handschrift is geschreven.

'Gek, hè?' zegt ze en ze haalt haar sigaretten tevoorschijn.

Hij knikt maar wat en leest de tekst opnieuw. 'Geachte mevrouw. Het spijt me dat ik u zo aan het schrikken bracht. Ik weet dat u helaas als gevolg van die verschrikkelijke gebeurtenis aan tijdelijk geheugenverlies lijdt. Ik wil u waarschuwen voor de fotograaf Lex de Rooy. Ik weet niet waarom, maar hij kan te maken hebben met wat u overkwam. Ik hoorde dat u een tijd weggaat, ik bel u tevoren. In de hoop dat u spoedig zult genezen. Icarus (!)'

Verbijsterd leest hij de tekst nog eens en kijkt dan op omdat er papier ritselt. Ze heeft de zak opengemaakt en haalt er de appelpunten uit. Tot zijn opluchting zit ze er heel ontspannen bij.

'Gek, hè?' zegt ze weer en ze steekt hem een punt toe. 'Moet ik een schoteltje halen?'

Hij schudt zijn hoofd. Wat is dit in 's hemelsnaam? Wat bedoelde die Evers? Wie of wat is Icarus en waarom staat daar een uitroepteken achter?

'Snap jij het?'

'Geen idee.' Hij legt de kaart neer en hapt verward in de punt. Waarom schreef Evers dat?

'Wat denk je? Een gek?'

Weet ze het nog niet? Een paar maanden geleden had Muntinga gebeld. De man die zich Schuurman had genoemd, was dood in een flat hier in Den Haag gevonden. Een hartaanval. Veel meer dan dat hij in werkelijkheid Ben Evers had geheten en dat hij vroeger ambtenaar bij Landbouw en Visserij was geweest, had Muntinga niet geweten.

'Heeft je moeder het niet verteld?'

'Wat?'

Blijkbaar heeft Muntinga dat niet belangrijk gevonden voor haar moeder.

'Hij is dood.'

Haar mond hangt wagenwijd open, rook kringelt eruit.

'Ze hebben hem niet lang nadat hij je in het ziekenhuis opzocht gevonden. Hartaanval.'

'Jezus! Wat erg!'

'Hij lag dood in de flat van een oude vriendin of zo. Hier in Den Haag. Ze vond hem toen ze thuiskwam.'

Ze trekt een grimas. 'Dan zal die vrouw zich ook wel bijna dood zijn geschrokken. Wie was hij dan?'

Hij neemt een slokje en dan schiet hem te binnen dat Evers hem op het Mediapark gezien kan hebben toen hij Smolders fotografeerde. Schreef hij deze kaart daarom? En reageerde hij daarom zo panisch in het ziekenhuis? Maar wat dacht hij dan?

'Een ambtenaar.'

'Ambtenaar?' Ze lacht ongelovig. 'Dat meen je niet!'

'Van het ministerie van Landbouw, maar daar was hij al jaren weg vanwege zijn hart.'

'Jezus, hé. Hoe heette hij ook alweer? Schuurman of zoiets toch?'

'Nee. Zo noemde hij zich toen in het ziekenhuis. Maar hij heette Evers. Hij woonde hier in Den Haag, ergens op een bovenwoning. Volgens Muntinga was hij nogal op zichzelf. Echt zo'n man die maanden onopgemerkt dood in zijn huis kan liggen.'

'Wie is Muntinga?'

'Een rechercheur in Leeuwarden. Hij heeft je in het ziekenhuis opgezocht.'

'O. Ja. Ik wist niet dat hij zo heette. God, ambtenaar. Wat belachelijk! Waarom noemde hij zich dan Schuurman?'

'Geen idee.' Hij pakt de envelop. Het stempel over de postzegel dateert van 15 oktober 2002, de kaart is gepost in Den Haag. Een dag dus nadat hij in het ziekenhuis was.

'Waarom zou hij me voor jou willen waarschuwen?'

Hij schudt zijn hoofd. 'Hoe heet je therapeute ook alweer?'

'Thera.'

'Ja. Die zei dat je je wel herinnerde dat hij binnenkwam, maar dat je niet goed snapte wat hij wilde.'

Ze knikt. 'Ja. Ik weet het niet goed meer. Hij deed wel aardig, maar hij leek me ook bang.'

Hij zwijgt afwachtend.

'In elk geval heel zenuwachtig. Volgens mij had hij het toen ook al over die rare naam Icarus.'

Lex fronst. 'O ja?'

'Hij vroeg zoiets van hoe ik wist van Icarus. Ik begreep er natuurlijk helemaal niks van. Toen vroeg hij waarom die mannen me dan achterna hadden gezeten.'

'Mannen?'

'Ja. Ik wist niet waar hij het over had en toen haalde hij een foto uit zijn zak...'

Ze zwijgt. Buiten rennen kindervoetjes langs de raampjes.

'Thera zei dat je niet wist wat dat voor foto was.'

'Nee. Ik weet alleen dat ze me later verteld hebben dat ik de hele boel bij elkaar heb gegild!' Ze inhaleert en moet hoesten.

'En je weet niet of je hem eerder had gezien? Evers, bedoel ik. Schuurman.'

'Nee. Maar die politieman – hoe heet ie ook alweer?'

'Muntinga.'

'Die dacht dat ik hem misschien eerder had ontmoet. Of die avond dat ze me... Nou ja.' Ze zwijgt en neemt weer een trekje.

Hij staat op en loopt naar de stapels foto's op zijn bureau.

'Heeft hij je ook verteld dat je die avond schroevendraaiers hebt gekocht?'

'Ja. Helemaal idioot, hè? Waarom zou ik dat hebben gedaan?'

'Je moet er in elk geval haast mee hebben gehad, want je kocht ze tegen sluitingstijd.' Hij kan de vergroting van Evers niet vinden, maar wel een van de foto's van Smolders bij de Daimler.

'Hij staat daar achteraan.'

Ze pakt de foto met Smolders aan en knijpt haar ogen wat samen. 'Heb jij die gemaakt?'

'Ja.'

'Die man met dat jack is toen doodgeschoten, toch?'

Lex knikt afwachtend.

'Het lijkt alsof ze met elkaar praten.'

'Heeft Muntinga ook gezegd wat hij dacht?'

Ze kijkt hem vragend aan. 'Wat bedoel je?'

'Hij dacht dat die bodyguard mogelijk de tip had dat Wiegel en Fortuyn die avond in het Oranje Hotel zouden zijn, dat hij die doorgaf of verkocht aan die Evers, en dat die jou dan weer in Leeuwarden informeerde.' Lex aarzelt of hij een sigaret zal vragen. Sinds een paar maanden rookt hij er af en toe weer een. Alleen als Tessel er niet is, want dan is hij de pineut voor tien euro. Dus koopt hij ze niet.

'Dan zou ik hem toch al langer moeten kennen. En waarom zou hij het dan aan mij vertellen? Een stagiaire.'

Hij knikt.

'Mag ik misschien een sigaret?'

'Wat? Ja, tuurlijk.'

Hij pakt er een, steekt hem aan en inhaleert diep.

'En je weet dus ook niet of hij nog geprobeerd heeft je te bellen toen je al naar Australië was?'

'Nee.'

Hij pakt de kaart weer op en leest de tekst opnieuw. Het is en blijft krankzinnig. Heeft Evers gedacht dat hij wat met de aanslag op Fortuyn te maken had?

'Misschien is het het beste om die politieman maar even te bellen.'

Hij komt overeind om de telefoon te pakken, als hij zich realiseert dat hij die boven heeft laten liggen. Het notitieblaadje met Muntinga's nummer hangt nog aan de bureaulamp. Hij pakt het en vraagt zich af of de politieman er op zaterdag is.

'Loop even mee, dan nemen we meteen nog koffie.'

Ze knikt en staat op. 'Weet je trouwens niet iets voor me bij jullie of ergens anders? Ik bedoel, freelance of zo?'

'Eh... nou, niet zo een-twee-drie. Heb je Bart al gesproken?'

'Ja. Die zou kijken. Die gaat trouwens als een speer. Jij doet wat voor hem, toch?'

Meral schreeuwt van boven. 'Meneer? Ik ga ervandoor.'

'Ik kom eraan!'

Hij neemt nog gauw een trekje, dooft de sigaret en pakt zijn mok. Marike gaat hem voor naar boven. Ze heeft wat dikke kuiten, maar hij vindt ze wel aantrekkelijk. Meral staat in de gang en glimlacht alsof ze het wel leuk vindt: hij met een jonge vrouw daar beneden. Ze heeft de radio in de keuken aan laten staan, waarop Mieke van der Wey iets vraagt over geluidsarchieven van Radio Oranje in de Tweede Wereldoorlog.

Hij pakt zijn portemonnee en betaalt Meral.

'Bedankt en prettig weekeinde.'

Ze knikt, glimlacht naar Marike, pakt haar tas en loopt naar de hal.

'Als jij koffie inschenkt...'

De telefoon ligt op tafel in de woonkamer naast een setje foto's voor Bart. Hij pakt hem en toetst het nummer in. Het duurt lang, tot opeens de verbinding wordt verbroken, zodat hij zich geërgerd afvraagt of hij een fout heeft gemaakt.

'Lex?'

Marikes stem klinkt vlak achter hem en als hij zich omdraait, ziet hij haar in de deuropening staan. Zo bruin als haar gezicht net was, zo bleek is het nu.

'Wat is er?'

Ze glimlacht wat wezenloos.

'Wat is er?'

Ze schudt haar hoofd en haalt even diep adem. 'Ik weet hoe ik erachter kwam dat Wiegel een afspraak met Fortuyn had.'

4

'Lieve pa,' schrijft ze. 'Pim vond deze foto en vroeg zich af of jij mogelijk iets weet over de mensen die erop staan. Hij heeft geen idee, behalve dat de opname ergens eind jaren zestig of begin jaren zeventig moet zijn gemaakt. Omdat er zo te zien een paar mannen tussen staan die van jouw generatie zijn (*no offense!*) en jij, net als hij, toen eerst in Amsterdam en later in Groningen zat, zou je ons misschien kunnen helpen. Ik wil namelijk ook zijn vrienden en kennissen uit die tijd spreken, omdat hij daar toch vooral gevormd (ahum!) is. En zou je me kunnen en willen introduceren bij professor Harmsen (al zal die als rechtgeaarde marxist wel gruwelijk de pest hebben aan Pim!). Ik bel je gauw om langs te komen, hopelijk samen met Keje. (Druk! Druk! Druk!)'

Ze leest de tekst over, schrijft er dan 'Liefs, kus, Anke' onder, vouwt het vel om de foto en steekt ze in de geadresseerde envelop. Druk. Dat kun je wel zeggen. Ze komt overeind en doet de balkondeuren open. Ondanks de kille wind zit het terras van De Posthoorn beneden aardig vol. Sinds het nieuwe jaar is het partijkantoor weer verhuisd naar een fraai historisch pand aan de Kneuterdijk, maar zij is hier met haar secretaresse blijven zitten. De tweede verdieping wordt nu gebruikt als trainingscentrum en kleine tv-studio, waar ook de eigen politieke uitzendingen worden opgenomen. Ze werkt er vaak nog 's avonds. Geen punt voor Keje, die net zo'n workaholic is. Wat dat betreft is er maar weinig verschil met Lex, behalve dat Lex het liefst morgen zou stoppen, terwijl Keje barst van de ambitie. Steeds vaker schakelt Pim hem in als persoonlijk adviseur. Hij is nu ook enkele dagen naar de kadertraining van de partij.

Het werk aan Fortuyns biografie kost veel meer tijd en energie dan ze had gedacht. Voor een deel komt dat doordat ze ontzettend veel materiaal moet doorworstelen. Pim heeft – niet verbazingwekkend – veel bewaard: agenda's, dagboeken, foto's, schriften vol herinneringen. Bovendien is ze het schrijven behoorlijk ontwend sinds ze uit de journalistiek is gestapt. Proza, zinnen laten lopen, niet in herhalingen vervallen, synoniemen zoeken – het vergt toch allemaal meer dan organisatieschema's opstellen of rapporten uitwerken. Mismoedig herinnert ze zich hoe makkelijk het jubileumboek over Vroom & Dreesmann, haar afging. Binnen vier maanden was ze daar klaar mee, vijftigduizend gulden verdiend. Dat lag vooral aan Anton Dreesmann, die, hoewel al dik in de zeventig en met een beroerte achter de rug, een geheugen had als een ijzeren pot en bovendien een fantastisch archief in zijn prachtige landhuis. Een concern dat toen al honderdtien jaar bestond, met warenhuizen, kledingzaken, een bank en internationale vestigingen waarvan de jaarstukken kant-en-klaar lagen, is ook andere koek dan een persoon van vijfenvijftig jaar, hoe boeiend Pim ook is. Wat trouwens ook maar relatief is, want dat geldt vooral voor zijn politieke opvattingen, en daarover heeft hij zelf al onnoemelijk veel gepubliceerd in columns en boeken. Bovendien heeft hij zelf al een soort autohagiografietje geschreven met het boekje *Babyboomers*. Een biografie is iets anders en als biografe moet je je allereerst kunnen inleven in je hoofdpersoon. Tot nu toe lukt dat haar niet. Ze zal het niet hardop zeggen, behalve tegen Keje, maar afgezien van alle seksuele escapades is Pims persoonlijke leven behoorlijk saai en voorspelbaar.

Dat hij zich helemaal in zijn eentje heeft opgewerkt is prachtig, maar als je niet oppast, beklijft het beeld van een eenzame man, opgesloten in zijn veel te grote huis, met nauwelijks vrienden. Zelf vindt hij dat geen enkel punt. 'Dan noemen we het *Eenzaam en alleen*, toch? Of *De donkere kamer van Pim*, wat vind je daarvan?'

Humor is niet zijn sterke kant. Eigenlijk is hij een groot, verwend kind, zo briljant als hij is. Opscheppen en provoceren.

Dat is zijn makke: hij denkt zich alles te kunnen permitteren. Daarom begreep niemand waarom hij opeens van mening scheen te zijn veranderd en geen premier wilde worden. Maar nu ze een aantal malen met hem heeft gesproken, snapt ze het wel. Het is dezelfde frustratie waarom hij nooit, afgezien van één keer, een vaste relatie heeft gehad. Of een wetenschappelijke carrière heeft opgebouwd. Hij zegt wel: 'Ik had er geen zin an', maar hij durft het gewoon niet. Hij is als de dood dat het mislukt. Niet voor niets is hij al jaren in analyse. Hij wil niet mislukken, dat is zijn hang-up, juist omdat hij in wezen ontzettend aan zichzelf twijfelt. Meer mensen hebben dat, vooral mannen, is haar ervaring, maar Pim heeft wel een extreme vorm van faalangst. Volgens Keje raakte hij in paniek toen de LPF plotseling omhoogschoot in de peilingen en was hij als de dood dat hij het allemaal waar zou moeten maken. Dat zou de echte reden zijn dat hij zich zogenaamd zo bescheiden opstelde en dolblij was met Wiegels beslissing. Tactisch ook wel slim natuurlijk, want als Wiegel op zijn bek zou gaan, kon niemand het hem verwijten. Maar ja, dat kun je toch moeilijk opschrijven over de man die volgens het NIPO vorige maand door ruim 60 procent van de Nederlanders tot de grootste Nederlander aller tijden werd gekozen. Absurd natuurlijk, dat vond hij ook, al glom hij van trots. Ook al zo kinderlijk. Hoe moet ze zich in godsnaam in hem inleven? Zo kan ze hem toch moeilijk schetsen: als een narcistische, seksueel overspannen homo met faalangst? Over zijn jeugd kan hij veel vertellen, daar komt ze wel uit. Het is jammer dat zijn moeder er niet meer is en zijn vader onlangs overleed, maar zijn broers Marten en Simon en zijn oudste zus Tineke hebben toegezegd graag te willen praten. Zelf heeft hij maar bitter weinig tijd, niet meer dan een uurtje per week. Maar zelfs dan is het lastig. Zo extravert als hij in de Kamer is, zo gesloten is hij wanneer het om zijn privéleven gaat.

'Wat we wel kunnen en moeten beschrijven, is je relatie met Ari. Dat werkt, dat herkennen mensen, dat ontroert.'

Maar Ari Versluis, nog steeds zijn grote liefde, wil niet over Pim praten. Hij is een erkend fotograaf in Rotterdam, heel vriendelijk ook toen ze zei Lex goed te kennen, die hij een groot vakman vindt. Maar hij weigert pertinent haar te ontvangen en heeft haar een kort briefje geschreven: 'Beste mevrouw Van Dam. Ik heb na onze scheiding alles wat aan die tijd herinnert uit het raam geflikkerd. Ik heb heel veel van Pim gehouden, maar de weinige dierbare herinneringen aan hem blijven privé. Ik vond en vind hem heel moedig, maar ook erg extreem in zijn opvattingen over migranten en asielzoekers, daar viel niet met hem over te praten. Niet dat hij hen discrimineert, hij is gewoon bang voor ze. En voor de islam. Hij denkt werkelijk dat onze christelijke cultuur wordt bedreigd. Wat dat betreft is hij altijd het katholieke moedersjongetje gebleven.'

Dat is zeker zo, denkt ze. Een orthodox groot katholiek gezin, een dominante vader, broertjes die hem pestten met zijn poppen en narcisme, een moeder en zusjes die hem op een voetstuk zetten. De enige broer van wie hij veel hield kwam al jong om bij een verkeersongeluk. Ze ontkomt er niet aan daarover te schrijven, maar dat maakt het juist zo moeilijk: het klinkt allemaal zo pathetisch, hoe waar het ook is. Aan de andere kant stelt het het beeld wel bij, het beeld dat hij buitenlanders en vooral moslims zou haten.

Zijn beste vriend Jan vertelde dat hij zelfs een tijd serieus priester had willen worden, tot hij eind jaren zestig net als zoveel anderen gegrepen werd door Marx en de studentenopstanden. Maar de laatste jaren gaat hij zo nu en dan weer naar de mis. Volgens de pastoor van de parochie in Loosduinen, met wie hij goed bevriend is, is Pim ondanks al zijn rare sprongen een oprecht gelovige.

'Dus niet zoals veel homo's die een Mariacultus aanhangen vanwege alle poespas, zoals Reve of zo. Daarom is hij ook zo bezorgd over de groei van de islam; dat heeft geen fluit met discriminatie te maken, moslims zouden dat juist als eersten moeten begrijpen. Wij willen niet anders dan zij in hun landen doen: onze eigen cultuur, taal, godsdienst en historische waarden beschermen.'

Daar is geen speld tussen te krijgen en het heeft niets met de verwijten van tegenstanders te maken of met allerlei idiote vergelijkingen met de Tweede Wereldoorlog en fascisme, waar Lex zo sterk in is. Typisch de wat oudere cynicus die alles vanaf de zijlijn becommentarieert en blijft zwelgen in die vreselijk overdreven jaren zestig, waarvan Pim zo terecht stelt dat daar de ellende allemaal is begonnen. De democratisering, het arbeiderisme, de neergang van het onderwijs, de inspraak – hoe hij Joop den Uyl ook bewondert, dat neemt hij hem kwalijk: de naïeve gedachte dat iedereen gelijk zou zijn. Hij wijt dat aan Den Uyls vrouw Liesbeth – 'Dat was me een kreng, hoor!' – en aan 'lichtgewichten als Pronk, Van Dam en Van der Louw', die over de rug van Den Uyl omhoogklauterden. Het gekke is dan wel weer dat hij een groot voorstander is van vrouwenemancipatie, maar dat zal wel komen doordat zijn vader zijn geliefde moedertje nogal kort hield. Het doet haar aan haar eigen vader denken, die ook de ommezwaai van katholiek naar radicaal-links en vervolgens naar rechts maakte. Hij is nu eenenzeventig, socioloog in ruste, die na de dood van haar moeder een boerderijtje in Drenthe kocht, waar hij sindsdien werkt aan een boek over wat hij 'de misleide generatie' noemt. De babyboomers, zoals Pim. Gedeeltelijk schrijft hij dat uit schuldgevoel, omdat hij aan de universiteit als 'pacifistisch communist' die generatie zelf heeft misleid, gedeeltelijk omdat hij zich bedrogen voelt door zijn eigen idolen, de modieus-linkse intellectuelen van weleer. Ze weet nog goed hoe hij daar ruzie over maakte met Lex, die hem van opportunisme en eigenbelang beschuldigde, waarop haar vader een woedende tirade hield over journalisten die nooit een standpunt innemen, laat staan zo dapper zijn om erop terug te komen, omdat ze daar te dom voor zijn. Alleen met zijn oude leermeester Harmsen heeft hij nog wel eens contact, maar dat is meer om *sentimental reasons*.

Pim heeft nooit college bij hem gelopen, maar wel zijn boeken moeten lezen, en was erg gecharmeerd dat hij zijn medewerking toezei om die periode eind jaren zestig, begin jaren zeventig na te lopen.

Pim komt er rond voor uit dat hij indertijd in de ban was van Marx en Engels, van Castro, Mao en Che Guevara, net als zoveel van zijn intellectuele leeftijdgenoten, maar noemt het lacherig een jeugdzonde die hij algauw 'verdrongen en verdronken heeft'. Veel meer dan dat ze 'onnoemelijk veel vergaderden over arbeidersraden, Franco, de CPN, de Oost-Duitse kameraden-broeders en de zegeningen van de kolchozen' weet hij zich niet te herinneren.

'Nou begrijp je ook waarom ik zo de pest heb aan al dat vergaderen!'

Hij wil haar vader ook graag ontmoeten, maar heeft er tot nu toe de tijd niet voor weten te vinden. Zij trouwens ook niet, want met al het werk voor de partij kan ze maar één dag per week aan de biografie kan werken.

Ze loop naar binnen om koffie te halen en vraagt zich af wanneer ze dan in 's hemelsnaam haar vader zal opzoeken. Het is toch een hele rit naar Drenthe en hij staat erop dat ze in elk geval één nacht overblijft. En hij stelt het ontzettend op prijs als Keje meekomt, en zij eigenlijk ook, want anders dan met Lex kan de oude man heel goed met Keje overweg; ze zijn allebei erg geïnteresseerd in geschiedenis én in schaken. Maar Keje is zo mogelijk nog drukker dan zij. En bovendien is er ook nog het appartement dat ze vorige maand hebben gekocht, en waarvan de verbouwing niet erg opschiet.

Geschrokken kijkt ze op haar horloge en vloekt zachtjes. Door dat verdomde structuurrapport is ze totaal vergeten daar langs te gaan. Het loopt al tegen vieren en de werklui zijn nu natuurlijk al naar huis. Nou ja, als Keje vanavond belt, zal ze wel zeggen dat het allemaal prima gaat en ze zal er morgenochtend wel langsgaan.

Ze kan zich haar laatste vakantie nauwelijks heugen: een weekje met Keje in Provesano, waar ze nog de helft van de tijd met Pim zat te praten over de biografie. In elk geval hebben ze in de zomer drie weken op Curaçao gepland, waar Keje in zijn jeugd heeft gewoond.

Ze draait zich om als ze haar secretaresse de schuifdeuren hoort opentrekken.

'Anke, ik heb een zekere notaris Zijlstra voor je aan de lijn.'

'Zijlstra?' Op het moment dat ze het vraagt, schiet de naam haar te binnen. Zijlstra is de notaris bij wie ze de koopakte van het appartement hebben getekend. Shit, denkt ze automatisch, er zal toch niet alsnog iets mis zijn?

'Geef hem maar even.'

Even later rinkelt haar telefoon.

'Met Anke van Dam.'

'Dag, mevrouw Van Dam. Met Herman Zijlstra van notariskantoor Zijlstra en Van der Dungen. Stoor ik u?'

'Eh... nee.'

'Mooi. Vordert de verbouw van uw appartement?'

Ze fronst verwonderd. 'Wat? O ja.'

'Mooi. Ik ben jaloers, hoor! U gaat daar straks fantastisch wonen.' Hij lacht even. 'Maar dat is niet de reden dat ik u bel. Ik had hier deze week een cliënte op bezoek voor wie ik een tijdje terug een nalatenschap heb behartigd. Daaronder viel een bungalowtje bij Hoog-Soeren van haar ex-man, die enkele maanden geleden...'

Buiten raast een ambulance met gillende sirene over het Voorhout.

'Sorry, ik kan u niet meer verstaan.'

'Ik hoorde het. Die mevrouw is een tijdje opgenomen in een revalidatiecentrum hier. Inmiddels is ze weer thuis en ze is onlangs in die bungalow een kijkje wezen nemen. Bij het opruimen trof ze papieren en notities van haar ex, die onder meer over de heer Fortuyn gaan, als ik het goed heb begrepen. Ze dacht dat die misschien interessant zouden zijn, omdat ze had gelezen dat er een biografie over hem wordt geschreven. Nou ja...' Hij lacht even. 'U begrijpt...'

'Ach. Wat aardig.'

'Geen idee of die spullen bruikbaar zijn natuurlijk, maar je weet maar nooit.'

'Nee.'

'Nou kunnen we twee dingen doen. Ik kan ze voor u bij mevrouw ophalen, maar ze woont niet ver bij u vandaan aan de Jan Muschlaan.'

Dat is inderdaad maar een paar straten bij haar vandaan.

'Dan haal ik ze zelf even, als u haar adres en telefoonnummer voor mij heeft.'

'Natuurlijk. Heeft u een pen?'

'Ja.'

'De naam is Schuurman. Mevrouw E.J. Schuurman.'

Ze noteert de gegevens en neemt aan dat het een van die oudere dames zal zijn die ze wel eens ziet in het winkelcentrum.

'Nou, mevrouw Van Dam, ik hoop dat u er wat aan heeft. En doet u mijn hartelijke groeten aan uw man.'

Ze glimlacht. Haar man. Zover is het nog niet, maar het klinkt leuk.

'Dat zal ik doen. En nog bedankt.'

Ze hangt op en ziet tussen de open schuifdeuren Marja opgewonden wenken. 'Kom!'

Verbaasd komt ze overeind en loopt naar het secretariaat, waar Marja breed lachend bij de monitor van haar computer staat. 'Lees maar!'

Ze buigt zich wat voorover. De tekst opent in kapitalen: VERTROUWELIJK! VAN HET PARTIJBESTUUR.

Dan vloekt ze zachtjes.

Eronder staat dat het partijbestuur die ochtend unaniem heeft besloten mevrouw Philomena Bijlhout met onmiddellijke ingang uit haar functie van staatssecretaris voor Sociale Zaken te ontheffen, nadat vanochtend vroeg bekend is geworden dat zij ten tijde van de decembermoorden in '82 in een militie onder Desi Bouterse heeft gediend.

5

Carla snift nog steeds, maar Lex weet niet of dat van aandoening of van opluchting is. Wat gegeneerd pakt hij haar hand als ze in de lift naar beneden stappen. Een vreemd gevoel, die hand.

'Car, je hoort toch dat het prima is gegaan?'

Ze snuift en veegt langs haar ogen. 'Weet ik wel. Ik vind het zo erg dat we er niet bij waren toen ze hierheen werd gebracht!'

'Ben je gek.' Hij knijpt even in haar hand. 'Het komt allemaal wel goed. Een blindedarm is een soort griepje voor die jongens. En Tes is nog jong.'

De liftdeuren schuiven open. Hij laat de hand los en pakt haar koffer. Het is stil in de hal van het ziekenhuis. Halfeen, lunchtijd, nog geen bezoekuur. Tessel is twee uur geleden geopereerd. Een acute blindedarmontsteking, nota bene tijdens een wedstrijd. Ze is in allerijl naar het UMC in Groningen gebracht. Lex is er met recordsnelheid naartoe gereden na het alarmtelefoontje van Carla. Je kunt er gif op innemen dat er over een maand dus ook een recordboete van het Centraal Justitieel Incasso Bureau in de bus valt.

Het waait buiten.

'Wat wil je? Ergens nog wat drinken, of wil je meteen naar Annie?'

Annie is een vriendin van haar hier ergens in een buitenwijk van Groningen. Hij kent haar nog wel. Mooi, maar een bitch eerste klas, die Carla indertijd aan haar advocate heeft geholpen. Goddank dat ze hier woont, want hij wil naar huis, aan die kloteserie voor Bregstra werken.

'Ik wil eigenlijk het liefst naar Annie, als je het niet erg vindt.'

'Tuurlijk niet. Eh... moet je luisteren. Ik probeer morgen wat te verzetten om hier weer te zijn. Ik bel je nog, ja?'

Ze knikt, nog steeds met tranen in haar ogen. Ze is dik in haar gezicht geworden sinds hij haar de laatste keer zag, een beetje opgeblazen, maar ze heeft nog steeds die prachtige donkere ogen waar hij indertijd als een blok voor viel.

Hij loopt met haar mee naar haar auto, kust haar en zet haar koffer in de achterbak.

'Hou je goed en geef Tes straks een dikke kus van me. En denk er maar aan dat miljoenen kinderen er erger aan toe zijn.'

'Wat is dat nou voor een onzinnige opmerking!'

'O, sorry hoor, ik probeer maar wat.'

Ze zegt niks meer, stapt in, trekt het portier dicht, steekt toch een hand op en rijdt weg.

Hij trekt een grimas en wilde dat hij sigaretten had gekocht. Die kleine woordenwisseling doet hem weer aan jaren geleden denken. En dan heeft hij nog niet eens verteld dat hij binnenkort naar de Antillen gaat. Hij hoort haar al: 'O. Dan mag ik Tessel zeker weer nemen?'

Hij loopt over de parkeerplaats naar de Saab en schuift achter het stuur, als zijn ringtone klinkt. 'Papa telefoon! Papa telefoon!'

Vloekend zoekt hij in zijn jack en zijn colbert eronder naar zijn mobiel. Het eerste wat Tessel mag doen als ze straks weer thuis is, is die kolereringtone eruit halen!

'Hallo?'

'Lex? Met Marike.'

'O. Hoe is het?'

'Luister eens! Die man is hier geweest!'

'Over wie heb je het?'

'Die man uit het ziekenhuis! Die was hier!'

Hij fronst verbluft. 'Waar?'

'In Leeuwarden! Op mijn kamer!'

'Hè? Hoe weet je dat?'

'Omdat ik... Ik ben hier met Thera, weet je wel, mijn therapeute. We lopen de plaatsen langs waar ik volgens de politie op 6 mei ben geweest. Maar ik ben ook nog langs mijn kamer gegaan.'

'Ja.'

'Mehmet zei dat er een man langs was geweest die naar me had gevraagd...'

'Mehmet?'

'Mijn hospes. Mijn kamer ligt boven zijn garage. Die man was al oud, volgens hem, met wit haar en een bril. Hij zei dat hij van de recherche was! Hij had ook een identiteitsbewijs.' Ze lacht veel te hoog. 'Jezus, Lex, ik vind het toch behoorlijk creepy!'

'Wanneer was dat?'

'Vorig najaar. Volgens Mehmet 7 oktober, want hij had die middag tegen Hirsi Ali geprotesteerd die de imam hier het land uit wilde zetten.'

Hij staart voor zich uit. Evers. Wat moest Evers op haar kamer? 7 oktober. Een week voor hij haar in het ziekenhuis opzocht. Wat wilde hij? Zocht hij iets?

'Mis je iets?'

'Nee, ik geloof het niet. Maar er staat ook nog maar weinig.'

Wat dan? Vijf maanden geleden. Waarom herinnert die garagehouder zich dat nog? Er zullen daar toch wel meer rechercheurs langs zijn geweest?

'Hoe weet die garagehouder dat nog zo goed?'

'Omdat hij een remlicht had dat het niet deed. Maar het was voor een ouwe kever en daar had Mehmet geen lampjes voor of zo.'

Hij knikt al onwillekeurig als hij zijn rug opeens ijskoud voelt worden.

'Een kever?'

'Ja.'

'Wat voor kleur?'

'Wat?'

'Wat voor kleur had die kever?'

Hij hoort hoe schor zijn stem klinkt.

'Hè? Hoezo?'

6

De hal van het flatgebouw waar mevrouw Schuurman woont, ruikt naar schoonmaakmiddel. Er staat een fris geschilderd bankje naast de lift. Er hangen bordjes met: GELIEVE NIET TE ROKEN S.V.P., HONDEN AANGELIJND!, en voor de lift ligt een nieuwe kokosmat met: VOETEN VEGEN S.V.P.!

Naast de bordeauxrood gelakte voordeur van haar parterreflat is een emaillen naambordje bevestigd waarop haar naam tussen geschilderde bloemetjes staat. MEVR. E.H. SCHUURMAN.

Hoewel Anke er maar een paar straten vandaan woont, kent ze niemand in deze buurt. De meeste bewoners van de flats zijn welgestelde bejaarden, vaak weduwen en weduwnaars die zelden hun buurtje verlaten. Ze winkelen op het kleine, chique winkelplein, hebben er hun eigen sociëteitsruimte, een diensten- en gezondheidscentrum en verhuizen ten slotte, als ze al niet eerder overlijden, naar een aanleunwoning of een kamer in het om de hoek gelegen exclusieve verzorgingstehuis. Anke heeft het puur uit nieuwsgierigheid opgezocht: bij de laatste verkiezingen stemde 42 procent VVD, 35 procent LPF en 21 procent CDA. Ondanks het relatief hoge aantal invalide bewoners was de opkomst de hoogste van Den Haag.

Omdat de notaris het over een revalidatiecentrum had, verwachtte Anke een vrouw in een rolstoel of achter een rollator, maar ze stond kennelijk al achter de deur te wachten, want ze deed meteen open. En echt oud is ze niet. Een lange vrouw van een jaar of zestig. Kortgeknipt grijs haar en een wat bittere mond, maar wel kinderlijk blauwe ogen, die haar onbevangen opnemen. Ze leunt op een wandelstok, een soort poncho omgeslagen boven een lange grijze rok. Haar hand voelt kurkdroog en stevig aan.

'Elly Schuurman, hoe maakt u het?'

'Anke van Dam.'

'Komt u verder. Wat een toeval dat u hier vlakbij woont.'

Ze loopt het halletje in. 'Ja. Ik vroeg me al af of ik u misschien wel eens in het winkelcentrum had gezien.'

'Dat zou heel goed kunnen. Zal ik uw jas even aannemen? En wilt u thee of liever een glaasje van het een of ander?'

Anke aarzelt. Ze heeft een lange, vermoeiende dag achter de rug en zou het liefst douchen, een pizza in de oven schuiven en die in haar nachtpon met de krant op tafel opeten. Maar ze trekt haar jas uit en hangt die aan de kapstok.

'Ik pas me helemaal aan u aan.'

'Dan zit u vast aan een oude borrel.' De vrouw lacht en doet haar poncho af. Eronder draagt ze een wollen vest. 'U denkt natuurlijk: o jee, een oude eenzame spons, wat moet ik daar nou mee!'

Anke glimlacht hoofdschuddend, opgelucht door de joviale toon, maar ook omdat ze zich al had voorbereid op een kopje slappe thee.

'Twee glaasjes per dag om jong van hart te blijven. Komt u verder.'

De zitkamer is klein, maar oogt verrassend ruim doordat er nauwelijks meubels in staan. Een moderne bank, een glimmende salontafel en twee leren fauteuils. Op de tafel staat een halfvol borrelglaasje op een onderzettertje naast een fles Bokma. In het raamkozijn staan witte porseleinen beeldjes. Aan een muur hangt een antieke staartklok. Op de schouw staan enkele ingelijste foto's met een vaasje gele fresia's. Er zijn geen boeken. Wel hangt er een kolossaal donker schilderij van twee biddende nonnen bij het bed van een jong meisje dat kennelijk doodgaat, want ze heeft haar ogen gesloten en haar handen gevouwen en haar gezicht ziet wasbleek.

'Het is niet veel waard, hoor, zelfs de naam van de schilder is onbekend, maar het is wel uit de achttiende eeuw. Het hing bij mijn grootouders. Gaat u toch zitten. Ik heb trouwens wel iets anders, als u wilt. Een glaasje sherry of port?'

'Nee hoor, een oude jenever lijkt me heerlijk. U woont hier echt leuk.'

De vrouw zet haar stok weg en trekt de deur van een muurkast open. 'Ja, hè? Het was wel prijzig, maar ik zat op een bovenhuis zonder lift en ik kon op een gegeven moment de trap niet meer af.' Ze pakt een glaasje en loopt terug. Ze hinkt een beetje en het lijkt alsof haar ene been korter is dan het andere, want ze loopt scheef.

'Ik heb helaas niet erg veel tijd,' zegt Anke verontschuldigend. 'Ik krijg iemand te eten.'

'Ach. Toch niet meneer Fortuyn?' De vrouw kijkt haar half geamuseerd, half nieuwsgierig aan. 'U moet het me maar niet kwalijk nemen, maar de notaris vertelde dat u de vrouw bent van meneer Van Essen. Een knappe man om te zien! Hij doet me altijd denken aan de jonge Gary Cooper, weet u wel, uit *High Noon*.'

'O jee! Dat kan ik hem beter maar niet vertellen!'

'Is hij dan zo ijdel?'

'U moest eens weten! We zijn trouwens nog niet getrouwd, hoor. En Pim Fortuyn komt niet zomaar bij me langs. Daar ben ik veel te onbelangrijk voor!' Ze lacht. 'En ik denk dat hij mijn kookkunst ook niet erg zou waarderen. Hij is echt wat je noemt een gastronoom.'

De vrouw legt een onderzettertje voor haar neer en schenkt haar glaasje vol tot aan de rand. 'Maar als u zijn biografie schrijft, moet u hem toch zeker regelmatig spreken?'

'O ja, dat wel. Als hij er tenminste tijd voor heeft, maar dat is met zijn drukke werk niet erg vaak het geval.'

'Nee, dat geloof ik graag. We hebben hier in de flat allemaal op hem gestemd, weet u. Hij is toch de enige die zegt waar het op staat. En Den Haag is al zo verloederd met al die allochtonen. Laatst hebben twee van die Marokkaanse ettertjes nog een bejaarde dame hier van haar tas beroofd. Zomaar! Midden op de dag. En politie? Ho maar!'

'Wat erg.'

De vrouw knikt en pakt haar glaasje. 'Nou, op uw gezondheid.'

'Ja. Dank u.'

Ze drinken en even is het stil, op het tikken van de staartklok en vage straatgeluiden na.

Anke snakt naar een sigaret, maar er staat nergens een asbak. Ze kan de foto's op de schouw niet goed zien, maar wel dat er een portretfoto van een man bij staat. Haar ex?

De vrouw zet haar lege glaasje neer, bukt zich moeizaam en trekt een aktetas onder de tafel vandaan. 'Misschien heeft u er niets aan, hoor. Ik heb er een beetje doorheen gesnuffeld. Ik begrijp er eerlijk gezegd niet veel van. Het leken me notulen van vergaderingen, maar het is allemaal erg slordig en cryptisch opgeschreven, met veel afkortingen en verwijzingen die me niks zeggen.' Ze schuift de tas over tafel naar Anke toe. 'Maar omdat meneer Fortuyn vaak wordt genoemd, dacht ik dat het mogelijk interessant was.'

Anke knikt: 'Uw notaris zei dat u ze in het zomerhuisje van uw ex-man vond.'

'Ja. Een bungalow. Ik wist niet eens dat hij er een tweede huis op na hield. Ik heb hem al in geen jaren gesproken.' De vrouw schenkt zichzelf in. Ze morst een beetje, maar lijkt het niet te merken. 'Het was een hele verrassing dat hij het aan me naliet.' Ze drinkt weer en lijkt zich dan opeens iets te realiseren. 'Wilt u misschien iets van een toastje of zo? Als het goed is, heb ik nog wel een Frans kaasje in de koelkast liggen.'

'Doet u geen moeite. Ik heb nog laat geluncht en ik moet toch zo naar huis.'

Ze kijkt naar de aktetas. Hij ziet er nieuw uit.

'U mag die tas wel meenemen, hoor. Ik zou niet weten wat

ik ermee zou moeten. Wilt u echt niet wat eten? Een zoutje misschien?'

'Dank u wel, maar echt niet. Heeft u enig idee waarom uw ex over Fortuyn schreef?'

De vrouw schudt haar hoofd. 'Wat ik zei: we zijn al zo lang uit elkaar. En hij stemde altijd PvdA. Hij was ambtenaar hier op het ministerie van Landbouw. Wilt u nog wat?'

'Eh... een halfje graag. Ik zal straks ook nog aan de wijn moeten!'

'Dan heeft u in elk geval een bodempje gelegd.' De vrouw pakt de fles en schenkt het glaasje bijna vol. 'Ben was eigenlijk nooit zo geïnteresseerd in de politiek. Hij zei altijd dat ambtenaren het werk deden en de dames en heren politici er de vruchten van plukten.'

Ze kijkt opeens heel samenzweerderig. 'Eerlijk gezegd denk ik dat hij een vriendin had met wie hij die bungalow deelde. Ik vond tijdens het opruimen tenminste een fotootje van een vrouw, maar ze was niet op zijn begrafenis. Sowieso waren daar maar weinig mensen.' Ze neemt weer een teugje en schudt dan meewarig haar hoofd. 'Ik denk eigenlijk dat hij me die bungalow uit schuldgevoel naliet. We hebben geen kinderen, ziet u. Gelukkig maar.'

O jezus, denkt Anke, nu krijgen we het hele verhaal van een echtscheiding te horen! Nog vijf minuten, dan zeg ik dat ik echt weg moet.

'We zijn veel te jong getrouwd. Hoe oud bent u, als ik vragen mag?'

'Vierendertig.'

'Ja, dat is een mooie leeftijd. Al levenservaring en toch nog jong genoeg om kinderen te krijgen. Nee, Ben en ik pasten niet bij elkaar, maar dat zie je niet als je zo jong bent, hè?'

Anke nipt van het glaasje en denkt dat hij haar wel in de steek zal hebben gelaten als hij haar na al die tijd een bungalow nalaat.

‘Waar is die bungalow, als ik vragen mag?’
‘Bij Hoog-Soeren op de Veluwe. Dat klinkt mooi, maar het is erg verwaarloosd, hoor. Ik weet eerlijk gezegd niet goed wat ik ermee aan moet. Ik rijd geen auto en met het openbaar vervoer is het mijl op zeven. Ik loop nogal moeilijk, hebt u misschien gemerkt, en er is ook nog eens een grote tuin bij.’
Shit, denkt Anke jaloers, ik zou het wel weten!
‘Maar u bent er dus wel al geweest?’
‘Twee keer. Mijn zusje heeft me gereden. We hebben het wat opgeruimd en schoongemaakt. Zij vindt dat ik het moet verkopen, maar dan zou ik het eerst helemaal moeten laten opknappen. Ben was hartpatiënt en deed er niets aan. Hij overleed ook aan een hartaanval.’
‘Ach.’
Het toeval wil dat hij nota bene hier in de buurt werd gevonden...’ Ze drinkt weer. ‘Nou ja, ook weer niet zo toevallig. Een vriendin van zijn moeder vond hem dood. Hij was er wel eens meer. Ik heb zijn auto er ook wel eens zien staan.’ Ze lacht wat scheef. ‘Die heb ik ook geërfd, maar hetzelfde verhaal: wat moet ik ermee? Een stuk oud roest. Hij reed er blijkbaar ook niet meer mee, want hij staat achter de bungalow.’
‘Dat moet toch vreselijk zijn geweest voor die mevrouw?’
‘Ja. Ik ken haar wel van vroeger. Negenentachtig jaar en nog heel vief. Ze was in het Indisch Huis, ze is Indische, ziet u. Ben moet wat vroeger zijn gekomen, hij wist waar de sleutel was. Het gekke is wel dat ze een verrekijker vond.’
‘Een verrekijker?’
‘Ja. Waarom hij die bij zich had, Joost mag het weten.’ Ze kijkt opeens op. ‘Notaris Zijlstra vertelde dat meneer Van Essen en u een appartement aan de Alexander Gogelweg hebben gekocht?’
‘Eh... ja.’
‘Een prachtige buurt. We wandelden er vroeger wel eens door. Wanneer gaat u er wonen?’

'Nou, dat zal nog wel even duren. Het is wel mooi, maar er moet ontzettend veel aan worden gedaan.'

'En u woont dus nu nog in de Van der Aastraat.'

'Ja, ook leuk, maar eigenlijk te klein.'

'En schrijft u daar dan die biografie?'

'Soms. Ook wel op kantoor, maar ik heb er zelf ook niet zoveel tijd voor met al het werk voor de partij. Ik heb straks veertien dagen vrij genomen...' Ze drinkt het glaasje leeg en lacht. 'Mijn vriend is dan naar de Antillen, dus wie weet schiet ik dan eens wat op.'

'Zou het niet wat zijn als u daar in alle rust kon werken?'

'Op de Antillen?'

Elly Schuurman lacht. 'Nee, in die bungalow. Het is dan wel niet erg schoon, ben ik bang, maar het is er wel heerlijk rustig, terwijl u toch winkels vlakbij heeft.' Ze knikt een paar keer alsof het al bekokstoofd is. 'Ik bedoel, hij staat nu toch maar leeg, nietwaar? En ik hoef er niets voor te hebben, hoor.' Ze lacht en pakt de fles. 'Al zou ik het wel een hele eer vinden als u in het voorwoord zou zetten dat u het mede in mijn bungalowtje heeft geschreven. Nog één halfje?'

7

Dat Marikes hospes Mehmet, een Turk met een Fries accent, het kenteken van de kever zou hebben onthouden was na al die maanden natuurlijk te veel gevraagd. Maar uit Lex' beschrijving herkende hij wel Evers als de chauffeur. Een man van ergens in de zestig, met wit haar en een bril, die gezegd had rechercheur te zijn. De kever was behoorlijk roestig, maar een zeldzaam exemplaar, volgens de hospes eentje uit de serie tussen 1946 en 1953. Een witte. Lex was alleen gekomen, hoewel Marike mee had gewild, maar ze zag er zo moe uit dat hij haar in het café had gelaten waar ze elkaar hadden ontmoet. Ze heeft hem haar sleutel gegeven, zodat Mehmet weet dat hij haar kent. Thera Post is naar de arts die haar hier in het ziekenhuis heeft behandeld. Tegen Mehmet heeft hij gezegd een collega van haar te zijn die toch even wil kijken, en dan aangifte wil doen bij de politie. De Turk heeft zich wel tien keer geëxcuseerd, maar hij had toch niet kunnen weten dat die oude man geen rechercheur was? Er was toch ook niks gestolen? Lex zei dat het een man was die haar al eerder had gestalkt. Marike had het niet tegen Mehmet durven zeggen, maar hij had een paar slipjes en beha's uit haar kamer gepikt.

Mehmet grinnikte samenzweerderig. 'Een rukker!'

Die auto moet toeval zijn. Er rijden per slot meer witte oude kevers rond. En Muntinga had gezegd dat de kever op het Mediapark van een werknemer van het Nederlands Omroepproductie Bedrijf was. Maar het blijft bizar. Wat wilde hij op Marikes kamer, bijna een halfjaar nadat ze er voor het laatst was geweest?

Een ambtenaar in de WAO. Het is ongelooflijk. Een oudere man die op zichzelf woonde en zelden iemand zag. Daar zijn er vast tienduizenden van, maar die geven zich niet uit voor rechercheur. Marike had eerder al naar het hoofdbureau gebeld, maar Muntinga was er niet, net als laatst, toen Lex hem wilde informeren over die vreemde wenskaart. Volgens de telefoniste was hij terug van vakantie, maar kwam hij pas vanmiddag laat op het hoofdbureau. Zocht Evers iets? Iets wat te maken heeft met wat haar die nacht was overkomen? Daar zag het niet naar uit, maar goed, hij is geen politieman. Er lag een bureauagenda van vorig jaar. Op de 5de mei stond dat Marike 's morgens naar een Oranjevereniging moest en 's avonds naar een toneelvoorstelling. Voor de 6de had ze geen afspraken of opdrachten genoteerd.

Hij piekert zich suf terwijl hij terugloopt naar het café. Waarom had Evers weer contact met haar op willen nemen? Het lijkt hem steeds waarschijnlijker dat Evers hem wantrouwde, omdat hij hem op het Mediapark had gezien en later weer in het ziekenhuis. Dacht hij dat hij betrokken was bij de aanslag op Fortuyn en de dood van die bodyguard? Maar dan nog! Wat is het verband met Marike, een stagiaire in Leeuwarden? Muntinga meende dat Evers haar misschien een van de twee dagen ervoor kon hebben ontmoet, 5 of 6 mei. Dat zou best kunnen, al is er in zijn huis in Den Haag niets gevonden wat daarop duidt. Maar zijn suggestie dat Evers haar over Wiegel en Fortuyn zou hebben getipt, gaat niet meer op. Het was toch al vergezocht, maar zo raar als dat verhaal over Wiegels mobieltje in dat Chinese restaurant klinkt, zo geloofwaardig is het ook. Dat verzin je niet.

Hij kijkt op zijn horloge. Het is kwart voor vier. Eerst even een borrel nemen, dan langs het politiebureau en dan terug naar Den Haag. Veel zin om dan nog voor Bart aan de slag te gaan heeft hij niet, maar als hij morgen weer naar Groningen moet en over een paar dagen naar de Antillen, zit er niks anders op. In elk geval kan hij Marike blij maken. Als zij kan en op voorwaarde dat ze haar kop erover houdt. En verder heeft hij hier ook niets te zoeken, al is hij natuurlijk wel nieuwsgierig wat Muntinga straks zal zeggen. 'Case is closed,' zei de politieman wat zuur, nadat Evers dood was gevonden. 'Hoe onbevredigend het ook is, meneer De Rooy, het lijkt erop dat hij zijn geheim mee in het graf heeft genomen.'

Benieuwd wat hij er nu van vindt. En zeker van die wenskaart.

Hij duwt de deur van het café open. Het is er druk, maar gelukkig draaien ze er geen muziek. Marike zit te praten met een punker. Hij loopt naar de bar en vraagt om een jonge borrel, als Marike naar hem toe komt.

'En?'

'Mag ik een sigaret van je?'

'Tuurlijk.'

'Ik koop straks wel een pakje voor je.'

'Ben je gek.' Ze haalt haar pakje Marlboro uit de zak van haar jack en geeft hem er een. 'Wat zei Mehmet?'

'Zoals hij hem beschreef moet het inderdaad Evers zijn geweest. Hij is een kwartiertje op je kamer geweest.' Hij grinnikt wanneer ze hem vuur geeft. 'Ik heb gezegd dat hij slipjes en beha's van je heeft gepikt.'

'Jezus, hé. Die waren daar helemaal niet meer.'

'Daarom.'

Hij blaast de rook uit en pakt de borrel aan.

'Het enige zou je bureauagenda kunnen zijn.'

'Heb ik al aan gedacht, maar wat dan?'

'Geen idee.' Hij drinkt. 'Wil jij nog wat?'

'Een rode wijn graag.'

Hij bestelt een glas rode wijn. Ze gaat naast hem op een kruk zitten.

'Ook al zou ik hem hebben ontmoet, waarom komt hij hier dan vijf maanden later?'

'Geen idee. Misschien had hij je er in het ziekenhuis wel naar willen vragen.'

'Wat dan?'
'Iets over mij bijvoorbeeld?'
'Over jou? Je kende hem toch niet?'
'Nee.'
Hij verstrakt, de sigaret halverwege zijn mond.
'Wat is er?'
'Weet je echt zeker dat je alleen was bij die Chinees toen je Wiegels mobiel vond?'
Ze knikt. 'Absoluut. Ik herinner me dat ik zelfs op de wc ben gaan kijken of er misschien nog iemand was.'
'En toen?'
Ze pakt het glas wijn aan. 'Toen moet ik naar de krant zijn gegaan. Thera en ik zijn daar vanochtend geweest. Volgens een collega zat ik daar alleen toen hij op de redactie kwam. Hij wist niet meer hoe laat, maar wel dat het wat later in de middag was. Hij wist ook dat ik nieuwe schoenen had gekocht, omdat die knelden.'
Ze glimlacht treurig en neemt een slok. 'Weet ik ook niet meer, dat ik die kocht. Waarom vraag je dat?'
Hij drinkt weer. 'Omdat ik denk dat hij of iemand anders heeft gehoord dat je mij belde.'
Ze fronst. 'Maar ik zat alleen op de krant.'
'Je hebt me later nog een paar keer thuis gebeld en ingesproken.'
'Maar toen zat hij toch in Hilversum?'
'Nee. Ik realiseerde het me net pas. Hij staat niet op de foto's van die doodgeschoten bodyguard.'
'Sorry?'
Lex lijkt meer in zichzelf te praten dan tegen haar, begeesterd door zijn eigen gedachtegang.
'Je hebt die foto's later toch gezien? Een collega van Hollandse Hoogte die de mazzel van zijn leven had dat hij daar net was. Die aanslag op Fortuyn was om zes over zes... Op die foto's staan ook anderen. Fortuyn natuurlijk, zijn manager De

Booij, Ruud de Wild, Firouze Zeroual...'
'Maar Evers niet!'
'Nee, precies. Maar op mijn foto's, die ik eerder van Fortuyns chauffeur maakte, staat hij wel bij die bodyguard. Maar hij was er dus niet meer na zessen. Ik maakte die foto's even na vieren. Als hij direct daarna wegging... Met een beetje geluk ben je vanuit Hilversum binnen anderhalf uur in Leeuwarden.'
'Maar waarom zou hij dat hebben gedaan?'
Lex staart voor zich uit. 'Hij kan van die bodyguard hebben gehoord dat Fortuyn een afspraak met Wiegel had. Dan was hij zelf iets van plan.'
'Een gepensioneerde ambtenaar? Wat zou hij daar dan mee moeten?'
Lex zucht en drinkt. 'Bregstra zei dat jullie elkaar rond zes uur in het Oranje Hotel spraken. Kun je Evers daar toen hebben ontmoet?'
Ze pakt haar glas en drinkt nadenkend. 'Bart zei dat we samen in de lounge naar die aanslag hadden gekeken en dat ik wegging toen die voetballer binnenkwam.'
Hij knikt. 'Dan is er zeg maar drie kwartier zoek, want je hebt die schroevendraaiers om zeven uur bij het station aan de overkant gekocht. Dus waar was je dan? Bij Evers?'
'Waar zou ik hem dan ontmoet moeten hebben? Toch niet in de lounge, want dan had Bart dat geweten.'
'Onderweg naar die fietsenstalling bij het station?'
'Hoe wist hij dan wie ik was? Ik ga toch niet zomaar met een oudere man mee?'
'Met een jongere wel?'
'Ha, ha. Nee, serieus.'
'Misschien wel als je hem de vorige dag al had ontmoet.'
Ze zucht, maar zegt niks en drinkt weer.
'Kun je naar Fortuyns hotelkamer zijn gegaan?'
'Waarom?'

'Nou, wat zou je hebben gewild met Wiegel en Fortuyn?'

Ze grinnikt. 'De foto van de eeuw maken, wat dacht jij! Maar ik weet wel dat mijn camera in Den Haag lag. Daarom zal ik jou ook wel hebben gebeld. Kon je eindelijk beroemd worden.'

Hij gaat er niet op in. 'En met je mobieltje?'

'Misschien. Maar hoe dan? Ik bedoel, wat had ik dan in die kamer gemoeten? Onder het bed gaan liggen?'

'Je had toch een recordertje bij je?'

'Dat zal wel. Maar dat is toch hetzelfde? Dan zou ik pas later naar zijn kamer zijn gegaan, om aan de deur te luisteren of zo. Ook niet logisch, want Fortuyn had lijfwachten, dat zal ik wel hebben geweten.'

'Maar je bent er toen wel geweest, want ze vonden je fiets bij de ingang.'

'Ja. Volgens Bart ging ik om negen uur bij Van den Berg State weg en zou ik hem 's avonds laat hier ontmoeten...'

'In dit café?'

'Ja. Ik weet wat je denkt. Wat deed ik dan in dat park? Denk je niet dat ik daar al duizend keer aan heb gedacht? Wat heb ik dan gedaan? En hoe kwam ik daar dan? Godverdomme!'

Er staan tranen in haar ogen en ze grabbelt een sigaret uit het pakje.

'Ben je vandaag met Thera in het Oranje Hotel geweest?'

'Ja. Ook in de suite waar Fortuyn toen logeerde. Het zei me niks. We zijn ook aan de achterkant geweest. Je kunt met een brandtrap op een soort balkonterras komen. Thera denkt dat ik geprobeerd kan hebben met mijn recordertje door het raam heen opnamen te maken. De zitkamer van die suite ligt achter de balkondeuren. Dan zou ik betrapt kunnen zijn... Dat is wat die politieman ook zei... Dan zou ik daar mijn tasje hebben verloren.'

'En zou je door die lijfwachten zijn betrapt.'

'Ja. Maar die schieten je toch niet in je rug en je been?'

Hij schrikt op van gitaarmuziek en herkent Anouks 'I Live for You', het nummer dat Tessel de afgelopen maand continu aan heeft staan.

'Shit,' zegt Marike en ze haalt haar felroze mobieltje uit de borstzak van haar jack.

'Met Marike... Ja, hoi.'

Hij kijkt weer op zijn horloge en besluit geen borrel meer te nemen. Het is even na vieren. Om kwart over vier loopt zijn parkeertijd af. Het beste is om maar naar het hoofdbureau te gaan en dan naar huis. Hij moet niet vergeten straks Carla te bellen hoe het met Tessel is. Kan Evers die middag hebben gehoord dat Marike op zijn voicemail insprak? Maar hoe wist hij dan wie hij was? Kan Evers hem gevolgd zijn van het Mediapark naar Den Haag? Maar waarom? Er was niks gebeurd daar, hij had wat met Smolders lopen lullen en foto's gemaakt.

Jezus, denkt hij, kan Evers toch in die kever bij de ingang hebben gezeten? Heeft hij misschien gezien dat ik daar foto's van die kwijlebal van *GTST* maakte en dacht hij dat het om hem ging? Is hij daarom daarna naar die bodyguard gegaan? Waarom? Waarom zou je dat doen bij een fotograaf die vast voor Fortuyn kwam? Had hij dan te maken met die moordenaar?

Hij schudt zijn hoofd en aarzelt of hij toch nog een borrel zal bestellen.

'Oké,' zegt Marike, 'zie ik je daar. Tot zo. Doei.'

Ze schakelt uit. 'Thera. Ze is hier over een halfuurtje.'

'Hoe ver is het naar het politiebureau?'

'Vlakbij.'

Hij knikt en wenkt de barkeeper om af te rekenen.

'Wat had jij?'

'Twee glazen wijn. Thera stelt voor om ergens een hapje te gaan eten. Zal ik betalen?'

Hij schudt zijn hoofd. 'Nee. Maar ik eet niet hier, want ik wil op tijd thuis zijn. Trouwens...'

'Twaalf euro,' zegt de barkeeper.

Hij fronst en telt het geld uit. Als hij het neerlegt, lacht Marike.

'Wat is er?'

'Zo ken ik je weer.'

'Twaalf euro voor drie consumpties? Dat is meer dan vijfentwintig gulden!'

Ze schudt haar hoofd, pakt twee euro uit haar portemonnee en legt die ernaast.

'Trouwens wat?'

'Wat?'

'Je zei net: trouwens...'

'O. Ja. Of je foto's voor me wilt maken.'

Ze grijnst ongelovig. 'Wat voor foto's?'

'Die stadsplekken voor Bart.'

'Echt?'

'Ja. Op één voorwaarde...' Ze lopen het café uit het drukke winkelstraatje in. 'Hij mag het niet weten, en niemand niet. Dus geen credits.'

'O. Verdien ik er wel mee?'

Hij lacht. 'Hangt ervan af. Ik wil wel eerst wat zien. Wat voor camera heb je eigenlijk?'

'Een Canon, maar wel een paar jaar oud.'

'Laten we morgen maar even kijken.'

'Gaaf, hoor!'

Een donkere parkeerwacht loert door de voorruit van een auto niet ver achter de Saab. Lex holt en haalt opgelucht adem als hij de man verder ziet lopen.

'Oké. Zeg even hoe ik moet rijden.'

Tien minuten later parkeert hij langs een winderig kanaal waaraan het hoofdbureau van politie ligt.

'Blijf maar zitten. Ik kijk eerst wel even of Muntinga er is.'

Hij loopt al naar het gebouw als hij tot zijn verrassing Muntinga naar buiten ziet komen. De kleine politieman kijkt hem stomverbaasd aan.

'Meneer De Rooy! Wat doet u hier?'
'Ik was hier in de buurt. Ik probeer u al een tijdje te bereiken, maar ik krijg geen gehoor.'
'Ah, ja. Ik was een weekje met mijn vrouw naar Spanje. Mijn mobiel deed het daar niet.' Hij glimlacht. 'Tot opluchting van mijn vrouw! Wat is er dan?'
Lex wijst naar de Saab aan de overkant. 'Ik ben hier met Marike Spaans. Zij was vanochtend op haar kamer hier en haar hospes zei dat Evers...'
Tot zijn verwondering pakt Muntinga hem bij een arm en trekt hem half naar binnen, tegen de draaideur aan.
'Sorry, ik wil liever niet op de tocht staan. Ik heb net een griepje achter de rug. Ik sta overigens op het punt om naar een afspraak te gaan.' Hij neemt Lex onderzoekend op. 'Wat was er met Evers?'
'Hij was op haar kamer. Hij gaf zich bij haar hospes uit voor rechercheur.'
Muntinga knijpt zijn ogen samen. 'Wanneer was dat?'
'Op 7 oktober vorig jaar. Een week voor hij haar in het ziekenhuis opzocht. Hij heeft haar later nog een kaart gestuurd, maar toen was ze al naar Australië.'
'Een kaart?'
'Een wenskaart waarin hij haar waarschuwt voor mij.'
Muntinga's ogen zijn nu niet meer dan spleetjes. 'Voor u?'
Lex lacht wat onnozel. 'Ja.'
'Schreef hij ook waarom?'
'Kennelijk dacht hij dat ik met die overval op haar te maken kon hebben.'
'Kon hebben?'
'Ja. Krankzinnig natuurlijk. Ik was hier niet eens. Wat trouwens ook gek is, is dat hij volgens haar hospes in een witte oldtimer kever reed...'
Een geüniformeerde politieman komt door de draaideur naar buiten.

'Ik kom eraan,' zegt Muntinga. De politieman knikt en holt tegen de wind in naar een politiewagen.

'Een witte kever,' zegt Muntinga. 'Wat is daar... Ach, u denkt aan die kever op het Mediapark indertijd.' Hij glimlacht. 'Ik ken die hospes wel. We hebben hem al eerder gesproken. Wist hij het kenteken?'

'Nee.'

'Wij wel, meneer De Rooy. De heer Evers had inderdaad een witte Volkswagen-kever, als ik me goed herinner uit 1948. Het is inderdaad toevallig, ik heb er geen seconde aan gedacht, maar goed, er zullen er daar wel meer van rondrijden. Hoe weet u trouwens dat die kaart van Evers afkomstig was?'

'Hij maakte zijn excuses dat hij haar in paniek had gebracht.'

Muntinga kijkt hem scherp aan. 'Schreef hij ook waarom?'

'Nee. Hij ondertekende trouwens met Icarus.

Muntinga's ogen verwijden zich wat. 'Icarus?'

'Ja, die mythologische figuur. En het eigenaardige is dat hij daarachter tussen haakjes een uitroepteken zette, alsof dat haar wat moest zeggen.'

'En deed het dat?'

'Nee.'

Muntinga hoest, trekt de kraag van zijn jas op en kijkt dan naar de politiewagen, die langzaam aan komt rijden. 'Dat is inderdaad heel eigenaardig, ja. Eh... het spijt me verschrikkelijk, maar ik moet echt weg. Kan ik u morgen ergens bereiken? Ergens in de ochtend?'

'Eh... ja. Ik ben thuis.'

'Prima.'

De politiewagen stopt pal voor de ingang.

'Zou u zo goed willen zijn die wenskaart aan de receptie af te geven? Het spijt me, maar ik ben al te laat. Ik neem nog contact met u op.'

Lex knikt. Muntinga ook. Dan stapt hij haastig achter in de politiewagen, die ogenblikkelijk optrekt.

Lex huivert in de wind en loopt naar de Saab. Op de autoradio klinkt een reclame om nu te beleggen bij ABN-AMRO.

'Wie was die man?' vraagt Marike.

Hij kijkt op. 'Wat?'

'Ik heb hem wel eens meer gezien, maar ik weet niet meer waar.'

'In het ziekenhuis, denk ik. Hoofdinspecteur Muntinga.'

Ze schudt haar hoofd. 'Nee. De politieman die me daar opzocht was blond en langer. En jonger.'

'O. Nou, dat kan. Dan was dat een van zijn mensen waarschijnlijk.'

Ze inhaleert fronsend. 'Maar waar heb ik hém dan gezien?'

'Misschien van de krant? Persconferentie of zo?'

Ze knikt aarzelend. 'Ja, dat zal wel.'

'Mag ik die wenskaart? Die wil hij graag hebben.'

Als hij even later weer het stuur schuift, kondigt de nieuwslezer het nieuws van halfvijf aan.

'Zojuist is bekend geworden dat LPF-staatssecretaris mevrouw Philomena Bijlhout van Sociale Zaken opgevolgd zal worden door haar partijgenoot João Varela. Zoals bekend zou mevrouw Bijlhout ten tijde van de decembermoorden in 1982 in Suriname lid zijn geweest van een militie van Desi Bouterse, en heeft ze dat verzwegen. Voor Varela's positie, het staatssecretriaat voor Overzeese Rijksdelen van Binnenlandse Zaken, is voorgedragen de woordvoerder van Pim Foruyn, de heer Keje van Essen. Overigens wordt een nieuweling binnen de VVD, Rita Verdonk, genoemd als mogelijke opvolgster van Ayaan Hirsi Ali...'

Lex vloekt zo hard dat Marike verwilderd opkijkt.

'Jezus, hé, wat is er?'

8

Ze is op het eerste gezicht verliefd op de bungalow. 'Bungalow' is trouwens het woord niet. Dat associeert ze met die landschap ontsierende, opgemetselde misbaksels die ze onderweg hierheen bij bosjes is gepasseerd. Maar 'Het Strokapje' heeft wel wat weg van een cottage zoals je die in Cornwall of Devon ziet. Een witgepleisterd huisje met een rieten dak, dat als een muts over de eerste verdieping is gestulpt. Romantisch, de sfeer van oude foto's van de Veluwe in de jaren dertig van de vorige eeuw. Het verscholen zomerhuisje van een dichter. Het is een wonder dat het nog bestaat.

Ondanks de aanwijzingen van Elly Schuurman was het lastig te vinden; het ligt niet eens ver van de weg, maar het tuinpad is zo dichtgegroeid dat ze het pas zag na er twee keer langs te zijn gelopen. Zelfs het tuinhek is overwoekerd. De stormen van het afgelopen najaar hebben een luik en een stuk van de goot af gerukt. Maar op het dak prijkt als een soort baken in zee boven de boomkruinen een lange tv-antennemast die als een tijdmachine beelden uit haar jeugd oproept: daken bezaaid met antennes. Er schemeren vochtplekken door het pleisterwerk, er zit houtrot in de kozijnen, tussen het stro op het dak groeit onkruid en de tuin is een jungle. Boven de planken deur hangt een stuk geschaafde boomschors waar HET STROKAPJE in staat gebrand. De deur heeft drie sloten, alsof de eigenaar zich niet veilig voelde, maar volgens Elly was haar ex altijd erg op zichzelf geweest. De sleutels lagen in zijn tuinklompen achter de regenton.

Ze voelt zich behoorlijk gegeneerd als ze de deur openduwt, en krijgt een unheimlich gevoel, alsof ze een indringster is, wanneer ze het halletje binnenloopt, waar een loden jas en een jagershoedje aan een hertengewei hangen en een paraplu in een koperen paraplubak staat. Er ligt geen post of krant, maar dat is natuurlijk niet vreemd. Dat zal Elly Schuurman allemaal hebben geregeld.

Echt goed schoongemaakt hebben zij en haar zuster niet. Er dwarrelt stof op als ze de deur naar de woonkamer opent en er hangt spinrag aan de balken van het lage plafond. Het is een donker vertrek boordevol meubelen, zodat het meer een soort uitdragerij lijkt. Op de vloer ligt een kleed over plavuizen. Door de raampjes van de terrasdeuren ziet ze een lange heuvelachtige bostuin met dennenbomen, waartussen hoge brandnetels een ondoordringbaar oerwoud vormen. Aan één kant wordt de tuin begrensd door een schutting vol overhangende klimop, aan de andere kant torent een metershoog uitgegroeide heg. Tussen de dennenbomen doemt een tuinhuisje op. De terrasdeuren hebben geen sloten, maar grendels. Ze trekt ze opzij en zet de deuren open. De tegels van het terras zijn bemost en zelfs hier groeien brandnetels. Boven de uitbouw van het keukentje is een lattenconstructie gemaakt waarover een bloeiende winde een stenen barbecue bedekt.

Alles in en rond het huisje ademt het huishouden van een man alleen. Het heeft vier kamers. Beneden de woonkamer, het keukentje en een grote tuinkamer die kennelijk als werkkamer werd gebruikt. Er staan een fraai antiek bureau, een oude chaise longue, een potkacheltje en een eikenhouten boekenkast, waarvan de planken doorbuigen onder de boeken en mappen. Aan de muren hangen ingelijste aquarellen van bos- en heidelandschappen. Niet slecht, al mankeert er wel wat aan het perspectief. Ze zijn allemaal gesigneerd door een zekere Katelijne eind jaren tachtig. Net als in de woonkamer valt het haar op dat ook hier nergens foto's zijn. Er staat een ouderwets tv-meubel waar liefhebbers een fortuin voor over zullen hebben. Vermoedelijk kan ze hier met die antenne alleen Nederland 1, 2 en 3 ontvangen. Geen punt, ze is hier om te werken, al denkt ze er wel even aan hoe heerlijk het zou zijn om hier een tijdje met Keje te zitten en helemaal niets te doen. Ja, fietsen, vrijen, lekker koken, eindelijk eens een keer met z'n tweetjes.

Net als de meubels zijn de boeken een zootje ongeregeld. Oude romans waar ze nog nooit van heeft gehoord naast een stokoude *Encyclopedia Britannica*, boeken over spionage naast de veertien delen van dr. L. de Jong, maar vooral veel over de Sovjet-Unie en de Koude Oorlog. Op de plavuizen onder de boekenkasten liggen stapels kranten. Als ze de bovenste oppakt, dwarrelt het stof in wolken op. Tot haar verbazing is het de *NRC* van 14 oktober 2002, voorop een grote foto van premier Wiegel en vicepremier De Boer in de rouwkapel van Noordeinde bij het opgebaarde lichaam van prins Claus. Toen is hij hier dus nog geweest. Eronder staat: foto L. de Rooy, © NRC. Ze glimlacht, legt de krant terug en besluit eerst het beddengoed te verschonen. Volgens Elly Schuurman liggen er dekens, lakens en kussenslopen in een linnenkast op de bovenverdieping, maar ze zal daar gek zijn.

Ze loopt een paar keer terug naar haar auto om haar bagage en beddengoed te halen en de boodschappen die ze in het dorp heeft gedaan. Het eerste wat ze doet is de twijfelaar in de kleine slaapkamer boven verschonen. Ook al met een schuldgevoel, ze zit toch aan de intieme spullen van een dode. Een laken waar hij onder heeft gelegen, een kussensloop, twee oude Hevea-pantoffels, die ze aanpakt alsof het dooie muizen zijn en in een vuilniszak gooit. Ze sjouwt alles – drie vuilniszakken vol – naar de bijkeuken, waar een wasmachine staat. Ook al zo een uit het Openluchtmuseum, net als de koelkast, waarin alleen een onaangebroken fles oude jenever ligt. Gelukkig is er wel een nieuwe stofzuiger. In een van de keukenkastjes vindt ze een mandje stofdoeken en een stoffer en blik. De plank boven het kleine aanrecht buigt door van de kookboeken, de meeste over visgerechten.

Vijf uur later zit ze in haar badjas met een sigaret en een glas witte sauvignon op het terras. Op de schoongeboende tuintafel ligt een plankje met een aangesneden chorizoworstje en een blauw kaasje, ernaast de fles wijn. Ze heeft spierpijn in haar bovenarmen van het boenen. Haar handen ruiken naar bleekwater. Maar vrijwel alles is schoon: de plavuizen gedweild, de ramen gelapt, de keukenkastjes uitgesopt, de kleden geklopt. Stofdoeken uitgeslagen, emmers met goor bruin water in de tuin geleegd. Zelfs de vispannen zijn blinkend schoon. Ze heeft de beslagen douchebak en tegels achter de bijkeuken ontkalkt, het aangekoekte gasstel schoongekrabd, de toiletpot in de bleek gezet, tafelkleed en antimakassars van de ouderwetse fauteuils bij Evers' lakens en slopen in de wasmachine gestopt. Zijn weinige kleren, wat ondergoed, een paar overhemden, een pak, stropdassen, twee oude broeken en keurig opgerolde bolletjes sokken heeft ze in zijn kast gelaten, die mag Elly opruimen. Alle lampen in het huisje doen het, net als het warme water, waaronder ze zich net heeft gedoucht. Het gasstel werkt op butagas, maar in het tuinhuisje trof ze een volle gasfles aan, zodat ze daar de komende drie weken wel mee doorkomt.

Ben Evers, ambtenaar van Landbouw die vanwege zijn hart in de WAO zat. Vierenzestig jaar. Al jaren gescheiden van zijn vrouw, met wie hij nooit meer contact had, maar aan wie hij wel het huisje naliet. Elly dacht dat hij een vriendin had omdat ze een foto van een vrouw had gevonden, maar dat moet dan ook lang geleden zijn, want er is hier niets wat op een vrouw duidt. Er is helemaal niks wat aangeeft wie hij was, hoe hij hier de dagen doorbracht, afgezien van het tuingereedschap, dat er goed onderhouden uitziet. Hij had een bovenwoning in Den Haag, dus zal hij dit wel als weekeind- of zomerhuisje hebben gebruikt. Zijn auto, een oude Volkswagen-kever, zit onder de vogelpoep en smurrie. Daar zag ze pas, wat Elly zeker niet wist, dat je van die kant via een landweggetje langs een bungalowpark ook hier kunt komen. De kever is op slot.

Door de groezelige voorruit heeft ze een parkeerbonnetje op het dashboard zien liggen met de datum 07-10-2002. Hij is er toen dus niet mee naar Den Haag gegaan.

De contactsleuteltjes zullen wel bij de andere sleutels in het elektriciteitskastje achter de voordeur liggen, maar autopapieren heeft ze niet gevonden. Misschien heeft Elly die meegenomen om de wegenbelasting en zo te regelen. De laden van zijn bureau zijn leeggeruimd. Ze heeft het bureau afgestoft en er haar laptop op gezet. Maar als het zulk mooi weer blijft, is ze van plan hier buiten te werken.

Ergens achter de hoge heg klinkt het geronk van een machine. Dat komt vast uit het aangrenzende bungalowpark, dat zich opmaakt voor het zomerseizoen. Godzijdank dat het geen schoolvakantie is, met allemaal lawaaiige Blue Band-gezinnetjes die tot diep in de avond vlees roosteren of speurtochten houden! Hoog boven de boomkruinen trekt een vliegtuig een wazig wit spoor tegen de wolkeloze hemel. Drie weken hier alleen, denkt ze cynisch, hoe ga je dat in vredesnaam volhouden? Zij, een stadsmens die zich in een plantsoen al verveelt. Natuurlijk kan ze het. Ze zit hier niet ver van Apeldoorn, ze kan een dag of wat naar haar vader in Ruinen en als het echt te veel wordt, is ze binnen twee uur weer in Den Haag, al is ze dat niet van plan. Die drie weken moet ze nu echt geconcentreerd en gedisciplineerd aan de biografie werken, wil ze de deadline een beetje halen! Zeker zes uur per dag heeft ze zich voorgenomen, elke ochtend lezen en aantekeningen maken, de gesprekken die ze gevoerd heeft afluisteren, 's middags verder werken aan het verhaal, waarvan ze in elk geval de opzet voor de eerste drie hoofdstukken klaar heeft.

Ze drinkt en kijkt op haar horloge. Het is kwart over vier, zes uur later dan op de Antillen. Ze moet niet vergeten Keje straks te bellen. Gisterochtend heeft ze hem weggebracht naar Schiphol, waar hij met een parlementaire delegatie naar Curaçao vertrok. Zijn eerste grote klus als staatssecretaris. Eerst zou Pim de delegatie leiden, maar er ligt een waslijst aan prioriteiten, zodat hij geen kans zag weg te gaan. Met name de voorgestelde versoepeling van het ontslagrecht heeft tot grote onrust bij de vakbonden geleid. Links verzet zich ook uit alle macht tegen een hogere kinderbijslag voor gezinnen met meer dan drie kinderen, niet omdat dat staatsbemoeienis is, maar omdat het voorstel niet toevallig op hetzelfde moment is ingediend als de beperking van gezinshereniging voor migranten die hier korter dan tien jaar zijn.

De delegatie naar de Antillen is een topzware. De nabije toekomst en status van de Nederlandse Antillen zijn een zwaarwegend punt voor Pim. Het moet eindelijk eens afgelopen zijn met alle koloniale schuldgevoelens en de dubbele agenda van de eilanden: wel eisen stellen, maar tegelijkertijd je hand ophouden kan niet langer. Aan de andere kant kun je ze niet zomaar loslaten. Ze hebben het er met kerst in Provesano over gehad. Pim is er lang geleden met een vriend op vakantie geweest, maar Keje kent de Bovenwindse Eilanden heel goed. Hij heeft de eerste jaren van zijn jeugd op Curaçao gewoond en hij komt er nog regelmatig, wat vanzelfsprekend een pre was om hem tot staatssecretaris voor Overzeese Rijksdelen te benoemen.

Bijna halfelf daar, in het Avila Beach Hotel. Ze ziet het voor zich: een fraai neokoloniaal pand tussen palmbomen aan zee even buiten Willemstad. Ze was er twee jaar geleden met Lex, toen hij er een reportage maakte. Dat was een fantastische week, een van de gelukkigste uit haar leven. Ook Lex kent de eilanden goed en bracht haar tussendoor naar strandjes die ze met het massatoerisme daar nooit had verwacht. Toen Lex nog Lex was, denkt ze, relaxed, romantisch, nog niet de kankeraar die koste wat het kost gelijk wil hebben. Ze glimlacht, omdat ze zich haar nervositeit herinnert op Schiphol. Stel je voor, Keje en Lex samen drie weken lang in elkaars gezelschap! Maar tot haar opluchting hoorde ze dat hij erheen gaat om een sfeerreportage te maken, dus nauwelijks of niets met de delegatie van doen heeft. Typisch Lex, die niks heeft met politiek. Hij was godzijdank ook niet in de viproom, waar alleen journalisten van het ANP, van RTL en van het NOS-journaal waren. Keje stond er echt bij als een staatsman, geen spoor van zenuwen. God, wat zou ze graag mee zijn gegaan om te kijken hoe hij het daar doet!

Ze komt overeind en loopt naar het bureau in de werkkamer, waar haar agenda en mobieltje liggen. Naast haar laptop heeft ze een foto van Keje gezet. Daarop ziet hij er wat bleekjes uit. Geen wonder, de foto is genomen bij Paleis Noordeinde, nadat hij daar als nieuwe staatssecretaris samen met Wiegel door de koningin was ontvangen. In zijn zenuwen had hij zijn kopje thee laten vallen. Beatrix had vriendelijk gezegd dat dat iedereen kon overkomen, maar had het toch al korte onderhoud enkele minuten later abrupt beëindigd en zich alleen tegenover Wiegel verontschuldigd dat dringende zaken haar riepen. Natuurlijk had Keje gedacht dat ze loog. Beatrix is immers uitgesproken anti-LPF en schijnt een kostbaar servies te hebben stukgegooid op de avond van de verkiezingen. Maar toen hij buiten haar nichtje Margarita met haar echtgenoot De Roy van Zuydewijn schichtig uit een hofauto het paleis in zag verdwijnen, begreep hij opgelucht dat de koninklijke woede hen betrof. Volgens Keje heeft ze nog meer de pest aan die De Roy; geen wonder, want het is ook een onuitstaanbare kwast. Wat dat betreft heeft ze weinig geluk met de partnerkeuze van haar gezin en familie, die Laurentien voorop. Ze heeft haar wel eens ontmoet, een hooghartige bitch. En dan Máxima, van wie Pim zei dat ze elke maand met het regeringsvliegtuig naar Milaan vliegt om er schoenen te kopen, en geen schoenen van honderd euro per paar. Om maar niet te spreken over dat gansje Wisse Smit, van wie iedereen weet dat ze zichzelf omhoog heeft gewipt, eerst met Bruinsma, toen met een of andere oplichter van een Bosnische diplomaat in

Brussel, en nu met Friso. Als het aan Pim lag, zou hij het hele zootje Oranjes afzetten en vandaag nog de republiek uitroepen, maar ja, het nadeel van de democratie. Daarom is hij ook tegen een bindend referendum, zoals sommige partijen dat nu voor Europa willen. 'Het volk heeft al gekozen,' zegt hij dan, 'op 15 mei 2002. En als het aan mij ligt, gebeurt dat pas weer net zo democratisch in 2006.'

Ze pakt net haar agenda om Kejes nieuwe mobiele nummer op de Antillen op te zoeken, als haar ringtone de eerste klanken van 'Bohemian Rhapsody' laat horen. Geërgerd neemt ze aan.

'Anke, met Keje.'

'Hé! Lieverd! Ik stond op het punt je te bellen. Hebben jullie een goeie vlucht gehad? Geen jetlag?'

'Prima. Businessclass, eindelijk eens ruimte voor die benen van me.'

Ze lacht. 'Waar ben je nu?'

'Wil je het echt weten?'

'Ja, natuurlijk!'

'Op het strandje van het Avila, tussen twee bloedmooie negerinnen die me...'

'Keje!'

'Schat, het is waar! Zal ik je Firouze even geven? Dan kan zij het bevestigen. De mooiste serveersters ter wereld en de lekkerste koffie.'

Ze lacht. 'Hoe laat is het daar?'

'Net tien uur geweest. We mochten uitslapen. We gaan zo meteen op bezoek bij de gouverneur. Hoe is het? Gaat het daar een beetje? Waar zit je nou eigenlijk?'

'In de buurt van Apeldoorn, bij...'

Ze hoort haar eigen stem resoneren en dan niets meer.

'Keje? Keje, kun je me horen?'

Van heel ver weg klinkt zijn stem, vrijwel onverstaanbaar.

'Sorry, schat, ik hoor echt niks meer. Ik bel je later wel. Kus.'

'Dag, lieverd! Niet te hard werken en niet naar de vrouwen...'

Maar hij heeft al uitgeschakeld. Ze glimlacht en wil al overeind komen, als ze op de rij boeken in de kast erachter een velletje papier ziet liggen. Ze reikt over het bureau heen om het te pakken. Het is een wat dik papier, dat als ze het openvouwt een nota blijkt te zijn. Ze kijkt nogal op van het bedrag: bijna driehonderd euro. Dan ziet ze dat het gaat om een overnachting in een business executive suite in het Oranje Hotel in Leeuwarden op 14 oktober van het vorig jaar. Wat gek, denkt ze, waarom zou hij zo'n vreselijke dure kamer hebben genomen, een gepensioneerde ambtenaar? Het Oranje Hotel. Dat was toch het hotel waar het inmiddels bijna legendarische geheime beraad tussen Wiegel en Pim plaatsvond? Maar dat was in het voorjaar. Waarom ging hij er dan in oktober nog naartoe? Dan ziet ze de naam waaronder die suite werd geboekt. De heer E. Schuurman. Met Elly was hij daar niet, ze had hem al jaren niet gezien. Ze herinnert zich dat Elly suggereerde dat hij een vriendin zou hebben. Maar waarom dan onder de naam van zijn ex, als je al zo lang gescheiden bent? 14 oktober, dat was kort voor hij stierf. Waar is die vriendin dan? Dat zal dus wel niet, er zal wel een andere reden zijn. Was hij dan zo 'in Pim' dat hij daar beslist een nacht wilde doorbrengen? Je hebt van die gekken. Wat zal ze ermee doen? Ze legt de nota terug, besluit nog een glas wijn te drinken, dan koffie te zetten en nog wat te schrijven. Daarvoor is ze hier per slot.

9

Buiten adem staat Marike in de servieswinkel, de kleine camera in de zak van haar regenjack. Buiten, op nog geen twee meter afstand van haar, stapt Bart haastig in zijn auto, start en rijdt weg door de regenplassen.

'Kan ik u soms helpen?'

Ze draait zich om. Een oudere, veel te gebruinde homo in een witte bandplooibroek en een te ruim witzijden overhemd neemt haar vriendelijk op.

'Eh... nee, dank u. Ik... Ik wilde alleen maar even kijken wat die terrine in de etalage kost.'

'Ach, we zetten geen prijzen bij onze artikelen, begrijpt u?'

Natuurlijk. Dat zou te ordinair zijn voor de Haagse Denneweg.

'Maar ik kan wel even voor u kijken. Als u even wacht?'

'Graag.'

Ze wacht tot hij achter in de stille winkel verdwenen is, verwenst de rinkelende winkelbel en slaat op een holletje de hoek om. Wat je noemt *a narrow escape*. Nou ja, ze had altijd kunnen zeggen dat ze hier gewoon op de bonnefooi fotografeerde, maar de vraag is of Bart dat zou geloven. En zeker niet dat de Nikon-spiegelreflex van haar is of dat Lex haar die geleend heeft, al is dat laatste wel waar. Eigenlijk zou ze zijn reactie wel willen zien als ze vertelde dat zij de foto's voor dat promoboek van de stad maakt, maar ja, Lex is er mordicus op tegen. Dat snapt ze ook wel, het is per slot zijn naam en zijn reputatie. Maar het is wel kut, want ze doet dit niet alleen voor het geld. Het zou fantastisch zijn als haar naam straks ook werd genoemd: 'Photography by Lex de Rooy & Marike Spaans.' En voor de kwaliteit zou het best kunnen. Van de eerste foto's die ze heeft gemaakt voordat Lex naar de Antillen vertrok, een serie van het gerenoveerde winkelgebied Haagsche Bluf, had Bart gezegd dat je wel kon zien dat Lex een topfotograaf was. En Lex maar grinniken! Maar later had hij gezegd dat ze absoluut talent heeft en dat hij zijn best zal doen bij de fotoredactie van de krant. Een vast dienstverband is er niet meer bij tegenwoordig, maar een mooie reportage over een actueel onderwerp kan altijd. En die zijn er bij de vleet, je hoeft alleen maar naar de waslijst aan wetsvoorstellen van de LPF en VVD te kijken. De gezondheidszorg moet geprivatiseerd worden vanwege de wachtlijsten – nou, dan weet je het wel. De rijken eerst. Net als in de verzorging, alleen omdat Fortuyns moedertje indertijd slecht werd behandeld. De huizenmarkt wordt vrijgegeven, zogenaamd om de concurrentie te vergroten, wat goed zou zijn voor de prijzen. Allemaal voor de onroerendgoedpenoze die Fortuyn met een smak zwart geld in het zadel heeft geholpen. Ze heeft geïnformeerd of ze hier een huisje kan kopen of een etage. Nou, forget it! Voor twee ton krijg je nog geen tweekamerwoning. Huren kan al helemaal niet sinds de huren zijn vrijgegeven. En zo gaat het met alles. De begroting moet op orde, Paars heeft een miljardenschuld achtergelaten, onderwijs moet je privatiseren, want particuliere scholen scoren veel beter dan openbare. Ja, dat dank je de koekoek als je het kunt betalen! Ondertussen moeten Marokkanen en Turken en asielzoekers wel even vierduizend euro ophoesten voor een verplichte inburgeringscursus.

Van Fortuyn moet ze al helemaal niks meer hebben, die is echt honderdtachtig graden gedraaid. Als je nu één voorbeeld wilt hebben van hoe macht corrumpeert, godnogaantoe. Schiphol uitgebreid, waar hij tegen was, de Betuwelijn versneld aangelegd, de TGV, de NS verkocht, de collegegelden omhoog. Ja, geen wachtlijsten meer met de ziekenhuizen geprivatiseerd en de ziekenfondsen opgeheven, maar wel bijna vijftig euro meer betalen voor je ziektekostenverzekering! En dan Kroes op Sociale Zaken, die keihard op de uitkeringen bezuinigt en het ontslagrecht wil afschaffen.

En links doet er niks tegen. Kan er ook niks tegen doen. Halsema, Marijnissen, Pechtold, Bos – ze schreeuwen zich suf, maar wat kun je als de meerderheid al vaststaat? En de kiezers vinden het prima, dat zag je bij de Statenverkiezingen afgelopen week: dikke winst voor de LPF en VVD. Wat wil je? Na de wegenbelasting is nu ook de onroerendgoedbelasting afgeschaft en zijn de mogelijkheden tot hypotheekrenteaftrek verruimd. Belastingverlaging als een vette worst, maar wel ontwikkelingshulp afschaffen en zwaar bezuinigen op het milieu om het allemaal te kunnen financieren.

Het is bijna elf uur en nog stil in het cafeetje. Ze trekt haar natgeregende jack uit, bestelt een koffie en bedwingt zich om er appelgebak bij te vragen. Met de koffie gaat ze bij het raam zitten. Buiten is het stil, een natte Haagse voorjaarsochtend, af en toe een auto over het Voorhout, een paar taxi's bij Des Indes schuin tegenover haar, een portier die een sigaret rookt. Werktuiglijk haalt ze haar pakje Marlboro uit haar tas en steekt er een op. Dat is tenminste een voordeel: dat idiote plan van Paars om het roken in openbare gelegenheden te verbieden is van de baan. Minister Smalhout zou het wel willen, maar zijn collega's Van Eerten van Economische Zaken en De Boer van Financiën steunen de horeca. Ook patsers natuurlijk, maar ja. Ze glimlacht en rookt, en realiseert zich dat fotograferen een stuk leuker is dan met je blocnootje of recordertje gehoorzaam naar een of andere ijdele nitwit te zitten luisteren.

Ze pakt het lijstje uit haar tas. Lex heeft het opgesteld, bij elkaar veertig locaties. Ze heeft de helft erop zitten. Vandaag wil ze Hotel Des Indes doen, Pulchri, Diligentia, de Hoge Raad en de Kloosterkerk, allemaal binnen de vierkante kilometer waar ze nu zit. Ze drinkt en rookt, en denkt weer aan Bart. Hij is verliefd op haar, dat weet ze wel zeker, al durft hij er niet voor uit te komen. Maar ze merkt het aan alles. De manier waarop hij naar haar kijkt, of beter gezegd, zich betrapt voelt als hij naar haar kijkt, aandoenlijk bezorgd is over haar situatie en geld, en bijna stuntelt als een puber wanneer hij haar een avondje mee uit vraagt. En natuurlijk heeft hij haar daarom voor een bespottelijk laag bedrag de zolder van zijn huis verhuurd. Ze voelt zich soms schuldig dat ze geen toenadering zoekt, maar ze moet er niet aan denken, hoewel hij tegenwoordig aan fitness doet en zich stukken beter kleedt dan vroeger. Verdomme, als ze een keertje met hem naar bed zou gaan, zou ze geramd zitten met opdrachten! Waarom kan zij dat niet, zoals andere vrouwen, zeker in de journalistiek? Met Lex? Haar beste vriendin José zweert bij mannen die minstens twee keer zo oud zijn. Veel rustiger, veel betere gesprekken, niet meer de hele tijd willen neuken. Maar Lex? Een dochter van veertien. Hallo! Ze is zelf net zesentwintig. En trouwens, Lex valt duidelijk op andere types, zoals die ex van hem die nu bij de LPF werkt, slank en donker, een beetje Sandra Bullock; daar kun je als mollige uitgave van de jonge Monique van de Ven niet tegenop. Thera is meer van zijn leeftijd, maar die zal hij wel te oud en te onaantrekkelijk vinden. Het lot van de vrouw: te jong of te oud. Mannen schijnen daar geen last van te hebben. Hoewel? Ze herinnert zich de lange blonde politieman die haar in het ziekenhuis opzocht. Wat je noemt een stuk. Maar die zal vast getrouwd zijn, kindertjes hebben.

Ze knijpt haar ogen een beetje samen en veegt werktuiglijk de wasem van het raam. Tegenover haar is een man uit het hotel gekomen. Hij draagt een lange zwarte overjas, zijn lange grijze haar reikt net over de witte sjaal. Hij staat wat gebogen en leunt op een wandelstok. Ze kan het niet thuisbrengen, maar op de een of andere manier wekt hij een onbehaaglijk gevoel bij haar op. Idioot natuurlijk, gewoon een chique oudere man die net koffie heeft gedronken en nu een taxi wil. Of misschien wacht hij wel op zijn vrouw of op een kennis. Hij kijkt even opzij, enkele seconden maar, dan loopt hij naar een taxi, waar de chauffeur het achterportier voor hem openmaakt. Ze zit als bevroren, maar haar geest flitst met de snelheid van het licht kilometers door de tijd, terug naar een doodstille donkere binnenplaats, een gladde metalen trap die naar een donker terras voert. En net als bij de bijnadoodervaring ziet ze, hoog erboven alsof ze een vogel is, zichzelf die trap op lopen; dan bukt ze zich om iets uit haar tasje te pakken, maar wát kan ze niet zien. Ze zet het tasje neer en loopt, sluipt verder tot ze op het terras is. Ze blijft even staan bij een grote potplant, is dan in twee stappen bij de balkondeuren, waar ze zich bukt als er binnen achter de gordijnen licht aanfloept. Verwonderd ziet ze vanuit haar hoge standpunt het vlammetje van een aansteker oplichten, en dan hoe ze een schroevendraaier tevoorschijn haalt, waarmee ze iets in de muur losschroeft. Hoewel het donker is, ziet ze alles glashelder en weet ze wat ze doet en waarom. Het recordertje, dat ze inschakelt, even bij haar mond houdt om het geluid te testen en vervolgens in het kleine gat van de ventilatiepijp laat zakken. Ze schroeft het luchtroostertje weer vast, komt overeind en sluipt door de schaduwen terug naar de trap, waar ze even stilstaat en achteromkijkt. Achter de spiegelende ruiten van de kamer beneden haar brandt zacht licht, maar kennelijk vertrouwt ze erop dat niemand haar kan zien. Ze daalt voetje voor voetje de trap af, als ze opschrikt van een stem.

'Wil je nog een tweede kopje van de zaak?'

Wezenloos kijkt ze naar de jongen die de koffiekan ophoudt.

'Wat?'

'Sorry! Sliep je?'

'Eh...' Ze lacht schaapachtig. 'Ik denk het, ja.'

'Dan had je zeker een nachtmerrie, want je ziet er behoorlijk bleek uit. Koffie?'

Ze knikt ontdaan, kijkt door het raam terwijl hij haar kopje volschenkt, maar ziet niets door haar tranen. Ze voelt zich misselijk van de spanning en haar vingers trillen zo erg dat ze haar sigaret nauwelijks vast kan houden. Ze weet nu wat er die late avond achter het hotel gebeurde; hoe ze in paniek vluchtte, achtervolgd door twee of drie mannen die op haar af kwamen. Dat ze haar in het straatje achter het hotel inhaalden. Hoe ze hysterisch op hen instak met de schroevendraaier, omdat ze doodsbang was dat ze haar wilden verkrachten. Er kwam nog een man bij die ze in het donker niet goed kon zien. Hij greep haar bij haar haar en vroeg of ze voor Wouterse werkte. Hij rook naar drank. Ze had gegild dat ze niemand kende die zo heette en dat ze journaliste was. Toen had hij haar gevraagd waarom ze dan met Evers had gesproken. Hij had haar geslagen en getrapt toen ze schreeuwde dat ze niet wist over wie hij het had. Dan is er even een zwart gat, misschien is ze flauwgevallen. Er was een auto. Naast haar op de achterbank zat de man met de stok. Een oudere man met een scherp gezicht en doordringende ogen. Niet die Evers. Ouder nog. De man die ze net uit Des Indes zag komen. De man die ze in haar bijnadoodervaring had gezien, een man die wel op een Arabier leek. Ze is er zeker van dat het dezelfde man is.

De auto reed, maar of er ook anderen in zaten, weet ze niet meer. Die oudere man was heel vriendelijk en had haar ook weer naar die Evers gevraagd, en ze had weer gezegd dat ze niet wist wie hij bedoelde. De auto was gestopt en hij had gezegd dat ze niet bang hoefde te zijn. Daarna weet ze het niet meer.

Wezenloos drinkt ze van haar koffie.

Evers! De man die haar in het ziekenhuis had opgezocht, die haar die rare kaart heeft gestuurd! Hij had het over die mannen. Was hij daar ook? Waarom heeft hij dan niets gedaan? En wanneer zou ze hem dan hebben gesproken? En waarvoor? Kende hij die man met de stok? Een man van een jaar of zeventig, een magere kop, een beetje als een vogel met zijn scherpe neus.

Ze huivert. Wat moet ze doen?

Lex? Ze denkt aan de wenskaart waarop Evers haar voor hem waarschuwt. Stapelgek, wat heeft Lex hier nou mee te maken? Ze zou hem nu meteen willen bellen, maar ze kan hem niet bereiken. Dat heeft ze gisteren al geprobeerd, toen ze een probleem had omdat een van de gebouwen in de steigers staat. Zijn mobiel doet het blijkbaar niet op de Antillen. In elk geval moet ze die politieman in Leeuwarden bellen, die man die Lex toen sprak, een Friese naam. Muntinga. En Thera! Eerst Thera.

En als ze zich nou toch vergist? Er lopen wel meer oudere mannen rond met een stok. Verdomme, waarom heeft ze niet op het nummer van die taxi gelet? Kan ze dat bij de portier van Des Indes vragen? Maar ze blijft zitten en realiseert ze zich nu pas dat ze er in haar verwarring geen seconde aan heeft gedacht een foto van die man te maken.

Met trillende vingers zoekt ze in haar mobieltje het nummer van Thera. Ze schrikt als het apparaatje begint te trillen en neemt aan.

'Met Marike.'

'Mariek, met Thera.'

'Hé, ik wilde je net bellen!'

'O, nou, dat komt dan goed uit. Luister eens, ik hou het kort, want ik ga zo een paar dagen naar Parijs. Maar die man, hè, die jou opzocht, die zei toch iets over Icarus en daarmee ondertekende hij toch ook die idiote kaart?'

'Ja, hoezo?'

'Nou, ik had afgelopen zaterdag een reünie van mijn oude dispuut in Amsterdam en daar was een oud vriendje van me, een psychoanalyticus die Fortuyn heeft behandeld. Nou, die vriend was vorig voorjaar benaderd door een man van de BVD die informatie over Fortuyn wilde. Dat is niet zo gek. Je weet misschien dat politici tegenwoordig gescreend worden, kijk maar naar Philomena Bijlhout, maar artsen en wij werken daar natuurlijk niet aan mee. Maar de BVD'er wilde weten of er in de psychiatrie misschien een Icarus-complex bestond.'

'Wat?'

'Ja. Dat is niet zo, maar het klinkt niet gek, zeker niet bij Fortuyn. Icarus, weet je wel, vliegend naar de zon, dus een soort hoogmoedswaanzin, zou je kunnen denken. Maar goed, het bestaat dus niet.'

Marike zwijgt overrompeld.

'Maar nog veel gekker. Je weet dat er toen bij de aanslag op Fortuyn per ongeluk een bodyguard van hem is doodgeschoten. Daar stond toen een foto van in de krant, een Scheveninger die Toet heette. Nou, volgens die vriend van mij was dat de BVD'er die toen bij hem langs was gekomen.'

'Hè?'

'Het kan. Dan zou de BVD Fortuyn toch hebben beveiligd? Maar ik vind het wel raar dat die man het uitgerekend over Icarus had, snap je?'

'Ja.'

'Nou zit er toevallig een oom van me bij de BVD. Ze hebben wel zwijgplicht, geloof ik, maar ik kan het hem altijd vragen. Dus dat wil ik doen zodra ik terug ben.'

'Ja. Natuurlijk.'

'Luister, lieverd, ik moet nu echt weg, anders mis ik de trein. Ik bel je meteen als ik terug ben!'

'Hé, Thera, luister eens. Ik...'

Maar Thera heeft al uitgeschakeld, zodat ze verdwaasd naar de taxi's buiten bij Des Indes staart.

Pas vijf minuten later belt ze 008 voor het telefoonnummer van het hoofdbureau van politie in Leeuwarden.

10

Het is een deprimerende gedachte dat hij de enige in het gezelschap is die zich nog herinnert hoe vrolijk en ontspannen de parlementaire tripjes naar de Antillen ooit waren. Snoepreisjes, oké, maar de verhouding tussen Den Haag en de eilanden was er alleen maar bij gebaat, en dat kun je allang niet meer zeggen. De eerste keer dat hij meeging was in oktober '82, nog zo bevlogen en ambitieus als de pest. De dagen van het kabinet-Van Agt-III, de delegatie onder leiding van minister Jan de Koning. Zeg maar Jan. Twee uurtjes per dag overleg met de Antillianen. Alles te declareren: drank, eten, taxi's. Zwemmen, een siësta, een persconferentie die vooral een alibi was om alvast een bodempje te leggen voor de avond, waarop je in het Klein Kwartier of ergens aan de Westpunt ging eten en dansen. De Koning die zijn naam alle eer aandeed als een verlichte monarch voorop, licht aangeschoten gearmd met twee vrouwelijke Antilliaanse parlementariërs onder de palmbomen. 'Even geen foto's, Lex.'

'Natuurlijk niet, Jan.'

Lex. Jan. Zo ging dat toen. Van Mierlo kon er ook wat van. Zowel met de vrouwen als met de drank. Pronk die 's avonds nog uit een *liquor store* naar het hotel zwalkte. Of prins Bernhard met wie hij eens een nacht is doorgezakt in een of ander beachhouse op Aruba. Maar onder Hirsch Ballin veranderde het drastisch. Lex gelooft niet dat hij Hirsch Ballin ooit heeft zien zwemmen, laat staan dansen. Als het niet anders kon een glaasje champagne en dan snel een Rennie. Het briljante lulletje van de klas, dat zich tijdens het carnaval hulpeloos met een bloemenkrans om zijn nek en in een te lange korte broek liet meevoeren in een draaikolk van pikzwarte, halfnaakte danseressen in de nauwe straatjes van Willemstad. Maar wel werken. Als je zijn naam nu nog in het bijzijn van een Curaçaose politicus noemt, begin hij al te zweten.

Wat werk en discipline betreft kan Van Essen er ook wat van. Fortuyn staat weliswaar ook bekend als een harde werker, maar wel een die de teugels kan laten vieren en aanvoelt wanneer het genoeg is. Maar Fortuyn is thuisgebleven en in de afgelopen dagen heeft Lex Van Essen meer horen vervloeken dan hij zelf heeft gedaan. Hij vermijdt de man zo veel mogelijk – niet zo moeilijk met zijn opdracht om een sfeerreportage van de eilanden te maken, zoals ze er nu voor staan qua milieu, jeugd, behuizing. Uit de losse pols, in eigen tempo. Hij hoort ook niet bij de journalisten die de delegatie volgen, al vloog hij wel mee vanaf Schiphol, op het nippertje, bijna het toestel gemist omdat twee oetlullen van douaniers zo nodig al zijn camera's uit elkaar moesten halen.

Hij logeerde ook niet in het Avila Beach Hotel, maar had net als nu op Sint-Maarten zijn eigen oude stekje, een simpel hotelletje aan het Spaanse Water. Hij heeft Van Essen wel gezien natuurlijk, al in het vliegtuig. En later nog in Otrabanda, waar Van Essens vriend Jacob Gelt de boel drastisch verbouwd heeft. Van Essen kent veel mensen, hij heeft hier als kind gewoond en komt er nog veel. Hoe hij het volhoudt is een raadsel, maar hij lijkt onvermoeibaar; als de anderen na zes uur onafgebroken overleg met de Raad van Ministers, de gouverneur, de Eilandsraad of de diverse Curaçaose partijen uitgeput een siësta houden met de airco op de hoogste stand, werkt hij in een vergaderzaaltje van het Avila Beach samen met Spruyt, Wilders en Verdonk en enkele topambtenaren aan voorstellen die meer eisen dan compromissen zijn. De Antillianen klagen steen en been over het moordende tempo. Het was altijd een ongeschreven regel dat Nederlandse ministers en parlementariërs zich aanpasten aan de eilanders, die ook de agenda bepaalden. Daar is geen sprake meer van. Van Essen heeft al direct duidelijk gemaakt dat de vijf eilanden en ook Aruba nog steeds onder het gezag van het koninkrijk vallen. Vanaf het begin heeft hij de rol van gastheer overgenomen, vriendelijk, maar vastberaden, onder het motto dat de tijd van gedogen en stroop smeren ook op de Beneden- en Bovenwindse Eilanden afgelopen is. En als de fractieleiders en specialisten 's avonds eindelijk ontspanning zoeken in Otrabanda, neemt hij, fris als een hoentje, met een koele witte wijn nog tot diep in de nacht stukken door op het riante terras van zijn suite. Om zes uur 's morgens, als de anderen met dikke ogen aan het ontbijt schuiven, heeft Van Essen al een halfuur in zee gezwommen en mailt of telefoneert hij vanaf het privéstrandje met Fortuyn voor ruggenspraak. Of, denkt Lex grimmig, met Anke, met wie hij volgens Bart een duur appartement aan de Alexander Gogelweg heeft gekocht. De vrouw van de staatssecretaris, ze zal er wel op klaarkomen, streber die ze is. De biografie van Fortuyn schrijven. Dat is weer eens wat anders dan op je rug met je benen wijd liggen.

Van Essen wordt hier het sprekende paard van Fortuyn genoemd. Maar het omgekeerde lijkt eerder waar. Van mensen als Nawijn of Wilders is bekend dat ze de Antillen het liefst zouden dumpen, maar Fortuyn heeft altijd bezworen dat Nederland een historische verantwoordelijkheid voor de eilanden draagt. Hij heeft ook vaak gerefereerd aan de blunders van de PvdA indertijd met Nederlands-Indië en Suriname, en zich sterk gemaakt voor een behoedzame verzelfstandiging van de eilanden. Maar hij lijkt nu, zonder enige nadere toelichting, honderdtachtig graden gedraaid. Tot in het vliegtuig werd erover gebakkeleid. Van Essen wees er keihard op dat de PvdA zowel indertijd onder Drees verantwoordelijk was voor de puinhopen in Nederlands-Indië als later onder Den Uyl en Pronk voor de chaos in Suriname. 'Ik begrijp heel goed dat jullie je als PvdA als eerste schuldig voelen, maar doe het dan verdomme niet meer!' Harry van Bommel had de grootste moeite om zijn lachen in te houden. Het was al eerder duidelijk dat de SP genoeg had van alle zachte heelmeesters die de Antillen tot nu toe hebben ontzien. Daarmee waren de felste tegenstanders al vrijwel monddood voor het vliegtuig op Hato landde. Maar de doodklap kwam een paar dagen later, toen duidelijk werd dat de grootste Antilliaanse regeringspartij, de PAR, zelf sterk geporteerd is voor de Nederlandse voorstellen. Geen wonder, want die haakt slim in op wat de meeste Antilliaanse politici al jaren roepen. Noch de Benedenwindse Eilanden Curaçao en Bonaire, noch de Bovenwindse drie, Sint-Maarten, Saba en Sint-Eustatius, voelen zich ook maar voor één spat Nederlands. De inheemse bevolking heeft qua ras, taal, cultuur geen enkele verwantschap met Nederland. Geen Antilliaanse bestuurder die dat durft te ontkennen, waarmee Van Essen meteen zijn punt had gescoord. Aan de andere kant kan geen van de eilanden economisch op eigen benen staan, al beweren Curaçao en Sint-Maarten van wel. Ze zijn vrijwel volledig afhankelijk van de miljarden die Nederland jaarlijks overmaakt en waarvan de lokale bevolking maar zeer ten dele profiteert. In wezen betekent het stilstand. Tenslotte hebben de eilanden samen een schuld aan Nederland van meer dan twee miljard euro.

De voorstellen: om die schuld binnen vijf jaar kwijt te schelden, zal het kabinet Wiegel nog eens één miljard euro jaarlijks in de economie, de gezondheidszorg en het onderwijs investeren en per ultimo 1 januari 2009 de Bovenwindse Eilanden binnen een federatief verband met Venezuela brengen, en de Benedenwindse als geassocieerde vrijstaat bij de VS, zoals Puerto Rico dat allang is. Weisglas bleek daarover als minister van Buitenlandse Zaken in Caracas en Washington al met succes te hebben overlegd.

Ultimo december 2004 moet er op alle eilanden een bindend referendum worden gehouden. Mocht de uitslag daarvan, op welk eiland dan ook, onverhoopt negatief zijn, dan blijven de Nederlandse financiële toezeggingen van kracht, maar zal Nederland het Koninkrijksstatuut eind 2008 eenzijdig opzeggen.

Al zou hij willen, Lex kan er nauwelijks iets tegen inbrengen. In al die jaren dat hij hier nu komt, is er ondanks de miljardensteun niets veranderd. De bevolking is nog even arm als vroeger, de criminaliteit is sterk toegenomen, het onderwijs is verslechterd, de rijken zijn steeds rijker geworden en de armen armer, de Antilliaanse bestuurders hebben nog steeds dezelfde grote bek, en wat er nog Nederlands aan de eilanden is mag God weten. Nog steeds vindt hij Keje van Essen een ijdele klootzak, maar hij moest zich tijdens de eerste persconferentie wel bedwingen om niet te applaudisseren. Van Essen keek even om zich heen en vroeg toen cynisch waar de Nederlandse vlag was en het staatsieportret van H.M. de Koningin. En hij heeft een paar fraaie foto's gemaakt van zwetende Curaçaose politici als Komproe en de corrupte Anthony Godett, toen Van Essen zich hardop afvroeg waarom Nederlanders een immigratieformulier moeten invullen en door de douane moeten worden gevisiteerd.

'U fouilleert onze mensen toch ook op Schiphol!' riep Godett woedend.

'Alleen criminelen, meneer Godett!' riep Wilders. 'Dat moet juist u toch goed weten? En als u ons daarmee vergelijkt, moet ik u een heler noemen, want u pakt maar al te graag die miljoenen euro's van de Nederlandse belastingbetaler aan!'

Drie dagen geleden zijn ze op Sint-Maarten aangekomen, waar het godzijdank regende na het stoffige, droge Curaçao. De delegatie logeert in het Holland House, een luxehotel aan zee in de hoofdstraat van Philipsburg. Het ANP en de tv-ploegen van het NOS-journaal en RTL-nieuws zitten in een hotel aan Divi Little Bay. Lex en een vrouw van het ANP zijn de enige persfotografen uit Nederland. De delegatie blijft hier nog tien dagen, met ook bezoeken aan Saba en Sint-Eustatius, maar hij vliegt morgenochtend terug. Hij mist Tessel, die inmiddels alweer thuis is en naar school gaat, en verder moet hij de klus voor Bregstra afronden, ook al levert Marike prima werk.

De keren dat hij hier eerder was, logeerde hij in een pension aan het strand, een beachhouse aan de andere kant van het stadje, waar hier en daar nog wat oude houten Antilliaanse huisjes met erfjes staan. Het heeft niet veel comfort; de buurt erachter met smalle steegjes die soms nog Hollandse namen dragen, wordt ook afgeraden vanwege de kleine criminaliteit, maar het voordeel is dat je er rustig zit. Vanochtend heeft hij wat gezwommen en gezond. Daarna is hij met zijn huurauto naar Philipsburg gereden om cadeautjes voor Tessel te kopen. Een paar bonte T-shirts, een veel te dure Ray Ban-zonnebril en een zwarte bikini, hoewel hij niet zeker weet of het wel haar smaak is en de juiste maat.

Hij moet haar ook nog bellen om te vragen hoe de laatste controle in het ziekenhuis is gegaan. Zijn mobieltje doet het hier niet, dat wist hij wel, maar om daar nou voor die korte tijd een ander voor te kopen, is pure geldverspilling. Hij kan wel bellen uit het hotel of mailen.

Hij is net weer terug en heeft het stof en de warmte van zich af gedoucht. Het beachhouse heeft een groot terras dat overgaat in het strand. De hemel boven zee begint al paars te kleuren, en hoewel er onophoudelijk vliegtuigen en vliegtuigjes overkomen van en naar Juliana Airport, besluit hij nog wat te zwemmen, daarna een pilsje te drinken en dan naar een klein Indiaas restaurantje bij Simpson Bay te gaan, waar hij goede herinneringen aan heeft.

Het strand is smal, met duintjes. Er is vrijwel niemand: een paar zwarte kinderen die tegen de hoge golven op springen, een ouder echtpaar dat langs de vloedlijn naar het stadje loopt en zoals altijd een stel broodmagere gele honden op zoek naar iets eetbaars. Op zee, achter de branding, deinen een paar jachten; wat verder weg verdwijnt het silhouet van een grote catamaran achter de landtong van Fort Amsterdam. Hij spreidt zijn handdoek uit en haalt de flacon zonnebrandolie en de *Daily Herald* uit zijn tas. Op de voorpagina van het lokale krantje staat een foto van Spruyt, Wilders en Verdonk met de Gezaghebber van het eiland, de vorige avond tijdens een banket. Van Spruyt, toch minister, hoor je maar weinig hier, van Wilders en Verdonk des te meer. Ze schijnen Spruyt – meer wetenschapper dan politicus – ook volledig in te pakken, met name Verdonk, die voor een nieuweling wel een erg grote bek heeft. Hij bladert door op zoek naar nieuws uit Nederland en grimlacht als hij leest dat PCM, de uitgever van onder meer *de Volkskrant* en de NRC, meer dan negen miljoen euro verlies heeft geleden. Het zal wel niks uitmaken, maar het is natuurlijk waanzin om hem hier al die weken te laten ronddarren voor een of andere lullige reportage waar je geen lezers extra, laat staan adverteerders mee trekt. Het politieke nieuws is dat de LPF en VVD binnenkort met het wetsvoorstel komen voor drie bindende referenda per jaar. Dat ligt voor de hand nu ze de grote winnaars van de Statenverkiezingen zijn en straks dus ook de meerderheid in de senaat zullen hebben. Hij leest dat Katja Schuurman in een nieuwe film van Theo van Gogh gaat spelen en voor het eerst sinds hij hier is, moet hij weer aan Evers denken. Schuurman. Waarom noemde hij zich zo? Het zal waarschijnlijk wel nooit meer duidelijk worden.

Hij legt de krant weg, staat op en rent het water in. Terwijl hij onder een hoge golf duikt, denkt hij eraan hoe leuk Tessel dit zou hebben gevonden. Ze roept al jaren dat ze nooit in de tropen is geweest, maar hij kan haar toch moeilijk meenemen. En ze is alweer naar school. Bovendien moet ze niet zeuren, ze is de afgelopen zomer per slot zes weken met hem in de States geweest. Toen hij veertien was, had hij als enig buitenland Duitsland gezien, een dagtripje over de grens bij Münster.

Hij zwemt een flink eind, totdat hij voorbij de hoogste golven is, en laat zich een tijdje drijven, terwijl hij naar duikende pelikanen en fregatvogels kijkt. Dan crawlt hij terug en probeert als een surfer zonder plank zo lang mogelijk op de top van een golf naar het strand te komen. Niet ver van zijn handdoek zit een vrouw in een rode bikini met witte stippen. Ze heeft haar donkere haar opgebonden met een rood lint en draagt een grote zonnebril. Naast haar staat een kleurige strandtas. Ze smeert haar schouders in en trekt dan haar bovenstukje naar beneden om dat ook met haar borsten te doen. Mooie borsten, ziet hij, groot en wat puntig met grote tepels, de huid diepbruin, om haar hals een dunne zilveren schakelketting. Een Amerikaanse lijkt ze hem niet, die komen hier niet. Als hij langs haar loopt, ziet hij naast haar linnen tas het AD liggen. Een Nederlandse dus. Ze ziet hem als hij zijn handdoek pakt en zegt vriendelijk: 'Hallo.' In het Nederlands.

Hij knikt. 'Hallo.' Ze lijkt hem ergens tegen de veertig, al valt dat moeilijk te zeggen met die zonnebril. Maar wel dat ze aantrekkelijk is. En mooi. Jammer dat hij haar ogen niet kan zien.

'Lekker water?'

'Prima. Ik kan het aanraden.'

Ze lacht. 'Geen haaien?'

'Die zitten hier in de casino's.'

Ze lacht nog meer. Ze heeft prachtige witte tanden. 'Bent u toerist of woont u hier?'

'Geen van beide. Ik ben hier een paar dagen voor mijn werk.' Hij spreidt de handdoek uit en probeert niet naar haar borsten te kijken. 'En u?'

'Een weekje vakantie.' Ze heeft donkerrood gelakte nagels in dezelfde kleur als haar teennagels. 'Ik probeer nog op kleur te blijven om ze straks lekker jaloers te maken in Nederland.'

Hij lacht, ze is bijna zo bruin als een inlandse.

'Sorry, hoor, maar zou u zo goed willen zijn mijn rug in te smeren?'

'Wat? Natuurlijk.'

'U vindt het toch niet erg?'

'Helemaal niet.'

Ze steekt hem de flacon toe, draait zich om en gaat op haar buik liggen. Ze heeft een lange rug met moedervlekjes vlak boven haar broekje. Haar dijen zijn stevig, geen spoor van vet of cellulite. Ze houdt ze goddank wel tegen elkaar aan. Mooie lange benen. Om haar linkerenkel vonkt een ragfijn zilveren kettinkje.

Hij hurkt naast haar en spuit wat witte crème op een hand. Ze giechelt als hij zijn handen op haar schouders legt en rilt. 'Koud!'

'Te koud?'

'Nee hoor.'

Hij smeert de crème uit over haar schouderbladen.

'Lex de Rooy,' zegt hij.

'Janna Buitenweg. Wat doe je voor werk, als ik vragen mag? Ik mag toch wel je zeggen, hè?'

Hij spuit de crème naar het midden van haar rug en vertelt dat hij hier als fotograaf voor de NRC met de parlementaire delegatie uit Nederland is.

'Ach. Ik zag die nieuwe staatssecretaris vanochtend in Holland House, hoe heet hij ook alweer?'

'Van Essen.'

'Ja.'

Hij spuit meer crème in zijn hand. Ze draagt een ring om een wijsvinger, een brede platte zilveren, geen trouwring. Als hij zich wat naar voren buigt, herinnert hij zich dat hij bij Anke dan schrijlings over haar heen ging zitten. Hij moet verdomme proberen geen erectie te krijgen.

'Logeer je daar, in Holland House?'

'Nee, hier.'

'O. Geestig. Ik ook.'

'O ja?' Ze kijkt even achterom. 'Zitten jullie dan niet allemaal bij elkaar?'

'Jawel, maar ik ben daar niet zo dol op. Bovendien kom ik hier vaker.'

Ze draait zich om en gaat zitten. 'Dank je wel.' Hij pakt zijn handdoek en spreidt die uit, terwijl zij haar bovenstukje over haar borsten trekt. Ze haalt een pakje Marlboro en een aansteker uit de linnen tas. 'Wil je een sigaret?'

'Nee, dank je.'

'Ik dacht dat journalisten en fotografen rokers waren.'

'Waren ze ook. De meesten zijn dood.'

Hij doet een paar stappen om zijn boek te halen.

'Ik heb een weddenschap met mijn dochter. Tien euro per sigaret.'

'Hoeveel ben je al kwijt?'

Hij grinnikt. 'Veertig? Vijftig?'

Ze steekt een sigaret op. 'Had ík maar een dochter die dat zei. Hoe oud is ze?'

'Veertien. De moeilijke leeftijd. Heb jij kinderen?'

'Nee. Op de een of andere manier ben ik nooit een man tegengekomen van wie ik dacht dat die nou de vader van mijn kinderen moest worden.'

Ze heeft haar zonnebril in haar haar geschoven en zit wat voorovergebogen om de sigaret aan te steken.

'Heb je nog meer kinderen?'

'Nee.' Hij wil gaan zitten als zij hem aankijkt, een wolk rook uit haar mond. Ze heeft prachtige blauwe ogen, die hem opeens fronsend opnemen.

'Wat is er?'

'Het is niet waar!' zegt ze ongelovig. 'Ik heb je eerder gezien! Vorig jaar, ergens in een laantje bij het Mediapark! Toen er op Fortuyn werd geschoten.'

'Hè?'

'Absoluut!' Ze knikt heftig. 'Ik weet het zeker. Je reed tegen een stilstaande auto aan. Een ouwe auto. Je vroeg nog of die van mij was. Weet je het niet meer?'

Verbluft staart hij haar aan en herinnert zich haar dan: een mooie vrouw met een mobieltje. En prachtige ogen.

'Verdomd!' zegt hij. 'Was jij dat?'

'Ja! Wat idioot. Had je niet een vouwfiets bij je?'

Hij knikt en ziet haar een fractie van een seconde weer in die Hilversumse straat lopen. Ze lacht nog steeds wat ongelovig als een zwarte kelner van het terras naar hen toe komt lopen.

'You wanna drink som'thing?'

'Nou!' zegt ze. 'Een glas droge koude witte wijn. En jij?'

'Een Budweiser graag,' zegt hij en hij grijnst naar het pakje sigaretten. 'En als het mag toch maar een sigaret.'

II

In de aantekeningen van de ex van Elly Schuurman zit maar weinig bruikbaars. Jammer, want hij was blijkbaar wel geïnteresseerd in de tijd waar Pim zo weinig meer van weet, eind jaren zestig, begin jaren zeventig. Eerst dacht ze zelfs dat Evers mogelijk ook in die periode aan de Universiteit van Amsterdam verbonden was, misschien als docent, mogelijk zelfs ook als oudere student, want daarover schrijft hij uitvoerig. Soms noemt hij Pim ook bij naam, dus misschien heeft hij hem wel gekend. Maar dat is niet zo, zei Elly aan de telefoon. Toen Pim in 1968 als eerstejaars uit Haarlem naar Amsterdam kwam, was Evers eenendertig, net met haar getrouwd en al ambtenaar bij het ministerie van Landbouw en Visserij. Maar hij was wel altijd geïnteresseerd in de geschiedenis van die dagen, dat blijkt uit de boeken in de bungalow, die vooral over het Oost-Westconflict, het communisme en de Koude Oorlog gaan. Het zou dus kunnen, denkt ze, dat hij hier in alle rust wilde schrijven over de invloed die het communisme – beter gezegd: het marxisme-leninisme – in die tijd op de studenten had. En dat misschien had willen toespitsen op Pim, die wat dat betreft het prototype is van de linkse radicaal die later de ommezwaai naar rechts maakte. Juist dat jaar 1968, haar geboortejaar, was cruciaal, met de studentenrellen in Berlijn en Parijs en het jaar daarop ook in Amsterdam, toen het Maagdenhuis werd bezet. Het is best leuk en interessant om Evers' notities te lezen, al had hij een wat plechtstatige manier van formuleren, net als haar vader. Van hem weet ze natuurlijk dat er in die dagen verschillende radicale groepen en bewegingen bestonden, die elkaar allemaal ook weer bestreden en voor rotte vis uitmaakten. Trotskisten, neomarxisten, maoïsten, titoïsten, anti-imperialistische revolutionairen, revolutionaire anti-imperialisten... Een wirwar van clubjes, die net zo snel verdwenen als ze opkwamen. Maar wat het met Pim te maken heeft, blijft onduidelijk, tenzij Evers het allemaal als inleiding bedoelde. Bovendien onderbreekt hij zichzelf voortdurend met onbegrijpelijke verwijzingen en namen. De eerste maal dat Pims naam wordt genoemd is als hij naar de Vrije Universiteit is overgestapt, waar hij het prettiger vond, en lid werd van de katholieke studentenvereniging Thomas van Aquino, net als haar vader jaren ervoor. Maar erachter staat tussen haakjes: 'Wolf Zandvoort.' Wat betekent dat? Is Wolf een persoon? Een van die vele vriendje van hem uit die tijd? Misschien een restaurant uit die dagen, een dancing? Maar daar heeft Evers het helemaal niet over. Zo is er ook sprake van iets of iemand die Hercules wordt genoemd. Soms staat er een afkorting. C102, BvF. Ze heeft die periode uit Pims leven al nageplozen. Vier jaar sociologie, een vrij progressieve studie voor die dagen. Ze heeft gebeld en gemaild met studievrienden van hem, onder wie tot haar verbazing de latere cabaretier Ivo de Wijs, met wie hij in een studentenhuis woonde en die gelukkig een paar leuke anekdotes over hem wist te vertellen. Maar Wolf of Hercules zegt hem niks. De meesten schetsen een beeld van Pim waarmee ze nogal in haar maag zit. Het beeld van een onsympathieke, arrogante kwast die behoorlijk wat weerstand opriep. Het vervelende is dat ze die indruk zelf ook steeds meer begint te krijgen. Nóg niet erg; je hoeft als biografe niet van je hoofdpersoon te houden, er zijn per slot schitterende biografieën van Adolf Hitler en Stalin geschreven. Maar het helpt wel als je je als auteur kunt inleven. En dat valt niet mee. Ambitie begrijpt ze, daar barst ze zelf van, maar Pims drijfveren zijn allemaal zo plat en negatief. Uit alle gesprekken tot nu toe komt een verongelijkte en rancuneuze man naar voren die het wel heel erg met zichzelf getroffen heeft. Een moederskindje dat rationeel wel briljant is, maar emotioneel nog steeds een puber. Zelf is ze langzamerhand ook die overtuiging toegedaan: een tamelijk asociale en opportunistische man, die vooral uit is op eigen roem en zichzelf hoog boven zijn medemensen verheven voelt.

Hoe dan ook, aan de notities van Elly's ex heeft ze helaas niets. Ze werkt aan de keukentafel, die ze op het terras heeft gezet. Boven de laptop heeft ze een parasol uit het tuinhuisje uitgeklapt. Naast de laptop liggen haar aantekeningen, haar recordertje en een stapeltje cassettebandjes met gesprekken. Als werkplek is het hier onovertroffen: alleen vogelgeluiden, uitzicht op de beboste tuin, geen andere afleiding dan af en toe in het keukentje een kop koffie halen of een sigaret aansteken. Maar helpen doet het niet. Wat ze schrijft, hoe ze het schrijft, hoe vaak ze ook opnieuw begint, het lijkt wel of ze verdomme zit te zwoegen op een opstel!

Moedeloos klikt ze naar haar mail en leest Kejes bericht van de afgelopen nacht. Hij heeft het razend druk, wordt 'knettergek' van al het vergaderen en zal dolblij zijn wanneer hij straks weer thuis is. 'En schat, als het nou niet gaat met Pims bio, maak er dan wat anders van. Echt, zijn politieke ideeën zijn een stuk interessanter dan zijn leven. En commerciëler ook. Ze zijn in Italië, Frankrijk en Duitsland echt niet geïnteresseerd in zijn coming-out of zo; wel in zijn opvattingen en beleid! Denk er eens over. Lieve schat, ik moet naar het volgende diner (kreeft, ik geloof niet dat ik ooit zoveel kreeft heb gegeten als hier!). Overigens is je ex geloof ik al terug; als je hem spreekt moet je toch eens zeggen dat hij wat vriendelijker moet lachen! Doe de groeten aan je vader, hou van je, sterkte en kussen. O ja, denk je aan de aannemer?'

Ze heeft hem nog niet teruggemaild, het is daar nu een uur of drie in de ochtend. Ze steekt een sigaret aan en bedenkt wat cynisch dat ze eigenlijk meer van Pim weet dan van hem. Keje is wel extravert en je kunt vreselijk met hem lachen, maar wat hij nou precies denkt of voelt, daar is ze nog steeds niet goed achter. Wat dat betreft heeft hij wel wat van Pim: snel, goed van de tongriem gesneden, charmant, maar net zo ambitieus, en ook een man die weet wat hij wil. Een zondagskind. Hij is in 1966 geboren, zoon van een Nederlandse econoom die begin jaren zeventig voor Shell op Curaçao werkte en daarna fortuin maakte als topman bij Philips. Keje woonde als jongen op Curaçao, maar kwam op zijn achttiende terug om in Leiden rechten te gaan studeren. Op foto's ziet hij eruit als een aantrekkelijke basketbalspeler: lang, goed gebouwd en omringd door mooie meisjes. Hij heeft een tijdje gedacht het in de reclame te gaan maken, maar studeerde toch af en werd advocaat. Zijn vader renteniert al jaren, maar zit nog wel in allerlei invloedrijke clubs en is zelfs vaste gast bij de Bilderberg-conferenties. Een forse zeventiger die nog geld voor Pim heeft gedoneerd bij Leefbaar Nederland. Uiterlijk lijkt hij in niets op Keje, al is hij wel bijna even lang, een scherp gesneden, aristocratische kop met zilvergrijs haar. Hij en zijn vrouw wonen sinds kort net over de grens bij Brasschaat in een prachtige villa. Aardige, gastvrije mensen die apetrots zijn op Keje, zeker nu hij het tot staatssecretaris en vertrouweling van Pim heeft geschopt. Zelfs haar eigen vader, die toch redelijk mensenschuw is, had het er naar zijn zin. Niet verwonderlijk, ze zijn van dezelfde generatie en bleken in hun studententijd eind jaren vijftig nogal wat kennissen te hebben gedeeld, al kenden ze elkaar niet. Haar vader lijkt iedereen uit die tijd nog te kennen, maar nou net niet de mannen op die foto uit Pims studietijd. Al vermoedt hij dat een van de ouderen mogelijk een vroegere wetenschappelijk hoofdmedewerker economie kan zijn. Een zekere Mos. Een knappe man, die wel wat weg heeft van Keje: lang, elegant, een open, vrolijk gezicht. Het zou best kunnen. Dan zou hij kort docent van Pim kunnen zijn geweest en gaat het misschien om een of andere dispuutfoto die Pim zelf heeft gemaakt. Zelf staat hij er niet op, maar hij heeft wel een tijdje economie gestudeerd. Volgens haar vader was die Mos later als topambtenaar in een financieel schandaal verwikkeld, maar verdronk hij ergens in de jaren zeventig tijdens een zeilrace bij Venezuela. Ze heeft de naam toch maar aan Pim gemaild, maar nog geen antwoord gekregen. Een oude studievriend van Pim met wie ze gisteren een lang telefoongesprek voerde, wist er allemaal niets van, omdat hij al vroeg ruzie kreeg met Pim. Ze heeft dat gesprek net weer afgeluisterd: veel anekdotes hoe ze vroeger discussieerden over kunst en politiek, maar ook fanatiek naar Europacupwedstrijden van Ajax gingen. Waarom ze een conflict kregen, wilde hij niet zeggen. 'Houdt u het maar op "incompatibilité d'humeur", mevrouw.'

Het is vrijwel altijd dezelfde ellende: bijna iedereen heeft ruzie met Pim gehad.

Ze zucht en klikt weer terug naar het document 'BioPim', als ze opschrikt van een geklingel in het huisje dat ze even niet kan plaatsen. Dan snapt ze dat het de ouderwetse gongbel van de voordeur moet zijn. Vreemd. Wie komt hier nou? Niemand die weet dat zij hier zit. Misschien Elly om te kijken hoe het gaat? Dat mag ze toch niet hopen.

Ze loopt door het gangetje naar de voordeur en ziet door het raampje een jonge man in een corduroy werkpak die over zijn neus veegt. Ze trekt de deur open en ziet dat hij een bloedende schram over zijn neus heeft. Hij ziet er heel aandoenlijk uit, als een kleuter die net is gevallen. Een forse blonde jongen met een blozende kop.

'Ach jee!' zegt ze, beseffend dat hij zich moet hebben geschramd aan de struiken. 'Sorry, hoor! Ja, het is mijn tuinpad niet. Moet ik een pleister halen?' In haar auto heeft ze een EHBO-doos.

De jongen schudt zijn hoofd. 'Nee hoor, mevrouw. Het gaat vanzelf wel over, hoor.' Ze ziet dat hij even steels naar haar borsten kijkt en beseft dat ze haar ochtendjas niet goed heeft dichtgebonden, zodat ze automatisch de revers samenknijpt. En terwijl ze het doet, flitst er een scène uit de film *Lady Chatterley's Lover* door haar hoofd: Sylvia Kristel met de boswachter, die ze een paar avonden geleden op Evers' tv zag.

'Eh... Ik ben van het bungalowpark hierachter, weet u wel. We moeten zo meteen een paar bomen achter bij uw tuin kappen vanwege de afrastering, maar we zien net dat daar een auto staat. Dus of die misschien weg kan.'

'O. Eh... ja.' Ze is even in verwarring, maar herinnert zich dan de sleutels in het elektriciteitskastje. 'Hij is niet van mij, maar ik kan even kijken of de sleutels er liggen.'

'Graag.'

Ze draait zich om en trekt het kastje open. Ze weet zeker dat hij naar haar billen kijkt, wat haar opeens mateloos opwindt. Er liggen wat kleine en grotere sleutels, en inderdaad twee identieke contactsleutels aan een zwart leertje waarop VW staat. Ze houdt ze op. 'Ik heb ze. Ik hoop dat hij het doet, want hij is al een tijd niet meer gebruikt.'

'Dan duwen we hem wel. Ik loop er vast naartoe. U kunt hem het beste op onze oprit parkeren, er komt daar nu toch niemand.'

Ze knikt, schudt dan haar hoofd en zegt terwijl ze de wc-deur opentrekt: 'Wacht even. Je bloedt weer.' Ze trekt een stukje papier van de rol. 'Als je nou even wat vooroverbuigt?'

Ze dept het bloed, zijn hoofd bijna tegen het hare, en ruikt de boslucht in zijn haar. Haar ochtendjas hangt weer open en ze moet zich bedwingen om zijn hoofd niet tegen haar borsten te drukken. Wat zou hij dan doen? En waarom doet ze het niet?

'Laat eens kijken?'

Ze knikt. Het is schrammetje van niks.

'Prima. Ik kom eraan.'

Hij lacht verlegen en loopt terug het tuinpad af. Hij heeft een dikke kont, zodat haar opwinding meteen wegebt. Idioot die ze is. Nog geen week alleen. Hoe oud is die jongen? Achttien? En dan straks rondbazuinen dat er een geil vrouwtje in die bungalow valt te neuken! Ze sluit de deur, haalt diep adem, doet het kastje dicht en loopt met de sleuteltjes terug naar de tuin. De afgelopen dagen heeft ze tussen het schrijven door de meeste brandnetels uitgetrokken. Ze loopt over de verende naalden van de dennenbomen naar het tuinhuis. Het heeft de afgelopen nacht geregend, zodat de auto nu gewassen lijkt. Erachter gonzen vliegen boven een composthoop. De takken van enkele nog kale bomen hangen treurig over het verroeste hek, alsof ze zich van hun lot bewust zijn. Behoedzaam stapt ze over de modderige grond en trekt aan het portier, maar dat is tot haar verrassing gesloten. Waarom heeft Evers hier zijn auto op slot gedaan? Bang dat jongens uit het dorp ermee vandoor gaan? Ze steekt een van de sleutels in het slot en draait hem om. In de auto ruikt het naar benzine, zodat ze zich angstig afvraagt of er mogelijk iets lekt en ze de lucht in vliegt als ze start. Onzin natuurlijk, een oude auto die al een halfjaar stilstaat. Misschien is de accu wel leeg. Het is schemerig donker in de wagen, maar ze ziet dat het er een troep is: verfrommelde snoeppapiertjes en een half opengeklapte kaart van Nederland op de grond, op de stoel naast haar een schroevendraaier, de bon van een benzinestation, een vettig gebakspapiertje en een kleine cassetterecorder. Ze schuift achter het stuur, draait het raampje helemaal open, zoekt het contact en start toch wat nerveus. De motor slaat haperend aan, maar als ze het gaspedaal intrapt schrikt ze zich lam, want de auto lijkt omhoog te springen. De motor slaat af en ze zit even stokstijf, haar handen om het gladde stuur geklemd. Achter de afrastering ziet ze het lachende gezicht van de jongen.

'Hij staat nog in zijn versnelling, mevrouw!'

Godverdomme, denkt ze woedend. Ze schakelt terug naar zijn vrij, voelt of de handrem eraf is en start weer. Hobbelend rijdt ze achter het tuinhuisje langs waar ze de brandnetels heeft gestort, en ziet de jongen dan recht voor zich gebaren waar ze heen moet. Ze zet de kever aan de kant, trek de handrem aan en voelt het zweet op haar rug staan alsof ze een dag heeft gereden. De jongen komt aanlopen. 'Dank u wel. Ik roep u wel als we klaar zijn. Weet u dat het rechterremlicht kapot is?'

'O. Nee. Dank je.'

Ze trekt de sleutel uit het contact en ziet het recordertje weer. Ze pakt het op en klikt het open, maar er zit geen bandje in. Waar gebruikte hij dat voor? Net als zij, gesprekken opnemen voor dat verhaal waar hij mee bezig was? Ze zal het maar meenemen en aan Elly geven. Misschien zit er trouwens nog wel iets van waarde voor Elly in het dashboardkastje, want kennelijk is ze niet in de auto geweest. Ze klikt het open. Tussen papierfrommeltjes ligt een ouderwets voorhanger, zoals haar vader tegen de zon op zijn bril klemt. Tot haar afgrijzen liggen er ook enkele besmeurde plukjes watten, alsof Evers een bloedneus had of zich gesneden had bij het scheren. Het is allemaal weer van een gruwelijk soort intimiteit. Haastig klapt ze het kastje dicht. Ze pakt het recordertje weer en wil al uitstappen, als ze ziet dat er een krant achter de zonneklep steekt. Als ze hem ertussenuit trekt, dwarrelt er een blocnotevelletje op haar schoot. De krant is *De Telegraaf*, onder het logo in vetzwarte belettering de kop: MOORDAANSLAG OP PIM FORTUYN! Verrast vouwt ze hem verder open. Het is de krant van 7 mei vorig jaar, de hele voorpagina gewijd aan de aanslag van de dag ervoor op het Mediapark. Een grote foto van Pim die zijn verbonden hand ophoudt naar de camera, een kleinere foto van zijn doodgeschoten bodyguard en onderaan een plattegrondje van de plaats waar dat gebeurde. Waarom heeft Evers die krant nog in zijn auto liggen? Omdat ze ziet dat er in de marge wat staat gekrabbeld, doet ze het portier open en houdt de krant in het zonlicht. Op de plattegrond staan poppetjes ingetekend, de namen ernaast, ook de Daimler van Fortuyn, en met een stippellijn de vluchtroute van de moordenaar. Maar iemand heeft met een viltstift enkele pijlen op de plattegrond getrokken tot buiten het kader. Een van de pijlen begint bij het liggende poppetje dat de dode bodyguard voorstelt, maar tot haar verbazing staat ernaast in Evers' handschrift 'Wouterse'. Wouterse? Die bodyguard heette Toet, Ab Toet, dat weet ze verdomd goed vanwege de plaquette voor hem, die nu in het nieuwe LPF-kantoor hangt. Wie is dan Wouterse? Dan gelooft ze haar ogen niet, want in de kantlijn staat op de plek waar de moordenaar uit de bosjes tevoorschijn kwam 'De Rooy – 16.15' geschreven. Lex? Dat kan, Lex was die middag op het Mediapark om Pim te fotograferen. Kende Evers hem? Maar waarom heeft hij dan zijn naam opgeschreven? Dit is echt raar! Of zou hij dat, als hij aan een boek over Pim bezig was, soms gedaan hebben om de aanslag zo goed mogelijk te kunnen beschrijven? Wilde hij Lex soms contacten voor foto's? Dat zal het dan wel zijn, maar waarom dan dat tijdstip van 16.15 genoteerd? Die schietpartij vond tegen zessen plaats. Gek. Nou ja, hij zal er wel een bedoeling mee hebben gehad. God, denkt ze opeens, was hij soms bezig die moord op te lossen? Een alleenstaande ambtenaar in de WAO die niks anders te doen had, dat zou best kunnen. Misschien geloofde hij ook wel in een complot, zoals zoveel mensen toen. Al-Qaida, de BVD, een Libische geheim agent – de wildste verhalen deden de ronde. Misschien had Evers wel een theorie en wilde hij die kwijt in een boek.

Ze wil de krant weer dichtvouwen, als ze het blocnoteblaadje op haar schoot ziet.

Ze pakt het op. In Evers' ouderwetse handschrift staat daar de naam Marike Spaans, eronder 'afdeling III, Westeindeziekenhuis, Den Haag'. Wie is dat? Die vriendin van hem waar Elly het over had? Toch zegt de naam haar vaag iets. Door de letters heen schemert tekst aan de andere kant. Ze draait het blaadje om. Kennelijk had Evers iets geschreven wat hij achteraf afkeurde, want de enkele regels zijn doorgestreept. Maar als ze het blaadje tegen het licht houdt kan ze de netjes geschreven woorden bijna allemaal ontcijferen: 'Geachte mevrouw. Mijn excuses dat ik u bang maakte. Ik wil u bij dezen waarschuwen voor Lex de Rooy. Hij kent de man op de foto die ik u liet zien. Diens naam ken ik niet, hij zou zich de Sjeik noemen. Die avond toen u...'

Daar breekt de tekst af, maar dat heeft ze niet eens door.

12

De rechercheur is dezelfde die haar eerder in het ziekenhuis bezocht, een lange blonde man van een jaar of dertig. Hij heet Klaas Dijkstra en ziet er met zijn gebruinde gezicht en witlinnen colbertje helemaal niet uit als een rechercheur, vindt ze, eerder als een sporter of een fotomodel. Hij zet haar kopje koffie voor haar neer en gaat tegenover haar zitten.

'Het spijt me erg, maar mijn collega hoofdinspecteur Muntinga is helaas verhinderd. U zult het dus met mij moeten doen.'

Ze knikt afwachtend. Hij is inderdaad verdomd aantrekkelijk, het sexappeal spat van hem af. Ze zou geen nee zeggen als hij haar een avondje mee uit vroeg. Ze vraagt zich af of ze hier mag roken. Er staat geen asbak, maar er hangen ook geen bordjes dat het niet mag.

'In elk geval fijn dat u kon komen,' zegt hij en hij trekt een grijze dossiermap naar zich toe. 'U woont weer in Den Haag, hè?'

Ze glimlacht. 'Ja. Sorry.'

Dijkstra lacht, hij heeft iets te grote voortanden, maar wel stralend wit. 'Ik begrijp het best, hoor. Den Haag is toch even wat anders dan Leeuwarden, zeker voor een journaliste. Als u trouwens wilt roken?' Hij trekt een la open, haalt er een stenen asbakje uit en dan een pakje rode Gauloises uit de borstzak van zijn open overhemd. 'Blij dat we van die Els Borst af zijn, anders hadden we nu sprinklers in het plafond gehad!'

Ze lacht terug, pakt de aangeboden sigaret en buigt zich naar voren voor een vuurtje.

'Even als eerste,' zegt hij. 'In uw telefoontje zei u dat uw therapeute u vertelde dat ze iets wist over de naam Icarus. Daar zijn we vanzelfsprekend heel benieuwd naar. Heeft u daar nog iets over gehoord?'

'Nee. Ze is enkele dagen naar Parijs. Ze zou me erover bellen als ze terug was. Een vriend van haar is een psychoanalyticus die Pim Fortuyn heeft behandeld. Hij was door iemand van de BVD gevraagd of hij iets wist over Fortuyn en Icarus. Hij dacht dat dat misschien een soort psychiatrische term was. Maar dat is niet zo.'

'Aha. Ja, dat kan. Alle politici, ook aspirant-politici, worden tegenwoordig gescreend.' Hij lacht weer. 'Dat schijnt hard nodig te zijn!'

'Ja. Maar het is natuurlijk wel gek met die kaart die ik kreeg.'

Hij knikt en steekt zijn eigen sigaret aan. 'Zeker.'

'Thera – sorry, zo heet mijn therapeute – heeft een oom of zo bij de BVD die ze ernaar wilde vragen...'

'Dat mailde u al, ja. De AIVD. Die zullen denk ik niks zeggen. Maar het blijft wel erg eigenaardig. Wanneer komt uw therapeute terug?'

'Ik dacht morgen.'

'Heel benieuwd. Als u me straks haar nummer geeft, zal ik contact met haar opnemen.' Hij roert in zijn koffie en neemt een slokje. 'Goed. U zult ook wel benieuwd zijn. We zijn meteen na uw telefoontje naar het Oranje Hotel gegaan, maar er lag daar geen recordertje achter dat luchtrooster.'

'O nee?'

'Nee. We hebben navraag gedaan of die dingen regelmatig worden gecontroleerd of schoongemaakt. Dat doen ze tweemaal per jaar, maar de laatste keer is er niets gevonden.'

'Maar hoe kan dat dan? Of denkt u dat ik me vergis?'

Hij schudt zijn hoofd en slaat de map open. 'Nee hoor. Ik vind het heel waarschijnlijk. En ook behoorlijk slim. Had u het soms ergens in een film gezien of zo?'

Ze glimlacht gevleid. 'Ik geloof het niet. Ik denk dat het

zomaar bij me opkwam. Was het maar gelukt. Wiegel en Fortuyn! Dan zat ik hier nu niet!'

'Dat snap ik, al vraag ik me af of een krant het zou hebben genomen. Ik denk dat ze zich toch wel achter hun oren zouden hebben gekrabd of het legaal was. Anyway, het zou sowieso niet zijn gelukt.'

Ze fronst verbaasd. 'Waarom niet?'

'Hooguit zou u iets hebben geregistreerd uit de suite eronder. Als u het gesprek van Fortuyn met Wiegel had willen opnemen, had u namelijk een luchtrooster boven die terrasdeuren moeten nemen en niet eronder. De ventilatiekanalen lopen niet via de grond, maar langs de plafonds.'

'O.'

Jezus, denkt ze, dus het was nog voor niks geweest ook!

'In die suite was overigens op dat moment niemand. We hebben de man die daar die nacht logeerde opgespoord. Een zakenman die pas ver na middernacht terugkwam.'

Dijkstra neemt weer een slokje van zijn koffie. 'Hij lijkt ook niet op uw beschrijving van de man die u eergisteren bij Hotel des Indes zag.' Hij leest even in de dossiermap.

'Daar wisten ze trouwens niet wie die man was, maar de taxi hebben we wel weten op te snorren. Volgens de chauffeur bracht hij een oudere man met dat signalement naar het Centraal Station. Dus tja...' Hij kijkt weer op. 'U zei dat u die nacht van het balkonterras de brandtrap nam en via de binnenplaats naar het achterliggende straatje wilde, toen er twee of drie mannen aankwamen...' Hij ziet dat ze een grimas trekt en zegt haastig: 'Sorry, maar ik moet dit echt checken.'

'Ja, dat snap ik.'

'U heeft geen gezichten gezien of herkend?'

'Nee.'

'U zei dat die mannen op u toe kwamen.'

Ze aarzelt. 'Ik geloof van wel, maar ik was hartstikke bang.'

'Dan zouden ze uit het poortje zijn gekomen.'

Ze knikt, maar begrijpt niet waar hij heen wil.

'Dus uit de straat daarachter. Ik zeg dat, omdat we vanzelfsprekend hebben gedacht aan de twee bodyguards die Fortuyn die avond ter beschikking kreeg. Zij waren op dat moment in de gang, maar ik zou toch graag willen dat u hun foto's bekijkt.'

Hij slaat de bladzij om en haalt uit een vastgeniete plastic hoes vier pasfoto's. Twee mannen, en profil en en face. Een jonge man met een dikke kop en lang blond haar, een wat oudere man met een militair snorretje, grijze krulletjes en een gouden oorringetje.

Ze schudt haar hoofd. 'Het zegt me niks. Ik weet alleen dat de man die me aan mijn haar trok naar drank rook.'

'Is dat echt alles? Zijn stem? Een accent? Fries misschien?'

'Sorry. Ik weet het echt niet meer.'

'U had het ook over een auto. Volgens u stapte de man daar in die u bij Des Indes zag. Een man van een jaar of zeventig met vrij lang grijs haar, en een gebruind gezicht als een roofvogel – dat zijn uw woorden – en met een wandelstok...'

Ze knikt heftig. 'Hij zat naast me met zijn handen op die stok. Ik dacht met een zilveren knop.'

'Had u hem eerder gezien?'

'Nee.'

'Zijn stem misschien eerder gehoord?'

Ze schudt haar hoofd.

'Maar u herinnert zich nog wel dat hij naar de heer Evers vroeg.'

'Ja, dat wel. Hij was heel aardig toen ik zei dat ik niet wist over wie hij het had. Hij zei ook dat ik niet bang hoefde te zijn...' Nerveus trekt ze aan de sigaret. 'Het gekke is dat ze zeiden dat ik met die Evers had gesproken!'

Dijkstra knikt. 'Dat zou ook kunnen.'

'Hè? Wat bedoelt u?'

Hij slaat de pagina terug. 'Volgens onze informatie bent u

die middag van de redactie naar het Oranje Hotel gegaan. Dat was zo tegen zes uur. U heeft daar het nieuws gezien van de aanslag op Fortuyn en daarna bent u weggegaan, omdat Bregstra een interview had. Dat was zo rond tien voor halfzeven. Vervolgens kocht u tegen zeven uur een setje schroevendraaiers bij de fietsenstalling op het station tegenover het hotel. We weten nu dus waarom.'

'U bedoelt: waar was ik dan tussen tien voor halfzeven en zeven uur?'

'Nee, dat lijkt wel duidelijk. U bent waarschijnlijk of binnendoor of achterom naar dat balkonterras gegaan om poolshoogte te nemen. Toen zult u dus op dat idee zijn gekomen van dat luchtrooster.'

Ze knikt langzaam, zo zal het wel zijn gegaan.

'Daarna bent u wat gaan eten en tegen halfnegen naar die bijeenkomst van de LPF gegaan. Evers heeft u daar aangesproken.'

Ze spert haar ogen open. 'Hoe weet je dat?'

In haar opwinding heeft ze niet door dat ze hem opeens tutoyeert.

'Omdat we dat hebben nagetrokken. Toen we eenmaal wisten hoe Evers eruitzag, was het niet moeilijk. Een paar mensen bevestigden dat hij met u sprak.'

Wanhopig schudt ze haar hoofd en inhaleert. 'Wat zou hij hebben gezegd?'

Dijkstra haalt zijn schouders op. 'Hij moet in ieder geval hebben geweten wie je was. Je zou dus zeggen dat hij je die dag al eerder had ontmoet. Of de dag ervoor. Die andere naam waar ze naar vroegen – Wouters of Wouterse – zegt je nog steeds niks?'

Ze merkt wel dat hij haar nu ook is gaan tutoyeren. 'Nee.'

'Nee. Die naam komt ook niet voor in het gastenregister. Anyway, als je verhaal waar is, en daar gaan we dus van uit, dan zijn er drie mogelijkheden.' Hij neemt een trekje en dooft zijn sigaret.

'De eerste is dat je overvallers je recordertje hebben weggehaald. Theoretisch zou dat kunnen, maar het is niet logisch: waarom vroegen ze je dan naar Evers en die Wouterse, want het ging je om Fortuyn en Wiegel.' Hij grinnikt. 'Tenzij het de concurrent was, maar het is toch moeilijk te geloven dat die kerels van *de Volkskrant* of *De Telegraaf* waren.'

Ze glimlacht flauwtjes.

'Vervolgens – en dat lijkt logischer – zou het Evers zelf kunnen zijn geweest.'

'Hè? Hoe wist hij het dan?'

'Omdat je het hem verteld kunt hebben, bijvoorbeeld.'

'Maar... o god, ik word echt gek! Waarom zou ik dat hebben gedaan?'

'Zei hij niet in het ziekenhuis dat hij je toen gezien had, en je overvallers ook?'

Ze knikt aarzelend.

'Dan moet hij dus in de buurt zijn geweest. Hij kan ergens in een kamer aan de achterkant hebben gezeten. Overigens komt ook zijn naam niet voor in het gastenregister van het Oranje, maar dat zegt niets. Er waren meer gasten en je zei dat hij zich later bij je hospes uitgaf voor rechercheur.'

Ze staart voor zich uit en vervloekt dat geheugen van haar weer.

'Dat is dus ook vreemd,' zegt Dijkstra. 'Bijna een halfjaar later komt hij nog eens in je kamer. En daarna zocht hij je op in het ziekenhuis. Waarom? Toch niet alleen om te vertellen dat hij je toen had gezien?'

'Hij liet me een foto van een man zien,' zegt ze toonloos.

'Ja. En je weet nog steeds niet wie of waarom?'

'Nee. Godverdomme, nee!'

Hij zucht en komt overeind. 'Nog koffie?'

'Ja, graag.'

Hij loopt met hun kopjes naar het koffiezetapparaat. Erboven hangt een ingelijste foto van Beatrix en Claus met Willem-Alexander en Máxima.

'En wat is de derde mogelijkheid?' vraagt ze terwijl ze haar peuk uitdrukt.

'Eigenlijk de vierde,' zegt hij terwijl hij inschenkt. 'Want de derde zou zijn dat je het misschien wel van plan was, maar het om de een of andere reden toch niet deed. Het misschien toch te riskant vond. Dan zou je dat recordertje weer in je tasje hebben gestopt en daarom weg hebben gewild. Toen ze je aanvielen, verloor je je tasje en later heeft die nachtportier dat recordertje en wat er nog meer in zat verkocht.'

'En als die Evers dat niet wist, zou hij het op mijn kamer hebben gezocht en me in het ziekenhuis hebben opgezocht?'

Hij zet de kopjes neer en gaat weer zitten. 'Dat lijkt me niet. Want de volgende dag kon hij al lezen dat je in dat park was gevonden en dus niet meer thuis bent geweest. En dan nog. Wat zou een gepensioneerde ambtenaar nou moeten met een bandopname van Wiegel en Fortuyn? Heb je trouwens nog iets van De Rooy gehoord?'

Ze trekt haar wenkbrauwen op vanwege de plotselinge overgang.

'Waarom vraag je dat?'

'Héb je iets van hem gehoord? Je zei dat je foto's voor hem maakt.'

'Ja. Je zegt er niks over, hoor. Tegen niemand!'

Hij glimlacht hoofdschuddend. 'My lips are sealed!'

'Ik kon hem niet bereiken. Hij zat op de Antillen. Hij zou vandaag terugkomen, maar hij mailde dat hij later komt. Hij had er iets tussendoor in Parijs. Waarom?'

Dijkstra steekt een sigaret aan en schuift haar het pakje toe. 'Oké, niet schrikken. De laatste mogelijkheid is De Rooy.'

Ze kijkt op en begint ongelovig te lachen. 'Lex? You're kidding! Hij was er niet eens!'

'Ik zeg ook niet dat het zo is. Ik zeg dat het mogelijk is. Er zijn namelijk een paar gekke dingen. A: Hij was die 6de mei al om vier uur op het Mediapark om foto's van Fortuyn te maken. Volgens De Rooy was hij te laat. Hij maakte bij de ingang een paar foto's van een acteur uit *Goede Tijden* voor zijn dochter...'

'Weet ik. Van Ferri Somogyi.'

'Op een van de foto's staat de man die Fortuyn wilde doodschieten. Op zijn rug gezien, bij een witte Volkswagen-kever.'

Ze knikt. 'Daarom vond Lex het zo vreemd dat Evers hier met zo'n witte kever was.'

Dijkstra glimlacht instemmend. 'Dat kan ik me voorstellen, maar die vw op het Mediapark was van een man die daar werkt.'

'Maar Evers was daar toch ook? Lex heeft me zelf foto's laten zien waarop hij met die bodyguard staat te praten!'

'Ja. Toeval. Er rijden honderden van die kevers rond. Anyway. Muntinga belde De Rooy de volgende ochtend. Niet vanwege die aanslag, maar omdat jij hem een paar keer had geprobeerd te bellen en wij natuurlijk graag wilden weten waarom dat was. Het gekke is dat hij toen wel zei dat hij het signalement van de dader had gehoord, maar niet dat hij die man zelf had gezien.'

Hij buigt zich naar haar toe om haar vuur te geven.

'Dat was dus wel zo, want hij had hem nog geen dag eerder gefotografeerd! Een man met een blauw baseballpetje en een spijkerjack. Pas later komt hij daarmee aan. Waarom zei hij dat niet meteen?'

'Hij kan het toch zijn vergeten?'

'De ochtend erna? Terwijl hij dat signalement net op het nieuws moet hebben gehoord?'

Ze zwijgt even verward. 'Waarom zei hij het dan later wel?'

'Misschien omdat hij toen wist dat de dader in veiligheid was? Om zichzelf een alibi te geven?'

'Je bent gek! Lex?'

'Nogmaals: ik zeg niet dát het zo is. Ik ben maar een simpele inspecteur die zich met jou bezighoudt.'

'Wie zegt dan van wel?'

Maar daar geeft hij geen antwoord op; hij inhaleert weer en slaat de pagina om.

'De Rooy kwam aan op zijn vouwfiets.'

'Hij haat parkeergarages.'

'Dat kan. Hij had zijn auto, een Saab 900, in het buurtje aan de overkant geparkeerd, in de Borneolaan. Hij zet die Saab pal achter een oude rode Toyota Starlet. We weten dat, omdat we twee getuigen hebben die dat zagen, een vrouw die daar liep en een buurtbewoonster die de heg knipte. De Rooy was misschien wat zenuwachtig, want hij botste tegen die Toyota aan. Diezelfde buurtbewoonster belde nadat het signalement van die jongen bekend was gemaakt. Hij was met die Toyota gekomen. Die bleek overigens gestolen. Vingerafdrukken te over waar we niks mee konden.'

'So what? Daar heeft Lex toch niks mee te maken? Omdat hij zijn auto daar toevallig parkeerde?'

Dijkstra rookt onverstoorbaar.

'B: Hij zei dat hij even over halfvijf naar Den Haag ging. Volgens hem omdat hij om zeven uur met zijn dochter en zijn ex een afspraak had in een rouwcentrum waar zijn schoonvader lag opgebaard. Alleen is hij daar nooit geweest.'

Nerveus trekt ze aan de sigaret. Wie is die Dijkstra? Een simpele inspecteur. Ze gelooft er geen moer meer van!

'Hij zei dat jij hem tegen vijven belde op de A12. Later belde je hem ook thuis. Hij kwam echter pas tegen tien uur bij zijn ex-vrouw om zijn dochter op te halen met het verhaal dat hij pech had gehad en moest wachten op de wegenwacht.'

Ze knikt heftig. 'Hij heeft altijd pech met die stomme Saab.'

'Ja, maar er is geen melding of rapport van de wegenwacht die middag met zijn naam en kenteken. En tegen Muntinga zei hij dat hij wél in dat rouwcentrum was. Waarom?'

'Weet ik veel. Er zal best een reden voor zijn. Misschien was hij naar een vriendin of zo. Waarom zou hij in godsnaam met die aanslag te maken hebben?'

'Ik weet het niet. Ik weet wel dat hij foto's maakte van Fortuyns chauffeur en dat twee studiomedewerkers zagen dat hij even later iets neerlegde of opraapte bij de bosjes tegen de omheining van het Mediapark. We weten dat de moordenaar zich daar had verscholen, want daar kwam hij vandaan toen hij op Fortuyn schoot. Dus wat moest De Rooy daar?'

Ze zwijgt onthutst.

'Er is steeds sprake geweest van een handlanger. Het vreemde is namelijk dat die jongen niet terugrende naar de bosjes, waar hij heel simpel over het hek had kunnen klimmen. Dan had hij binnen enkele minuten bij die Toyota kunnen zijn. Nee, hij rent het halve park door met zijn pistool, achternagezeten door de chauffeur, die hem opeens kwijt is. Dat was om tien over zes...'

'Maar...' Het duizelt haar. 'Maar ik heb bij Lex zelf de foto's gezien waar Evers op staat met de man die werd doodgeschoten!'

'Klopt. Wat wou je daarmee zeggen?'

'Nou, als hij... Ik bedoel, je suggereert toch dat Lex iets met die Evers deed?'

'Zou kunnen, maar dat hoeft niet.'

'Dan gaat hij hem toch niet fotograferen?'

'Dat hangt er maar van af.'

'Waarvan?'

'Het vreemde is dat De Rooy ook díe foto's achterhield. Toch nieuwswaarde, zou je zeggen! En toen Smolders hem er later naar vroeg, zei hij dat hij ze in de drukte was vergeten en dat zijn computer was gecrasht. Pas toen bleek dat zijn dochter ze per ongeluk had gekopieerd, kwam hij er nog mee aan, maanden later.'

Hij drinkt van zijn koffie. 'De vraag blijft waar hij vanaf halfvijf is geweest, als hij pas om tien uur 's avonds in Den

Haag aankomt. Hij had zijn Saab in die Borneolaan staan. Achter de gestolen Toyota waarmee de dader aankwam. We weten dat De Rooy daar tegen halfvijf wegrijdt. We weten ook dat de dader na geschoten te hebben een rare lange slinger-route neemt door het Mediapark. Hij wordt achternagezeten door die chauffeur, en opeens, bij een nooduitgang, is hij verdwenen.'

Ze lacht ongelovig. 'Jij denkt dat Lex daar op hem wachtte. Waarom zou hij?'

'Dat geloof ik ook niet. Ik denk – maar dat is niet meer dan een vermoeden – dat Evers dat deed. Als hij op de radio hoorde dat Fortuyn niet dood was, kan hij alsnog naar Leeuwarden zijn gereden met de moordenaar. Ik geef toe dat het behoorlijk vergezocht is, maar het kan. Daar zou hij dan poolshoogte hebben genomen en ervan af hebben gezien vanwege de verscherpte bewaking. Dat zou ook verklaren waarom hij er was en jou zag. Ook dat hij wilde weten wie jij was en wat je daar deed.'

Ze schudt haar hoofd. 'En Lex dan?'

Dijkstra glimlacht. 'Chantage?'

'Chantage?'

'Ik zei je daarnet dat het er maar van afhing. Als Evers erbij betrokken was, zal die niet blij zijn geweest dat hij daar werd gefotografeerd. Evers kon weten dat we hem zouden ondervragen, zoals we dat met iedereen hebben gedaan die daar was.'

Ze zwijgt, de gedachten kolken door haar hoofd.

'De Rooy verdient niet veel, hij heeft een stevige hypotheek, hij moet een kind betalen. Als hij op de een of andere manier op de hoogte was van die aanslag... Begrijp je?'

'En Evers wilde niet betalen.'

'Mogelijk. Dat zou ook verklaren waarom hij al maanden niet thuiskwam.'

Hij staart naar de rook van zijn sigaret. 'Vind je het niet

toevallig dat De Rooy jou precies op dezelfde dag en tijd in het ziekenhuis opzocht als Evers?'

'Thera heeft hem gebeld, hoor!'

'Dat weet ik wel. Maar hij maakte de afspraak op die dag. Ik weet niet hoe hij kon weten dat Evers daar ook was. Wel dat Evers wegrende. Waarom zou Evers voor hem wegrennen? De Rooy zei dat hij dat niet wist. Dreigde hij Evers soms met die foto's, hun namen? Wist De Rooy – wéét hij wie die jongen was?'

'Jezus!' zegt ze. 'En...' Ze durft het niet eens te zeggen, maar hij raadt blijkbaar wat ze bedoelt.

'Nee. Evers is honderd procent zeker aan een hartstilstand overleden. Maar vreemd is weer wel dat hij de week daarvoor met een smoesje op jouw kamer is en De Rooy later ook. Jij belt hem en hij komt meteen. En vervolgens wil hij ook naar jouw kamer, maar niet met jou samen, toch?'

Verrast kijkt ze hem aan. Ze herinnert zich dat ze wel mee wilde, maar dat Lex zei dat ze er moe uitzag en beter in het café op hem kon wachten. Wat had hij dan op haar kamer gewild?

Jij zei dat jullie daarna naar het hoofdbureau zijn gegaan. Dat klopt ook, Muntinga heeft hem daar gesproken. Maar het gekke is dat De Rooy toen helemaal niks zei over een kaart.'

Ontsteld kijkt ze hem aan. 'Is dat zo?'

Hij knikt.

'Waarom ging je niet met hem mee?'

'Ik... Ik... God, hij zei dat hij wel even alleen ging, geloof ik. Maar hij heeft die kaart wel gebracht, dat weet ik zeker, want hij kwam terug om hem te halen!'

Ongevraagd pakt ze een sigaret en steekt die aan.

'Heb je gezien dat hij hem afgaf?'

'Wat? Nee, maar...' Ze zwijgt verbijsterd.

'En Muntinga was al weg, die moest naar een vergadering.'

Opeens ligt zijn hand op de hare. 'Nogmaals: ik weet niet wat hij ermee te maken heeft, maar je moet toegeven dat er wel erg veel vraagtekens zijn.'

Ze voelt dat ze moet huilen en trekt wanhopig aan de sigaret.

'We zouden graag willen dat je rondkijkt in zijn huis.'

'Hè?'

Hij knikt, zijn hand wrijft zachtjes over de hare. 'Kun je daar nu binnen? Je werkt toch voor hem?'

'Jezus, hé!'

'Nou?'

'Ik heb de sleutel, ja,' zegt ze toonloos. 'Ik heb beloofd voor zijn poes te zorgen.'

'Zijn poes?'

'Ja.'

'Ik weet dat ik veel van je vraag, Marike. Maar het is allemaal speculatief. Misschien hebben we ongelijk, laten we het hopen. Dan zou je De Rooy alleen maar helpen.'

'Wat wil je dan dat ik daar doe?'

'Bankafschriften, briefjes, zijn bureauagenda, kijken of je de naam van Evers tegenkomt. Een telefoonnummer. Afspraken toen, na die 6de mei. Bonnetjes. En of je de naam Wouterse tegenkomt. Rob Wouterse.'

Ze trekt haar wenkbrauwen op. 'Wie is dat?'

'Sorry, dat kan ik niet zeggen. Het zou iemand zijn die ermee te maken heeft. Kun je in zijn computer?'

Verbluft schudt ze haar hoofd. 'Nee. Ik heb zijn wachtwoord niet.'

Hij glimlacht.

'Dat is geen probleem.' Uit zijn binnenzak haalt hij een wit hoesje en daaruit een klein zilverkleurig schijfje.

'Als je de computer start en dit dan in het cd-rom-laatje schuift...'

Ze schrikken allebei van de intro van Anouks 'I Live for You'.

Hij grinnikt als ze haar hand lostrekt en haar mobieltje uit haar tasje pakt.

'Met Marike.'

Ze wil haar sigaret pakken, maar lijkt dan te bevriezen, haar gezicht lijkwit, zodat Dijkstra vraagt: 'Wat is er?'

Maar ze hoort hem niet, haar ogen staan wijd open; ze merkt het ook niet als hij zijn hand weer op de hare legt.

Ze zegt niets meer als ze het mobieltje neerlegt en als een zombie voor zich uit staart, met tranen in haar ogen.

'Marike, wat is er? Wie was dat?'

'Thera is dood.' Ze fluistert bijna. 'Gisteravond. Overreden door een auto in Parijs.'

Ze hapt naar adem en begint hysterisch te huilen.

13

De voorpagina van *De Telegraaf* lijkt wel het omslag van een roman: NEDERLAND IN OORLOG! *Trouw* pakt het wat anders aan, wat kleiner ook: OMSTREDEN MILITAIRE STEUN AAN VS. *De Volkskrant* opent met: MINISTER BONKE (LPF) ONEENS MET KABINETSBESLUIT COMMANDO'S NAAR IRAK.

Het is dinsdag 24 maart. Vier dagen geleden vielen de eerste Amerikaanse bommen op Bagdad. Lex hoorde het de laatste avond op Sint-Maarten van een journalist van het ANP. Het schijnt dat Rita Verdonk samen met Hilbrand Nawijn spontaan een feestje heeft georganiseerd op het strand, maar daar is hij niet naartoe geweest.

Hij leest dat Vic Bonke, minister van Onderwijs, grote moeite heeft met het besluit om ruim duizend Nederlandse soldaten van Bijzondere Operaties naar Irak te sturen, en daarover urenlang met Fortuyn in conclaaf is geweest. Volgens *Trouw* heeft hij gedreigd op te stappen. Insiders weten dat Bonke zich al langer gefrustreerd voelt door het beleid van het kabinet. *De Volkskrant* schrijft dat Fortuyn zijn kiezers opnieuw heeft bedrogen en citeert uitgebreid zijn vroegere standpunten over militaire interventie en zijn antipathie voor Bush en Blair, die hij ooit 'buitengewoon gevaarlijke mensen' noemde. Fortuyn zelf weigert elk commentaar en verwijst naar Wiegel, die zich in een paginagroot artikel in *De Telegraaf* retorisch afvraagt wat tegenstanders als Wouter Bos, Jan Marijnissen, Alexander Pechtold en Femke Halsema gedaan zouden hebben op D-day, 6 juni 1944.

'Dan zouden de mensen in het land uw krant nu niet lezen, maar de *Völkischer Beobachter*.'

Wel geestig om dat uitgerekend te zeggen in de meest foute krant van de bezettingstijd!

Lex is te moe om zich er druk over te maken. Hij glimlacht naar zijn spiegelbeeld in het treinraampje, waarachter de grauwe Hollandse nieuwbouw voorbijglijdt. Vast en zeker demonstreert Carla nu ergens bij het Vredespaleis of de Amerikaanse ambassade met een spandoek tegen Bush, Blair en Wiegel. Als de dag van gisteren herinnert hij zich nog hoe ze Tesseltje in de buggy mee wilde nemen om tegen striktere asielregels van het kabinet-Lubbers-III te protesteren. Ze viel hem zowat aan toen hij al die demonstranten met hun kinderen vergeleek met de meute die Hitler in Neurenberg toejuichte. 'Wie de jeugd heeft, heeft de toekomst.'

Ze kan veel protesteren tegenwoordig. Zorg, onderwijs, de rechterlijke macht, allochtonenbeleid, ontwikkelingshulp – zijn schrijvende collega's werken zich uit de naad om de daadkracht van dit kabinet bij te houden. Het *AD* heeft een profiel van de VVD'er Rita Verdonk, die Ayaan Hirsi Ali als staatssecretaris van Allochtonenbeleid is opgevolgd. Ex-adjunctdirecteur bij het huis van bewaring in Scheveningen, ex-directeur Staatsveiligheid van de BVD. Het perfecte profiel. In een kader ernaast staat dat Hirsi Ali overweegt met Theo van Gogh een film te gaan maken over de dreiging van het moslimfundamentalisme. Over dogmatisch gesproken. Hij heeft nooit begrepen wat al die intellectuelen, schrijvers en kunstenaars in die Hirsi Ali zien. Echt slim is ze niet, afgaande op haar optredens in de Kamer – nogal stuntelig, zeker geen politica, en de paar artikelen van haar hand die hij las, waren nogal rancuneus en zelfvoldaan. Nou ja, dat is Van Gogh per slot ook. Maar het blijft je reinste opportunisme, zoals die linkse BN'ers een ultrarechtse Somalische doodknuffelen die hetzelfde wil als de door hen gehate Fortuyn.

De trein kruipt onder de overkapping van het Hollands Spoor. Hij pakt zijn cameratas en koffer, en stapt even later in een taxi, waarin hij doodmoe achteroverleunt terwijl de Turkse chauffeur hardop kankert op minister Nouwen, die allochtonen hun taxivergunning wil ontnemen als ze de inburgeringscursus niet halen. 'Ikke chauffeur, ikke geen professor. Ja toch?' Lex knikt maar wat en vraagt zich af of Janna al thuis zal zijn en hoe het er daar uitziet. Ze woont in Hilversum. Haar Lancia stond op Schiphol. Ze wilde meteen door naar haar vader in een verpleeghuis.

Wat een vrouw! Mooi, slim, geestig, geil, you name it. Godzijdank heeft hij geen enkele last meer van zijn bal, het schaamhaar groeit alweer over het litteken. Het is natuurlijk krankzinnig voor een man van zijn leeftijd, maar hij is verliefd als de eerste de beste puber, al vanaf het moment dat hij op het strand haar rug insmeerde. En net zo nerveus ook. Benieuwd wat Tessel zal zeggen als papa opbiecht dat hij een nieuwe vriendin heeft. Ze zal het wel niet willen horen. Met Anke had ze al zoiets van: wat moet je daar nou mee?, maar dat was een kwestie van loyaliteit aan Carla, dat zal nu niet meer spelen. Eerder een soort territoriumdrift en een claim op haar vader. Misschien moet hij het er voorlopig maar niet over hebben. Hij is wél vijftig, dus hij gaat niet een-twee-drie een nieuwe geliefde in huis halen, al zou hij dat wel willen. Hij kan niet eens wachten tot hun afspraak van morgen! Wie weet bedenkt ze zich straks verdomme als ze thuis is, al kan hij zich dat niet voorstellen, zeker niet na de afgelopen twee dagen en nachten in Parijs. Wat een vrouw!

Het was haar idee om samen terug te gaan, via Parijs.

Janna was via Parijs met Air France naar Sint-Maarten gevlogen, een omweg, maar wel goedkoper, zelfs met het vluchtje van Schiphol naar de Franse hoofdstad meegerekend. Zoals gebruikelijk had hij zijn retourvlucht nog niet vast laten leggen, je weet immers maar nooit.

'Waarom gaan we niet samen terug via Parijs? Ik weet een heel leuk hotelletje in de rue des Canettes in Saint-Germain.'

Ze is vertaalster Frans-Nederlands en werkt veel freelance voor de omroepen. Films, documentaires. Daarnaast af en toe een roman. Ze is nooit getrouwd geweest, maar heeft wel jarenlang samengewoond met een oudere tv-regisseur, die hij nog wel eens heeft gefotografeerd.

'Dus je bent wel gewend aan een ouwe vent?'

'Ik val vooral op bejaarden, maar ja, dat is weer zo'n gedoe: kunstgebit, prostaat, wacht maar!'

Daar heeft hij het dus niet over gehad. Waarom ook? Hij mag er nog best zijn in bed, en ze vindt het zelfs leuk dat hij dat buikje heeft. 'Al die afgetrainde ouwe kerels, de vellen hangen er soms bij.'

'Hoe weet je dat?'

'Ik kom wel eens op het strand, schat.'

Gisteravond had ze een afspraak met een Franse auteur en zijn uitgever, van wie ze een boek vertaalt, maar de rest van de tijd zijn ze samen geweest. Ze kent Parijs als haar broekzak, buurtjes en restaurantjes waar hij nog nooit van heeft gehoord. Vanochtend zijn ze teruggevlogen naar Schiphol. Het liefst was hij met haar meegegaan naar Hilversum, maar hij wil toch eerst weten hoe het met Tessel is. Hij heeft haar twee keer gebeld, maar allebei de keren had ze haast, stond ze op het punt ergens heen te gaan. Janna vond het maar niks dat hij maar één fotootje van haar in zijn portefeuille heeft, en dan nog van een paar jaar geleden. 'Een fotograaf, nota bene!' Zelf zou ze wel kinderen hebben gewild, maar het is er gewoon nooit van gekomen en nu vindt ze zichzelf te oud – negenendertig. 'En van wie dan?'

Van hem? Hij grijnst vermoeid, haalt zijn portemonnee tevoorschijn en zegt de chauffeur te stoppen. Het regent zachtjes. Hij rekent af en loopt met zijn bagage en sleutels naar zijn voordeur. Op straat staan bergen vuilniszakken en hij hoopt maar dat Marike of Tessel eraan gedacht heeft de vuilnis buiten te zetten. Tien dagen lege kattenblikjes en de inhoud van een paar kattenbakken. Zijn buurvrouw komt net naar buiten met haar boodschappenkarretje.

'Zo, lekker bruin! Leuk gehad?'
Hij knikt.
'Dat meisje kwam net.'
'Hmm?'
'Nou ja, meisje. Die jonge vrouw die voor je poes zorgt.'
Marike dus. Goed zo, hoeft hij dat niet meer te doen. Eigenlijk hoopt hij erop dat ze weer weg is, want het liefst zou hij nu douchen, lunchen en nog een paar uurtjes pitten. Aan de andere kant wil hij toch graag weten hoe ver ze is gekomen de afgelopen tijd. En natuurlijk ook of ze wat van Muntinga heeft gehoord over die wenskaart, waar hij tot nu toe geen seconde meer aan heeft gedacht.

Hij steekt de sleutel in het slot en merkt dat het niet op het nachtslot is gedraaid. Dan zal Marike er dus nog wel zijn. *Tant pis.*

Hij zet zijn koffer en cameratas in het halletje, hangt zijn jack aan de kapstok en duwt de tochtdeur open.

'Hallo?'

Geen antwoord.

'Marike?'

Hij trekt de deur van het souterrain open en roept haar naam nog eens, maar het blijft stil. Prima, dan is ze weer weg en is ze het nachtslot vergeten.

De poes komt uit de woonkamer en loopt miauwend naar de keuken. Hij loopt erachteraan en ziet dat het etensbakje vol brokjes zit. Op het aanrecht ligt een briefje, maar het is van hemzelf: instructies aan Marike voor de poes, de planten, de lichten en de sloten van voor- en achterdeur, plus het nummer van Carla voor noodgevallen. Er staan ook enkele omgewassen limonadeglazen. Tessel zal wel een keertje tussen de middag langs zijn geweest. Benieuwd wat ze van haar nieuwe bikini zal vinden. Hij moet niet vergeten haar vanavond te bellen met het smoesje dat hij helaas meteen weer twee dagen weg moet voor de krant. Niet erg, anders zat hij toch nog op de Antillen. Hij zet koffie, besluit straks eerst om de hoek verse broodjes te halen en loopt naar de woonkamer. Op de eettafel ligt een stapel post en kranten naast een asbak met twee gedoofde peuken. Marike? Tesseltje? Dat zal toch niet waar zijn met die weddenschap? Hij pakt net de post, als hij meent beneden geluid te horen. Is Marike er dan toch?

Hij loopt naar de gang en ziet de poes net uit de deuropening van het souterrain de gang op glippen. Blij natuurlijk dat de baas terug is. Met de post loopt hij naar de hal, pakt zijn cameratas en daalt de trap af om te kijken of Marike materiaal heeft neergelegd. Ze zou een paar historische plekjes in de binnenstad doen, ook chique winkels aan de Hoogstraat, de Denneweg en het Noordeinde, Meyendel, kasteel Oud-Wassenaar en die nieuwe patserige golflinks bij de Landscheidingsweg.

Het is schemerig donker in het souterrain. Hij knipt zijn bureaulamp aan, zet de cameratas neer en ziet dat de bovenste la van zijn bureau half openstaat. Hij duwt hem terug en pakt een van de twee cd-roms naast het toetsenbord van de Mac. In haar wat kinderachtige handschrift heeft Marike erop genoteerd: 'Kloosterkerk, Diligentia, Pulchri, Des Indes, De Posthoorn, Raad van State.'

Op de andere staan de locaties in Meyendel en Wassenaar. Keurig dus. Hij zal ze vanavond downloaden en kijken of hij er nog wat aan moet doen. Hij pakt zijn telefoon en toetst in voor de voicemail, hoewel hij niks verwacht in verband met zijn reisje. Toch tien nieuwe berichten, zodat hij pen en papier pakt. Tessel heeft gisteravond ingesproken dat ze zaterdag een slaapfeestje heeft en pas zondag in de middag komt. Tweemaal op die dag niks ingesproken. Iemand van zijn verzekeringsmaatschappij die teruggebeld wil worden in verband met de kostbaarhedenverzekering. Zijn camera's dus. Dan schrikt hij op: 'Lex, met Anke. Wil je me bellen als je dit hoort? Het is echt heel dringend.'

Het volgende bericht komt al door. Zijn moeder, die bedankt voor de mooie kaart van Curaçao en vraagt of Tessel misschien zin heeft om haar in het weekeinde te helpen bloemen op haar balkon te planten. Dat zal dus wel niet met dat slaapfeest. Hij schrijft: 'Moeder terugbellen!', schakelt uit en wilde dat hij een sigaret had.

Hij staart naar het notitieblaadje aan de lamp waarop hij Muntinga's 06-nummer heeft geschreven. Anke? Wat moet ze? Heel dringend. Hij grijnst omdat hij zich realiseert dat hij haar 06-nummer nog uit zijn hoofd kent.

Het duurt lang, maar dan neemt ze op.

'Anke van Dam.'

'Met Lex'

'Lex! Ben je terug?'

'Ja, net.'

Ze lacht nerveus. 'Ik hoorde al dat je weg was.'

Van Van Essen dus, denkt hij; die zal wel blij zijn geweest dat hij oplazerde.

'Dus ik had je al gebeld, maar je was er niet.'

'Nee, ik had nog wat te doen in Parijs.'

'Gelukkig dat je terugbelt. Heb je mijn mail gelezen?'

'Hè? Nee. Wat ik zei: ik kom net thuis.'

'Ja, snap ik. Kun je me komen opzoeken?'

'Wat?'

Ze lacht weer, net zo nerveus. 'Er is iets heel geks. Ik zit in een huisje op de Veluwe te werken aan die biografie van Fortuyn. Een oud bungalowtje. Ja, sorry, lang verhaal. Het was van een man die afgelopen jaar is overleden. Ik mocht erin van zijn ex. Ik vond hier een krant waar die man jouw naam op heeft geschreven, naast een soort situatieschets van het Mediapark toen er op Pim werd geschoten! En er zat een soort briefje bij waarop hij je naam weer noemt...'

Verbaasd staart hij naar het doffe scherm van de monitor.

'Ik begrijp er helemaal niks van,' zegt ze. 'Het is gericht aan een vrouw die hij voor je waarschuwt, maar hij heeft het weer doorgestreept. Het gekke is dat hij me bij de LPF had gebeld.'

'Hoe...' Zijn stem is zo schor dat hij even kucht. 'Heette die man Evers?'

'Ja! Kende je hem?'

'Nee.'

'Hoe kan dat dan?'

'Waar is die bungalow?'

'Bij Hoog-Soeren, in de buurt van Apeldoorn.'

Ze zwijgt even. Hij ook. Evers! Dit is krankzinnig. Een bungalowtje waar Anke zit. Een krant met zijn naam erop, een briefje.

'Luister. Ben je er morgenochtend?'

'Wat? Ja. Wat dan?'

'Ik leg het je wel uit. Waar is dat huisje precies?'

Hij schrijft het op. 'Ik probeer er om elf uur te zijn als het meezit met de files.'

'Elf uur,' herhaalt ze. 'Was het trouwens leuk op de Antillen?'

'Wat? Ja. Sorry, er wordt gebeld. Ik moet opendoen. Ik zie je morgen.'

Hij schakelt uit, maar blijft voor zich uit staren. Evers. Heeft hij dan al die tijd in die bungalow gezeten? Zou Muntinga dat weten?

Zal hij hem bellen? Hij aarzelt, maar besluit toch van niet. Dat kan hij net zo goed morgen doen, als hij daar is. Elf uur. Om één uur heeft hij afgesproken met Janna in Hilversum. Hij zal haar bellen dat hij wat later komt, plotseling iets voor de krant moet doen. Klinkt altijd beter dan dat hij naar zijn oude vriendin gaat, zeker met dit idiote verhaal. Evers, het is ongelooflijk!

Hij voelt zijn maag rammelen, legt de telefoon terug en komt overeind. De post en e-mail bekijkt hij straks wel. Op de trap bedenkt hij dat hij nog Nederlands geld moet halen. In de woonkamer trekt hij zijn jasje aan en herinnert zich dan pas dat er ook gebeld kan zijn op zijn mobieltje. Hij schakelt het in en ziet dat hij het ding snel moet opladen. De enige die erop staat is Marike, een boodschap van een paar dagen geleden. Ze vraagt of hij haar terug wil bellen. Hij luistert naar de tonen van haar 06, maar opeens valt het geluid weg en is het stil. Wat is er? Moet zij haar telefoon ook opladen? Hij legt de mobiel neer, doet de dollars en het Antilliaanse geld in het laatje en loopt naar de hal, als de *NRC* net door de bus wordt gewurmd. Op de voorpagina staat over drie kolommen een jaloersmakende foto van Nederlandse commando's die ergens in de woestijn van Irak uit een Hercules stappen. Toch opgelucht leest hij dat de foto niet door een van zijn collega's is gemaakt, maar door een fotograaf van Reuters. Hij wil de krant al naar de woonkamer brengen, als zijn oog op een klein bericht valt. Heel even denkt hij zich te vergissen, maar staat dan geschrokken stil en leest ontsteld dat de Haagse psychotherapeute Thera Post (51) eergisteren in Parijs door een auto werd aangereden en enkele uren later is overleden.

14

Ze staat achter de houten rekken van het fotoarchief en hoort de voordeur dichtslaan. Even later klinken er voetstappen op het trottoir achter het raampje boven haar. Lex! Ze stierf zowat van angst toen ze hem hoorde roepen. Niet eens in staat het mapje bankafschriften terug te leggen toen ze de deur boven aan de trap hoorde kieren. Die kutkat. Stom natuurlijk. Waarom riep ze eigenlijk niet dat ze hier beneden was? Waarom zou hij haar wantrouwen? Toen ze hem boven haar hoofd hoorde stommelen, had ze nog geaarzeld; ze had kunnen zeggen dat ze hem niet had gehoord, maar toen ze de afschriften wilde terugleggen kwam hij de trap al af. Jezus, volgens haar heeft ze in haar broek gepist toen haar mobieltje net overging! Godzijdank zat het in de zak van haar jack en had ze de tegenwoordigheid van geest om het meteen uit te schakelen. Stel je voor dat hij weer naar beneden was gekomen! Waarom is hij de deur weer uit?

Natuurlijk denkt ze aan Parijs.

'Ik had nog wat te doen in Parijs,' zei hij net aan de telefoon.

Tegen wie zei hij dat?

Ze wil er niet aan denken, maar doet het natuurlijk toch. Het is belachelijk. Maar het is ook verdomd toevallig. Parijs. Thera! Doodgereden, zomaar op straat. Een ongeluk. De automobilist doorgereden, niemand die iets heeft gezien. 's Avonds. De vriendin met wie ze was, wachtte op haar in hun hotelkamer terwijl zij bij een brasserie in de buurt nog een pakje sigaretten wilde halen.

Ze moet hier in elk geval weg. Ze is hier al eerder geweest, maar toen was zijn dochter onverwacht gekomen, omdat ze iets vergeten had voor een of ander sportweekeinde. Die Tessel weet best dat ze voor de poes komt zorgen, maar ze zei toch maar dat ze twee cd-roms met foto's kwam brengen. Tessel vroeg argwanend of die soms voor dat boek over Den Haag waren, maar dat heeft ze ontkend. Waarom dacht dat kind dat? Heeft Lex haar dat verteld? Toen Tessel weg was, heeft ze de cd-rom van Dijkstra in de Mac gestopt, geactiveerd en er weer uit gehaald. Er staat op dat het een Spector CNE Investigator is. Ze weet niet hoe dat werkt, maar wel dat je er iemands in- en uitgaande mails mee kunt onderscheppen. Hoe was Dijkstra aan Lex' wachtwoord gekomen?

Ze heeft niks gevonden wat op chantage of op die Evers slaat. Eigenlijk gelooft ze nog steeds niet wat Dijkstra haar vertelde, maar het klinkt allemaal wel erg aannemelijk. En dan dat hij net die dag in Parijs was!

Met wie belde hij daarnet? Naar een bungalow. Om elf uur morgenochtend. Moet ze dat doorgeven aan Dijkstra? Hij moet daar niet heen voor de krant, want hij vroeg of die man Evers heette! En hij maakte zich ervan af met een smoesje, want er werd helemaal niet aangebeld. Dus hij heeft haast. Waar is hij dan naartoe?

Godverdomme, denkt ze, waarom heb je het hem niet gewoon gevraagd, trut? Waar ben je bang voor?

Dat weet ze wel. Thera is dood. Kan hij dat hebben gedaan? Maar dat kan ze helemaal niet geloven. Jezus, wat moet ze doen?

Ze trekt de bureaula open, legt het mapje terug en schuift hem weer dicht. Dan ziet ze de cameratas. En wat als hij terugkomt, als hij alleen maar iets is gaan halen? Dan zal ze zeggen dat ze langskwam, omdat ze haar tas hier vergeten had. Zenuwachtig pakt ze de kleine Canon. Hij heeft meer camera's in de tas, maar daar durft ze niet aan te komen. Parijs. Wat deed hij in Parijs? De Canon is hetzelfde type als zij heeft, makkelijk te bedienen. Ze houdt de camera wat omhoog naar het raampje voor beter licht en kijkt naar een mooie vrouw met donker opgestoken haar en blauwe ogen aan een tafeltje met een grote soepterrine voor zich. Wie is dat? Iemand van die delegatie? Maar op de volgende opname staat de vrouw bij de boekenstalletjes aan de Seine. Ze was dus met hem in Parijs. Bedoelde hij dat met dat 'Ik had nog wat te doen in Parijs'? Ze klikt door. Steeds weer de vrouw. Bij een modewinkel, in een park, in een café. Wie is ze? Iemand die hij voor de krant moest fotograferen? Maar op een volgende foto zit ze lachend naakt op een breed bed, haar armen uitgespreid. Ze heeft puntige grote borsten. Zijn vriendin dus. Een Parisienne? Heeft Lex een Parisienne als vriendin? Op de volgende opname rent de vrouw alleen in een bikinibroekje naar een blauwgroene zee. Dan zit ze onder een in het zand gestoken parasol met op de achtergrond enkele doorgebogen palmbomen. Vervolgens ziet ze Lex in een bermuda op een marktje; hij houdt een felroze vis bij de staart omhoog, terwijl een dik zwart meisje naast hem in de camera lacht. Die vrouw was dus met hem op de Antillen.

Haar hart slaat over wanneer ze de deur boven aan de trap hoort piepen, maar tot haar opluchting ziet ze de poes op de treden. Toch schakelt ze haastig de Canon uit en stopt hem terug in de tas. Ze pakt haar eigen tas en holt langs het dier naar boven, als ze haar mobiel in haar zak voelt trillen. Ze rukt de voordeur open, kijkt om zich heen, maar ziet Lex niet. Het regent nog steeds. Ze haalt diep adem, sluit de deur, loopt naar haar fiets die tegen een lantaarnpaal staat en haalt haar mobieltje tevoorschijn. Het is Bart.

'Hé, Mariek, kun je morgenochtend om een uur of elf bij mij op kantoor komen?'

Meteen denkt ze dat hij erachter is gekomen dat zij en niet Lex de laatste serie foto's heeft gemaakt. Waarom anders op zijn kantoor? So what? Het kan haar niets meer schelen. Ze kan trouwens morgenochtend niet.

'Nee, ik ga naar de crematie van Thera.'

'O shit, ja. Als ik tijd had zou ik met je meegaan.'

Meent hij natuurlijk niet, hij kende Thera niet, maar het is wel lief bedoeld.

'Waarom wil je een afspraak op kantoor?'

'Ik heb wat voor je.'

'Wat dan?'

'Jaaah! Iets leuks. Morgenmiddag dan? Met de lunch?'

Prima. Ze kent toch niemand op die crematie.

'Oké.'

'Sterkte morgenochtend. Ciao.'

Ze schakelt uit, zet haar kraag op en doet de fiets van het slot. Iets leuks. Verdomme, ze moet nog een jurk kopen voor morgen!

Als ze op het zadel gaat zitten, vloekt ze weer: ze merkt dat ze inderdaad in haar broek heeft geplast.

15

Het is vrijdagochtend vroeg. Als het goed is, zit Keje nu ergens hoog boven de Atlantische Oceaan. Hij heeft niet meer gebeld, maar gemaild dat ze tegen elf uur landen en dat hij 's avonds hier wil komen, omdat hij eerst nog een persconferentie heeft, een stuk of wat interviews moet doen en dan nog langs Fortuyn wil.

'Mail me even terug hoe ik precies bij dat sprookjeshuis kom.'

De boodschap kwam pas laat door, zodat ze ook laat naar bed is gegaan. Maar bovendien heeft ze beroerd geslapen. Om de haverklap is ze wakker geschrokken door nachtelijke geluiden: schuin boven haar onder het dak, dan een soort hoog, onregelmatig piepen, volgens haar afkomstig van de vleermuizen die 's avonds als kamikazepiloten door de tuin scheren. Direct na middernacht steekt er gek genoeg altijd wind op, die de luiken doet klapperen, en tegen de vroege ochtend begint er steevast een dialoog van twee blaffende honden. Meestal slaapt ze er dwars doorheen; ze slaapt hier veel beter dan thuis, maar vannacht dus niet. Uiteindelijk is ze naar beneden gegaan om thee te drinken en wat te lezen. Het heeft niks geholpen, haar gedachten dwalen continu naar die overleden ex van Elly Schuurman en dat vreemde briefje over Lex. Ten slotte moet ze toch weer in slaap zijn gevallen, want ze herinnert zich vaag flarden van een droom waarin Lex en Keje samen toekijken hoe zij met Pim in de tuin van het Palazzo di Pietro ligt te vrijen. Dat is wat je noemt je inleven als biografe! Gatverdamme, Freud is er niets bij.

Het is tien uur en ze zit in haar ochtendjas buiten aan het ontbijt, de parasol schuin boven haar tegen het zonlicht. Het is prachtig lenteweer, bijna Pasen. Het ANP-nieuws meldt dat minister Zeroual van Gezin en Maatschappelijk Werk heeft besloten de kinderbijslag vanaf het derde kind fors te verhogen in verband met de sombere prognoses over de bevolkingsgroei. Het zal wel toeval zijn dat minister Smalhout van Volksgezondheid gisteravond in *NOVA* aankondigde zogenoemde familiehuwelijken onder allochtonen te willen verbieden vanwege de grote kans op aangeboren afwijkingen.

Ze heeft nooit eerder aan een eigen kind gedacht, te druk bezig met haar carrière en afgeschrikt door vrienden en vriendinnen die ze wel hebben. Bovendien, een kind van Lex? Alsof ze niet genoeg te stellen had met een puber als Tessel, die hem voortdurend claimde. En Lex mag dan een zorgzame, zelfs overbezorgde vader zijn, maar een vent die naar de VUT toe holt, moet geen vader meer worden. Toch denkt ze bij Keje tot haar verbazing voor het eerst aan een kind. Het zal de leeftijd ook wel zijn. Ze heeft er nog nooit met hem over gesproken, maar als hij terug is, wil ze het er toch met hem over hebben. Niet vanavond natuurlijk. Vanavond wil ze er alleen voor hem zijn – lekker koken, zich mooi aankleden.

Ze gaapt, schuift haar bordje opzij en steekt de eerste sigaret van de dag op. Wat zou het leuk zijn als ze de bungalow van Elly Schuurman dan als tweede huisje zouden hebben. Heerlijk fietsen met het kind voorop, een zandbak in de tuin, een schommel, later een boomhut – al die dingen die ze zelf nooit heeft gehad als kind van twee hardwerkende academici, hoe lief ze ook voor haar zijn geweest.

De zomer. Als die verdomde biografie hopelijk eindelijk klaar zal zijn!

Ergens op het bungalowpark begint een heimachine te dreunen.

Ze ruimt af en zet verse koffie. De ANWB meldt dat er een ongeluk is gebeurd op de A12, waardoor er vanaf het Prins Clausplein tot aan Zoetermeer nu al een file van twaalf kilometer staat. Natuurlijk denkt ze aan Lex; ze hoort hem bij wijze van spreken al kankeren op Verkeer en Waterstaat, de verkeerspolitie en alle debielen op de weg. Om elf uur komt hij hier. Geërgerd omdat ze zich daar zo nerveus voor voelt, zet ze de laptop aan en checkt haar mail. Sinds vannacht is er maar één binnengekomen, van Bart Bregstra. Tot haar plezier schrijft hij dat hij haar eerste twee hoofdstukken 'in één ruk heeft uitgelezen', maar wel een paar vragen en opmerkingen heeft. 'Zie de bijlage.' Verrast trekt ze haar wenkbrauwen op wanneer ze zijn voorstel leest om een dvd bij het boek te maken. Er bestaat zoveel materiaal over Fortuyn, schrijft hij, dat het zonde zou zijn om dat te laten liggen. En het is ook uniek volgens hem: een dvd bij een biografie. De kosten zijn niet al te hoog als zijn firma Bregtext hem produceert, en hij kent diverse subsidiepotjes. Als zij en de uitgever niet zijn geïnteresseerd, wil hij het op eigen houtje aanpakken.

Het klinkt niet gek, zolang zij er maar niks aan hoeft te doen. Het afgelopen etmaal is ze toch al nauwelijks opgeschoten. Het is absurd, maar na haar telefoontje met Elly Schuurman valt het helemaal niet meer te ontkennen. Elly's ex moet de man zijn geweest die haar in het voorjaar op het LPF-kantoor belde met dat rare verzoek een briefje te schrijven voor iemand die de Sjeik heette! Het kan gewoon niet anders. Op 15 oktober omstreeks vijf uur overleden, in een flatje pal tegenover het Albert Heijn-filiaal aan het Willem Royaardsplein. Ze had er geen seconde aan gedacht toen ze indertijd bij Elly op bezoek was; iedereen noemt het daar Place des Invalides. Waarom zou ze daar ook aan hebben gedacht?

De Sjeik. 'Zou u zo aardig willen zijn daar een briefje neer te leggen dat is bestemd voor de heer De Sjeik?'

Een afspraak om vijf uur bij de Albert Heijn op het Willem Royaardsplein. Maar ze heeft nooit zo'n briefje geschreven of in Des Indes afgegeven. Heeft hij aangenomen dat ze het wel had gedaan? Dat moet dan. Een verrekijker, zei Elly. Hij had een verrekijker bij zich. In een flatje pal ertegenover.

Hij had toen door de telefoon nog meer gezegd, maar dat is ze vergeten – geen wonder met Keje die even later zijn broek op zijn hielen had!

Waarom wilde hij een vrouw voor Lex waarschuwen? Marike Spaans in het Westeinde. De receptioniste van het Westeinde-ziekenhuis had gezegd dat Marike Spaans eind oktober vorig jaar was ontslagen, maar privénummers mocht ze niet geven. Spaans. Een Scheveningse naam. Lex zou een man op een foto kennen en die zou zich de Sjeik noemen. Het klinkt bespottelijk, een slechte film. Een gepensioneerde ambtenaar van Landbouw met een verrekijker. Waarom heeft hij die tekst weer doorgestreept? Wie is die Marike?

Ten slotte had ze Lex gebeld. Maar hij bleek onbereikbaar op zijn mobiel en ze herinnerde zich dat Keje een nieuwe had aangeschaft vanwege de reis naar de Antillen. Lex kennende zou hij dat vast te duur hebben gevonden en het contact met de krant telefonisch of via internet vanuit zijn hotel onderhouden. Daarna had ze zenuwachtig een smoes verzonnen en Elly Schuurman gebeld. Dat ze een ansichtkaart voor haar ex had gevonden van iemand die hem niet lang voor zijn dood had geschreven dat ze zich verheugde op een afspraak.

'Hij is niet ondertekend, maar ik dacht dat dat mogelijk die oude vrouw was bij wie hij toen was, snap je? Dan zou ze die kaart misschien terug willen hebben, als een soort herinnering of zo.'

Elly had gezegd dat dat flatje tegenover het winkelcentrum op het Willem Royaardsplein lag.

'Bij de Albert Heijn daar?'

'Ja, precies. Ertegenover. Maar het lijkt me raar dat zij die kaart heeft gestuurd, dan zou zij wel hebben geweten van die bungalow.' Ze had schamper gelachen. 'Misschien is die kaart wel van zijn vriendin! Nou ja, ik zal er wel even langs lopen en het vragen. Hoe is het daar trouwens? Bevalt het wel? Kun je er ongestoord werken?'

Die Marike was natuurlijk nooit de vriendin van die Evers. Dan begin je niet met 'geachte mevrouw'. Evers kende Lex. En aan zijn opwinding te merken weet Lex wie Evers was.

'Die avond toen u...' Wat betekent dat? Wanneer? Toen Evers in oktober in het Oranje Hotel in Leeuwarden logeerde? Misschien is er wel een andere, simpele reden dat hij daar toen was. Sfeer proeven of zoiets, misschien foto's maken. Omdat Pim daar in mei vorig jaar de deal met Wiegel sloot. Dat klinkt plausibel als hij ook plannen had voor een biografie. Wie weet gaat ze er zelf nog wel langs als ze wat verder is.

Daar is ze uiteindelijk mee begonnen, met die 6de mei 2002, waarop in Leeuwarden het fundament voor het kabinet werd gelegd, vijfentwintig jaar nadat Wiegel dat met Van Agt in de Haagse Bistroquet had gedaan. Dat moment kun je toch historisch noemen, zowel voor Pim als voor het land. Het kwam goed uit dat hij wat ziekjes was, zodat hij een vrij uitgebreid antwoord heeft gemaild op haar vragen. Geen politieke, dat komt nog wel, maar persoonlijke, bijvoorbeeld hoe Wiegel en hij elkaar vonden, want dat is nog steeds intrigerend: de voormalige radicale marxist en de liberaal die bij wijze van spreken in een krijtstreepkostuum werd geboren. Ondanks zijn drukke werkzaamheden heeft ook Hans Wiegel de moeite genomen om haar te antwoorden. Dat heeft bij elkaar dat eerste hoofdstuk opgeleverd over twee levensgenieters die elkaar al begin jaren negentig leerden kennen. Een mooi contrast: Wiegel, gearriveerd senator, gelukkig gehuwd, vader, het toonbeeld van Hollands welvaren, en Pim, notoire homo, die weliswaar ook in krijtstreep liep, maar als Wiegel zijn pyjama aantrok nog in een leren broek naar een of andere gayclub trok.

Uit de privécollectie van Marten Fortuyn heeft ze een paar unieke foto's uit die tijd gekregen. Marten heeft trouwens dozenvol foto's van Pim, ook uit zijn vroegste jeugd, met zijn ouders Hein en Toos in Driehuis, met zijn overleden broer Joos, op de middelbare school, later als docent op Nyenrode, als adviseur van de minister van Onderwijs en Wetenschappen, thuis in het Palazzo di Pietro, in Provesano, als hoogleraar aan de Erasmus Universiteit – maar helaas nou juist niet uit die paar jaar waar Pim zelf zo geïnteresseerd in is, eind jaren zestig, begin jaren zeventig.

Ze opent net Bart Bregstra's bijlage, wanneer ze achter het huis een auto hoort afremmen. Lex. Als de Saab afremt, gaat de motor hoog loeien. Dat hij nog in die ouwe bak rondrijdt! Met alle reparatiekosten had hij allang een nieuwe kunnen kopen. Ook weer een verschil met Keje; die ruilt om de twee jaar in – een Daimler natuurlijk, net als Pim. Ze kijkt op haar horloge. Hij is bijna een kwartier te vroeg, niks voor hem. Ze holt naar boven om een jurk aan te trekken. Haar vingers trillen als ze de knoopjes vastmaakt. Verdomme, waarom is ze zo nerveus? Ze houdt zichzelf voor dat dat door die Evers komt en haalt een borstel door haar haar, dat ze toch weer laat groeien, als de gongbel klinkt. Dan maar niet opgemaakt.

Door het raampje ziet ze hem staan. Hij ziet er uitgerust en gebruind uit, stukken jonger dan de laatste keer dat ze hem zag. Zo te zien heeft hij ook een nieuwe spijkerbroek gekocht, en onder zijn colbert draagt hij een poloshirt, waar hij vroeger nooit aan wilde. Hij grinnikt wat onnozel wanneer ze de deur opent.

'Waar zijn de zeven dwergen?'

Ze grinnikt terug. 'Aan het werk. Hoor je ze niet?'

Achter de rododendrons weergalmt het heiblok boven het geronk van een motorzaag. Ze aarzelt even en geeft hem dan een kus op zijn wang. Tot haar verbazing ruikt ze aftershave.

'Je bent vroeg. Had je geen file? Er was toch een ongeluk?'

'Ik hoorde het op de radio, ja. Ik was er goddank al voorbij toen het gebeurde... Ik moet trouwens om twaalf uur uiterlijk weer weg voor de krant.'

Prima, denkt ze nerveus. Ze moet nog zoveel doen voor Keje komt.

'O. Nou ja, kom binnen. Je ziet er goed uit. Kon je het makkelijk vinden?'

'Ja. Kan ik mijn auto overigens zo aan de weg laten staan?'

'Ja hoor. Heb je hem wel afgesloten?'

'Ja.'

Hij loopt naar binnen en kijkt onderzoekend om zich heen. 'Jaren zestig!'

Ze glimlacht. 'Ik zit in de tuin. Je wilt zeker koffie?'

'Graag.' Hij blijft nieuwsgierig om zich heen kijken. 'Dus dit was van Evers?'

'Ja. Je zei toch dat je hem niet kende?'

'Klopt. Maar zijn naam wel. Weet jij wat hij hier deed?'

'Nee. Of ja. Hij schreef over Fortuyn.'

'Over Fortuyn?'

'Nou ja, dat denk ik. Hij had allemaal losse notities, veel over die jaren zestig – studentenopstanden, alle marxistische groepjes van die dagen. Zijn ex vond ze en dacht dat ze misschien wel interessant voor mij waren. Heb je mijn mail wel gelezen?'

'Nee. Ik had weer eens een of andere storing bij mijn provider.'

'O.'

Terwijl ze in het keukentje de koffie inschenkt, vertelt ze over de notaris die haar informeerde over de ex van Evers, Elly Schuurman.

'Schuurman?' zegt hij. 'Weet je dat zeker?'

Verrast door zijn opgewonden stem kijkt ze op. 'Ja. Ken je haar dan wel?'

Maar hij schudt zijn hoofd en pakt zijn kopje aan. 'Vertel eerst verder, wil je?'

Ze gaan aan de tuintafel zitten. Hij glimlacht als hij haar aantekeningen en de laptop ziet. 'Ook de Goddelijke Kale?'

Ze knikt en bereidt zich al voor op een schampere opmerking, maar in plaats daarvan vraagt hij een sigaret.

'Rook je weer?'

'Alleen als Tessel er niet is.'

'O.' Ze lacht, maar zegt niets en haalt twee sigaretten uit het pakje. Wanneer hij haar vuur geeft, ruikt ze weer de geur van aftershave. Die gebruikte hij nooit. Vond hij verwijfd. Wat is er met hem? Opeens weet ze zeker dat hij een vriendin heeft.

'Gaat het goed met Tessel?'

'Wat? Ja hoor.'

Ze zwijgen en drinken koffie, en luisteren naar de geluiden uit het bungalowpark.

'Fantastisch plekje,' zegt hij. 'Hoe lang zit je hier al?'

'Sinds jullie naar de Antillen gingen.'

Hij glimlacht even om dat 'jullie'.

'En helemaal alleen?'

'Ja.'

Hij blaast de rook in kringetjes voor zich uit.

'Je zei dat je een briefje had gevonden waarop Evers Marike Spaans tegen mij waarschuwt.'

'Ja. Plus een krant van de dag na die aanslag op het Mediapark. Ze lagen in zijn auto. Lex, ik begrijp er echt geen bal van! Je kende hem toch niet? En wie is Marike Spaans?'

Hij fronst. 'Staat zijn auto dan hier?'

'Ja. Hoezo?'

'Een oude witte kever?'

'Ja,' zegt ze verbaasd. 'Hoe weet je dat?'

'Waar staat die dan?'

Ze knikt in de richting van het tuinhuisje. 'Achter dat tuinhuisje. Maar die krant en dat briefje heb ik hier.'

Tussen de boeken en haar aantekeningen uit pakt ze de uitgescheurde krantenpagina en het velletje blocnotepapier en geeft ze aan hem.

Met de sigaret tussen zijn lippen houdt hij het velletje op ruime afstand van zijn ogen.

Ze lacht een beetje. 'God, Lex, moet je een brilletje?'

Hij lijkt het niet te horen en pakt de krantenpagina.

'Je was daar toen toch om Pim te fotograferen?'

Hij zegt nog steeds niets, zijn ogen wat samengeknepen.

'Waarom zou hij de tijd van 16.15 achter je naam hebben geschreven?'

'Omdat hij me kennelijk wantrouwde, al snap ik bij God niet waarom. Maar waarom noemt hij die bodyguard Wouterse? Zo heette die man toch niet?'

'Nee. Die heette Toet. Ab Toet, een Scheveninger.'

Lex knikt langzaam en herinnert zich de man en de naam. Waarom schreef Evers dan Wouterse bij dat liggende poppetje? Hij staart voor zich uit. Is dat soms de naam van die jongen met dat petje? Verdomd! Zou Evers hebben geweten wie de moordenaar was? Was hij naar die jongen op zoek?

'Wat is er?'

'Nee, niks. Ik dacht even ergens anders aan.'

'En wie is die Marike dan?'

'Een vroegere stagiaire van me. Ze was een keer bij me thuis toen jij er ook was.'

Ze knikt langzaam.

'Ja, leuke meid. Beetje Monique van de Ven, maar dan jonger, toch?'

'Ja. Ze werd die nacht van de 6de mei zwaar gewond in een park in Leeuwarden gevonden.'

'O god! Was zij dat?'

'Ja. Ze hebben de daders nooit gepakt, maar ze was 's avonds bij het hotel waar Fortuyn en Wiegel waren. Ze liep stage bij het *Friesch Dagblad* en ze wist ervan. Ze had me willen bellen, maar ik was onbereikbaar omdat Tessels opa net dood was.'

Ze knikt, maar zegt niets. Die avond ontmoette ze Keje voor het eerst.

'Daarom was ik ook al vroeg weg bij het Mediapark. Marike herinnert zich niks meer van die avond, ze lijdt aan een soort geheugenverlies. Maar Evers zocht haar later op in het Westeinde toen ik daar ook was. Hij liet haar een foto zien van een man. Die moet ze eerder gezien hebben, want ze raakte totaal in paniek. Híj ook toen hij mij op de gang tegenkwam. Daar noemde hij zich trouwens ook Schuurman.'

Ze trekt haar wenkbrauwen omhoog. 'In zijn werkkamer hier ligt een nota op naam van Schuurman van het Oranje Hotel in Leeuwarden.'

Hij kijkt op van de krant. 'Van wanneer?'

'Eh... afgelopen oktober.'

'O...' Verward denkt hij even na. 'De 7de?'

Ze knikt verbluft. 'Lex, wat heb je hiermee te maken?'

'Voor hem alleen?'

'Geen idee. Maar wel de duurste kamer. Business executive. Ik dacht dat hij dat misschien deed omdat Pim toen zo'n kamer had. Je hebt van die mensen. Wil je die nota zien?'

'Straks.' Hij rookt en pakt het blocnotevelletje op. 'Hij heeft haar daar een wenskaart gestuurd met ongeveer dezelfde waarschuwing.'

'O?'

'Ja.' Hij legt het papiertje weer neer. Het heien stopt abrupt en even is het onwerkelijk stil.

'Je zei aan de telefoon dat Evers je bij de LPF had gebeld.'

'Ik wist niet dat hij het was. Hij wilde zijn naam niet noemen. Ik dacht dat het een van die gekken was die continu bellen. Hij vroeg of ik een briefje wilde schrijven en dat bij de receptie van Des Indes afgeven voor iemand die De Sjeik heette.'

Lex' ogen lichten op. 'Wanneer was dat?'

'Op 15 oktober. De begrafenis van Claus. We hadden in Des Indes een condoleancebijeenkomst.'

Werktuiglijk drinkt hij van zijn koffie en herinnert zich dat hij toen in De Posthoorn met Muntinga had gesproken en haar in haar bontjasje en leren rokje buiten had gezien. Op weg naar die bijeenkomst.

'Dan zou je dus denken dat het iemand van jullie is. Van de LPF.'

Ze knikt.

'Wat moest je schrijven?'

'Dat hij de volgende dag een afspraak wilde bij de Albert Heijn op de Place des Invalides... het Willem Royaardsplein.'

'Hè?'

'Ja. Vreemd hè?'

'Daar kreeg hij toch ook die hartaanval?'

'Ja. In de flat van een vriendin van zijn moeder. Pal tegenover die Albert Heijn. Hij had ook een verrekijker bij zich.'

'Een verrekijker?'

'Ja. Je zou zeggen dat die afspraak dus een smoes was.'

Hij zwijgt opnieuw. Achter de hoge heg zingt een man dat Ajax de Wereldcup heeft.

'Moest je nog meer schrijven?'

'God, ik weet het niet zo goed meer. Die Albert Heijn dus om vijf uur. Hij noemde ook een naam, maar...' Ze lacht opeens verbaasd. 'Icarus. Verdomd! Ik moest schrijven dat het om Icarus ging! En ook iets met een weekeinde in Keulen of zoiets. Geen wonder dat ik dacht dat ik een gek aan de telefoon had!' Ze komt overeind en pakt hun kopjes. 'Wil je nog koffie? Wat is er? Waarom kijk je me zo aan?'

Hij aarzelt even. 'Hij ondertekende die kaart aan Marike met Icarus. Met een uitroepteken erachter. Alsof hij dacht dat dat haar iets zou zeggen. En toen hij haar in het Westeinde opzocht, vroeg hij wat ze van Icarus wist.'

'O. Wist ze wat?'

'Nee.'

'Waarom zou hij dat dan aan haar hebben gevraagd?'

'Waarschijnlijk omdat hij dacht dat ze ermee te maken had.'

'Waarmee?'

Lex trekt een grimas. 'Net als bij mij. Met die aanslag op Fortuyn de 6de mei. Krankjorum, want ze was daar helemaal niet. Maar hij schreef op die kaart dat hij haar en de mannen die haar te pakken namen had gezien. Dat was dezelfde avond, ook bij het Oranje Hotel.' Hij dooft zijn sigaret. 'En op 7 oktober waar jij het net over had, was hij daar weer in Leeuwarden. Hij is toen op haar kamer geweest. Misschien dacht hij dat hij daar aanwijzingen kon vinden of zo.'

'Ik begrijp er echt helemaal niks van.'

Hij grijnst cynisch. 'That makes two of us. Ik zal straks een rechercheur bellen die ermee bezig is.'

Ze knikt en loopt met de kopjes het keukentje binnen.

Ze is mooi, vindt hij, zelfs zonder make-up.

Hij kijkt op zijn horloge. Het is elf uur. Nog twee uur voor hij Janna weer ziet. Toch vreemd om hier nu bij Anke te zitten, en dan straks bij haar. Wel kut dat hij geen twee dagen vrij kan nemen, want Bart belde gisteravond in paniek dat ze besloten hebben een andere cover te nemen, en of hij uiterlijk morgenmiddag met nieuwe foto's van het Lange Voorhout kan komen. Maar goed, Janna is zelf freelancer, die zal dat wel begrijpen. Hij moet trouwens niet vergeten ook Marike te bellen, want waar die uithangt is een raadsel; in elk geval neemt ze haar telefoon niet aan en belt ze ook niet terug.

Hij pakt een verse sigaret, steekt hem op en staart naar de intens groene tuin. Dus al die tijd zat Evers hier. Waarom in godsnaam? Waarom wist Muntinga niet dat hij dit bungalowtje had? Schrijven over Fortuyn. Gelul. Het moet te maken hebben met de aanslag op het Mediapark. Met Icarus, wat het ook is. En wie is Wouterse in godsnaam? Inderdaad de moordenaar van die bodyguard? Dat zou wat zijn als dat waar was! Jezus. Waarom zou hij dat niet eerst aan de krant doorspelen? De NRC is weliswaar niet bepaald de primeurkrant van het land, maar er zitten wel een paar jongens op de redactie die wat kunnen.

Hij wil de krantenpagina weer pakken, als hij tot zijn verbazing het logo van Bregtext boven in het scherm van de laptop ziet staan. Kent Anke Bart Bregstra?

Ze komt net met een dienblaadje uit het keukentje.

'Ken jij Bart Bregstra?'

'Wat? Ja. Waarom vraag je dat?'

'Sorry, maar ik zie zijn naam hier staan. Hij is een vriend van Marike.'

'O ja? O, natuurlijk. Leeuwarden, want daar werkte hij bij Omrop Fryslân. Ja, hij schaaft mijn tekst wat bij, dat is wel nodig! Kijk...'

Ze pakt een zwart cassetterecordertje van het dienblad en steekt het hem toe. 'Vond ik ook in de kever. Maar er zit geen bandje in. Ik dacht dat hij er misschien net als ik gesprekken mee opnam voor een boek over Pim.'

Lex draait het apparaatje om. 'Het is van Marike.'

'Wat?'

'Kijk maar.' Hij laat de achterkant zien. Naast de batterijingang staat in plaklettertjes: M. SPAANS.

'God,' zegt ze, 'dat heb ik helemaal niet gezien! Hoe komt hij daar dan aan?'

Een seconde flitst de gedachte door zijn hoofd dat Evers het op Marikes kamer moet hebben gevonden, maar dat kan natuurlijk niet. Ze is daar die nacht van de 6de immers niet terug geweest. Waar heeft hij dat ding dan vandaan? En waar is het bandje?

'En het lag in zijn auto?'

Ze knikt.

'Mag ik daar even in kijken?'

'Ja, natuurlijk, maar er ligt alleen maar rommel in. Ik haal de sleuteltjes even.'

Ze loopt het huisje weer in. Hij haalt zijn mobiel uit zijn colbert om te kijken of hij berichten heeft. Dat is niet het geval. Hij moet dat ding opladen, het staat op zijn laatste streepje. En hij heeft natuurlijk geen oplader bij zich. Dat gezeik weer, moderne communicatie!

Hij staat op als Anke naar buiten komt en loopt achter haar aan tussen de dennenbomen. Onwillekeurig kijkt hij toch naar haar billen en benen. Wiegt ze nou expres met haar heupen of liep ze altijd zo?

'Heb je Keje eigenlijk nog wel gesproken?' vraagt ze. 'Hij vond dat je hem nogal ontweek.'

'O ja? Nee hoor. Waarom zou ik?'

Ze lacht, maar kijkt niet om en loopt langs het tuinhuisje. 'Pas op voor de composthoop en de modder. Hij staat hierachter op een weggetje, want ze zijn de bomen aan het kappen.'

Het eerste wat hij in de auto ziet, is een kruiskopschroevendraaier op de stoel naast de chauffeur, en natuurlijk denkt hij aan Marike. Onzin, waarom zou er geen schroevendraaier in een ouwe auto liggen? Hij heeft er toch zelf ook een in de Saab?

'Heb je wel naar dat bandje gezocht?'

'Ja.'

Hij rommelt tussen de rotzooi op de vloer en tilt de matjes op.

'En in het huis?'

'Nee. Misschien dat zijn ex het heeft meegenomen, want die heeft opgeruimd, maar waarom zou ze?'

Er ligt niets, ook niet in het dashboardkastje, maar op het dashboard zelf ligt wel een parkeerbonnetje. Als hij het omhooghoudt, ziet hij dat het van de gemeente Leeuwarden is, gedateerd 7 oktober 2002. Dat klopt dus: de dag dat hij zich als rechercheur voordeed om in Marikes kamer rond te snuffelen. Waarom logeerde hij in de suite van Fortuyn? Hij zit stil achter het stuur. Heeft hij daar dat recordertje gevonden? Marike herinnert zich het niet, maar kan ze er net binnen zijn geweest vóór Fortuyn en Wiegel, dat ding hebben aangezet en hebben verstopt? Maar die kamers worden schoongemaakt. Boven op een kast bijvoorbeeld, kan dat? Hij was er die avond, schreef Evers. Heeft hij haar dat zien doen? Maar dan wacht je toch geen halfjaar? En waarom zou hij het willen hebben?

Door de voorruit ziet hij Anke op het weggetje praten met een postbode op een bromfiets. Hij kijkt tegen de zon in; het licht schijnt door haar zomerjurkje heen, zodat haar dijen zich scherp aftekenen onder de dunne stof. Hij vloekt zachtjes en dwingt zichzelf aan Janna te denken, in bed in het Parijse hotelletje, wil al uitstappen en realiseert zich dan dat hij vergeten is in het zijvak van het portier te kijken. Er zit niets anders in dan een opgevouwen vel papier. Hij vouwt het open en ziet verbaasd dat het een plattegrondje van het Mediapark is. Vanaf de portiersloge is met een balpen een lijntje naar het Audiocentrum getrokken. Het duurt enkele seconden voor het tot hem doordringt. Die plattegrondjes worden door de portiers aan bezoekers afgegeven. Hij kijkt op omdat hij de bromfiets hoort wegrijden. Anke komt naar hem toe.

'Niks?'

'Nee.'

Hij stapt uit, het plattegrondje al in zijn zak.

'Weet je wat gek is?' zegt ze. 'Die postbode zei dat Evers een postbus in Apeldoorn heeft.'

'O?'

'Nou begrijp ik dat er nooit post voor hem komt. Die postbode kwam hier om te vragen of hij hem leeg wil halen. Godnogaantoe, ze weten niet eens dat hij dood is!'

Ze lopen door de tuin terug.

'Dan zal er ook wel niet veel post in liggen, anders zou dat ding verstopt zijn.'

Hij knikt. Waarom had Evers een postbus? Er staat een brievenbus bij het tuinhek.

'Als ze dat niet weten, waarom komen ze dan langs?'

'Omdat ze het kantoor gaan verbouwen. Of hij hem leeg wil halen. Ik ga er straks heen, ik moet toch een nieuwe cartridge voor mijn printer kopen.'

'Heb je dan een sleuteltje?'

'Ik denk het. Er ligt een hele zooi sleutels in het elektriciteitskastje. Wil je mee?'

'Wat?'

Ze staat stil op het terras. 'Nou, je weet toch maar nooit?'

Ze begint te lachen als hij op zijn horloge kijkt.

'Volgens mij heb je een vriendin. Ja?'

16

Ze draagt nooit jurken, af en toe een rokje, maar nu kon het niet anders. Van het geld dat ze bij Lex heeft verdiend, heeft ze gisteren een chique zwarte jurk bij de Bijenkorf gekocht, een beetje bloot zodat ze er ook mee uit kan, maar ze heeft er een vestje van haar moeder over aan, ook zwart.

Godzijdank heeft ze niet gehuild in de aula, maar onderweg naar Barts kantoor wel, zodat ze eerst naar het toilet is gegaan om haar ogen en gezicht bij te werken.

Barts Marokkaanse secretaresse veegt nog wat weg met een Kleenex alvorens de deur van zijn kamer open te doen. Hij ligt steunend op een of ander fitnessapparaat, waarvan hij een beugel over zijn hoofd heen en weer trekt. Hij heeft er thuis ook een staan dat zij wel eens gebruikt als hij er niet is. Hijgend komt hij ervanaf en trekt zijn schoenen aan.

'Je ziet er heel stemmig uit,' zegt hij. 'Hoe was het? Waren er veel mensen?'

Ze knikt. 'Het hele ziekenhuis zo'n beetje. Plus haar cliënten, want ze deed ook nog een privépraktijk met haar vriendin.'

'Was ze lesbisch?'

'Hè? Doe niet zo idioot.'

'Nou ja. Ze was toch ook met een vriendin naar Parijs?'

'Nou en? Daar hoef je toch niet lesbisch voor te zijn? Jezus, Bart, je bent echt nog een lulletje uit Leeuwarden, hoor!'

Hij grinnikt en trekt zijn overhemd aan over zijn T-shirt. 'Heb je eigenlijk nog iets gehoord over dat ongeluk?'

Ze schudt haar hoofd, ze heeft ook geen zin om erover te praten.

'Lullig, hoor, ben je in Parijs, ga je dood. Wil je trouwens koffie of heb je die daar al genoeg gehad? Het is wel vroeg, maar wil je misschien een glaasje wijn of port?'

Ze trekt het vestje uit en gaat aan de lange werktafel zitten. 'Eh... witte wijn, heb je dat?'

'Ja hoor.'

Hij loopt naar de deur. 'Dzjamila?'

Er komt geen antwoord.

'Ik haal het zelf wel even,' zegt hij en hij verdwijnt de gang op. Ze pakt haar sigaretten uit haar tasje. Thera's lievelingsmuziek zit nog in haar hoofd, Jacques Brel met 'Ne me quitte pas'. Zóú ze lesbisch zijn geweest? Want die vriendin met wie ze in Parijs was en die een heel ontroerende toespraak hield, was dat zeker.

Ze heeft trouwens wél iets gehoord over Thera's dood. Volgens een ooggetuige zou het gaan om een auto die door een vrouw werd bestuurd. De vrouw die Lex had gefotografeerd? Het is absurd! In elk geval was het dan niet Lex. Ze wil er ook niet meer aan denken.

Barts werktafel is bezaaid met mappen, dvd's, boeken, foto's en paperassen. Tussen de grote ramen staat een kolossaal tv-scherm met een dvd-installatie en links en rechts twee designspeakers van Bang & Olufsen. Ze grinnikt wat mismoedig en steekt de sigaret aan. Lulletje uit de provincie, maar wél poen. Vlak bij haar ligt *De Telegraaf* van die ochtend, de kop groot: VERBOD BOERKA'S VOOR OPENBARE GELEGENHEDEN! Wat een onzin. Hoeveel meisjes en vrouwen zie je nou in een boerka? Toch bijna niemand? Ernaast staat een foto van de parlementaire delegatie naar de Antillen op een receptie bij de Gezaghebber van Sint-Maarten. Vooraan Van Essen met Wilders en een dikke, zwarte vrouw in een kleurig gewaad. Ook idioot, denkt ze: Van Essen, de vriend van de ex van Lex. Zal hij ook blij mee zijn geweest daar. Ze denkt weer aan dat telefoontje van hem gisteren in zijn souterrain, als Bart binnenkomt met een fles witte wijn en twee glazen.

'Oké,' zegt hij. 'Moet je luisteren. Je weet dat die vroegere vriendin van Lex, Anke van Dam, de biografie van Fortuyn schrijft, hè?'

Verbaasd trekt ze haar wenkbrauwen op. 'Ja.'

'Ik vijl die tekst van haar wat bij, want echt goed schrijft ze niet.' Hij ontkurkt de fles en schenkt in. 'Maar ik wil er een dvd bij maken.'

'Een dvd?'

'*Sure*. Het sterft van het filmmateriaal over Fortuyn en het archief kost geen hol. En als die uitgever het toch te duur vindt, produceer ik hem zelf, snap je?'

Hij geeft haar haar glas en gaat met het zijne tegenover haar zitten.

'Dus ik dacht dat jij dat misschien leuk zou vinden om te doen.'

'Een dvd maken? Jezus, dat heb ik nog nooit gedaan!'

'Nee, die laat ik natuurlijk maken. De research.'

'O,' zegt ze verbaasd.

'De LPF heeft zelf flink wat archiefmateriaal, de NOS en de andere omroepen ook, de VARA natuurlijk, zeker dat fragment waarin die eikel van een Van Dam in *Het Lagerhuis* Fortuyn beledigde. Fotoarchieven, de hele reut... Je kunt zo bij Lex de Rooy terecht, die heeft hem toen maandenlang gevolgd. Leuk toch?'

Ze knikt en drinkt. Het klinkt verdomd goed. Behalve Lex.

'Je kunt hier op kantoor werken. Als dat ding goed loopt, kunnen we misschien wel meer. Niemand leest toch nog? Ik dacht aan retro-dvd's, weet je wel, die lopen als een speer. Allemaal ouwelullenwerk, vroeger was het beter.'

'En wat betaalt het?'

'Ah!' Hij knipoogt. 'Wat ving je bij het *Friesch Dagblad*?'

'Ja, hallo! Dat was een stage!'

Hij lacht en drinkt. 'Ik dacht vijftienhonderd per maand plus onkosten en geen huur, freelance natuurlijk, tot 1 juli.

Maar wat ik zei: ik ga er echt mee verder, want van tekstjes en fotoboeken wordt niemand rijk, ik ook niet.'

Vijftienhonderd euro, denk ze, plus geen huur! Viermaal zoveel als bij die kutkrant!

'Bruto natuurlijk,' zegt Bart.

Ze knikt weer.

'Deal?'

'Deal.'

'Hartstikke goed. Ik zal Dzjamila een contract laten opmaken. En misschien kun je al meteen bij Lex langs, want die is net terug, maar dat wist je natuurlijk. Je verzorgt zijn kat toch?'

'Eh... nee,' zegt ze. 'Ik bedoel, is hij terug?'

'*Sure*. Hij doet dat promoboek voor me en ik moet als de sodemieter een nieuwe coverfoto hebben. O nee, hij was vandaag weg.' Hij lacht weer. 'Weet je wat ik trouwens denk?'

'Nou?'

'Dat hij het weer met die Anke aanlegt.' Hij knikt nadrukkelijk. 'Volgens mij zit hij nu ook bij haar, want ik had hem vanochtend vroeg aan de telefoon en toen zei hij dat hij voor de krant...'

Hij zwijgt abrupt omdat de Marokkaanse haar hoofd om de deur steekt.

'Ik ben even lunchen. Pak jij de telefoon?'

'Okido. Tot straks.'

Ze trekt de deur dicht.

'O ja,' zegt Bart en hij pakt een dvd in een blanco plastic doosje. 'Vergeet ik helemaal. Ik had al wat opgevraagd bij Omrop Fryslân. Jij staat er ook op. Even maar, maar wel leuk.'

'O ja? Waar dan?'

'Op die bijeenkomst in Van den Berg State, waar Fortuyn eerst was, weet je nog? Op straat als je je fiets pakt, maar je ziet het nauwelijks.' Hij aarzelt even. 'Of vind je het vervelend?'

'Nee hoor.'

Hij loopt met de dvd naar de installatie tussen de ramen. 'Het is niet erg goed, maar er zit wel iets bruikbaars bij.'

Met de afstandsbediening loopt hij weer terug. Het kolossale scherm licht op als hij gaat zitten. 'Wil je nog wijn?'

Ze knikt, toch wat zenuwachtig als zomaar, zonder enige introductie, de Daimler van Fortuyn in beeld komt. Langzaam rijdt hij tussen de joelende mensen door, tot hij stopt en een man het achterportier opent. Het eerste wat ze ziet is de verbonden linkerhand van Fortuyn, die hij lachend als een jachttrofee omhooghoudt.

'Dat soort beelden dus,' zegt Bart. 'Die plakken we achter dat fragment dat ze hem toen in Hilversum uit Leefbaar Nederland trapten, weet je nog, en hij met zijn opgestoken wijsvinger uit de auto zwaaide en riep dat hij premier van Nederland ging worden. Mooi toch?'

Ze knikt en nipt van de wijn, en herkent opeens haar chef, de klootzak met de bierbuik, samen met Mat Herben. Het volgende shot is van het bomvolle zaaltje waar Fortuyn in de spotlights op het podium salueert. 'Ta jo tsjinst!'

'Slim, hè?' zegt Bart. 'Moet je ze horen brullen! Kijk, daar sta ik! Bij de bar! Fuck, moet je kijken hoe dik ik toen was!'

'Nog steeds, hoor.'

'Wat? Sodemieter op! Ik weeg eenentachtig kilo. Jij dan?'

Ze wil iets sarcastisch opmerken als ze opeens zichzelf ziet. Bij de bar steekt Bart een duim naar haar op en maakt dan het gebaar alsof hij een glas achteroverslaat.

'Weet je dat nog wel? Dat we die afspraak maakten?'

Ze schudt haar hoofd. Opeens heeft de camera weer buiten gefilmd. Of misschien was het wel een andere camera. Ze ziet ook waarom. Er staan maar een paar mensen, maar aan de overkant van de straat wordt een jonge Marokkaan door twee politieagenten in een overvalwagen geduwd.

'Bleek later nota bene een fan van Fortuyn te zijn geweest,' lacht Bart. 'Kijk, daar kom jij.'

Ze ziet zichzelf naar buiten lopen. Ze staat stil en haalt haar shag uit haar tas. God, denkt ze, dat is waar ook, ik rookte toen nog shag. Ze steekt het shaggie aan, pakt dan haar mobieltje en toetst in, terwijl achter haar de overvalwagen langzaam wegrijdt. Ik belde Lex, denkt ze, en ze trekt aan haar sigaret. Op het scherm schakelt ze uit en toetst weer in, luistert en schakelt weer uit, kennelijk zonder iets gezegd te hebben. De camera glijdt langs haar naar twee mannen.

'Hé, dat is Mehmet!' zegt ze verrast. 'Goh.'

Bart knikt. 'Weet je ook niet meer?'

Ze wil haar hoofd schudden, maar verstrakt. Tussen een groepje mensen dat uit het hotel komt, loopt een oudere man met zilverwit haar, die op haar af komt. Tussen zijn vingers houdt hij een onaangestoken sigaret omhoog, maar ze hoort zijn stem niet, omdat naast hen een auto driftig claxonneert. Net als de camera terugzwenkt, holt de oudere man naar de overkant van de straat.

'Wat zei je?' vraagt Bart. '"Fuck off" of zo?'

Maar ze geeft geen antwoord en staart naar twee mannen die stilstaan achter het groepje bij de ingang van het hotel. Ze voelt zich plotseling intens koud worden. Dan glijdt de camera de lobby van het hotel binnen.

'Kun je even terug?' vraagt ze, en tot haar verbazing klinkt haar stem heel gewoon.

'Tuurlijk,' zegt Bart. 'Altijd leuk om jezelf te zien, toch?' Hij toetst in en het beeld staat even stil in de lobby van het hotel, waar mensen lachend uit de zaal aankomen, beweegt dan terug.

'Stop!' Nu klinkt haar stem zeker een octaaf hoger, zodat Bart verwonderd opkijkt.

'Wat is er?'

'Stop!'

Het beeld staat stil. De ene man is een jaar of zeventig. Hij heeft vrij lang, grijs haar, een gebruind, scherp gesneden gezicht, zijn rechterhand omklemt de knop van een wandelstok. De man naast hem is kleiner en jonger, een man met priemende, donkere ogen, kalend met donker sluik haar. Als in trance ziet ze hem voor haar geestesoog op haar af komen, zijn hand grijpt haar haar en als hij haar toesnauwt, ruikt ze in paniek de sterkedrank in zijn adem.

'Hé, Marike, wat is er?'

Ze haalt diep adem. 'Ken je die mannen?'

'Wat? Nee. Waarom?'

'Ook die kleine niet?'

Bart buigt wat naar voren. 'Nee. Wie is dat dan?'

Haar blik blijft op de twee mannen gefixeerd. 'Je hebt toch ook politieverslaggeving gedaan?'

'Ja. Hoezo?'

'Die man is een politieman in Leeuwarden.'

Bart kijkt weer naar het televisiescherm. 'Lijkt me stug. Ik heb hem daar nooit gezien.'

'Ik wel,' zegt ze toonloos. 'Hij heet Muntinga. Ik weet zeker dat hij me aanviel bij het...'

Opeens zwijgt ze en ze voelt de tintelingen over haar rug trekken.

'Wat bedoel je?' vraagt Bart ongelovig. 'Dat een politieman je toen neerschoot?'

Maar ze geeft geen antwoord. In gedachten hoort ze de stem van de aantrekkelijke rechercheur die haar een paar dagen geleden over Lex informeerde: 'Het spijt me erg, maar mijn collega hoofdinspecteur Muntinga is helaas verhinderd. U zult het dus met mij moeten doen.'

Was hij er ook bij die nacht? Een lange, blonde man bij dat park?

Als een zombie komt ze overeind en pakt onder Barts verbaasde blikken haar mobiel.

'Wie ga je bellen?'

Opgewonden toetst ze Lex' nummer in, pakt haar sigaret

uit de asbak, hoort tot haar ergernis zijn voicemail en schakelt driftig uit.

'Je zei dat hij naar die Anke ging.'

'Wie?'

'Lex!'

'Nee, hij zei dat hij voor de krant naar Hoog-Soeren moest, maar daar zit zij, in een bungalowtje waar ze aan die biografie zit te klooien. Hoezo? Wat is er nou?'

'Hoog-Soeren?' vraagt ze verbijsterd.

17

Buiten het postkantoor staat ze stil en kijkt de parkeerplaats af, maar de Saab staat er niet. God, waar blijft hij? Een halfuurtje geleden zat Lex nog achter haar op de Amersfoortseweg, maar in de buurt van de Julianatoren was ze hem opeens kwijt. Heeft hij pech? Dat zal dan niet de eerste keer zijn. Verdwaald? Een ongeluk? Maar dan zou hij toch allang hebben gebeld? Of heeft hij dat gedaan toen ze hier parkeerde en Keje haar net belde? Maar waarom neemt hij zelf niet op? Heeft hij de Saab soms ergens neergezet om hulp te halen en is hij zijn mobieltje vergeten? Dat zou typisch Lex zijn. Of het ding niet opgeladen? Of zou hij zich soms bedacht hebben en naar die vriendin zijn gegaan? Want die heeft hij, dat weet ze wel zeker; het scheelde niet veel of hij was nog gaan blozen ook. Maar natuurlijk is hij daar niet heen; hij wilde net zo hard weten wat er in die postbus zou zitten als zij. Het blijft onbegrijpelijk wat er allemaal gebeurt.

Nerveus loopt ze met de aktetas naar haar Peugeot, legt hem op de stoel naast zich en schuift achter het stuur, maar laat het portier wat openstaan, de zon op haar gezicht. In elk geval weet hij waar het postkantoor is, dus als hij verdwaald is, kan hij nog komen. Ze besluit nog tien minuten te wachten. Ver weg kan hij nooit zijn. Als hij pech kreeg op de provinciale weg, kan hij een bus naar Hoog-Soeren nemen, dan ziet ze hem daar weer.

Ze kijkt naar de aktetas. Hij lijkt wel identiek aan de tas die Elly Schuurman haar gaf. Anke kan haar nieuwsgierigheid nauwelijks bedwingen, maar ze heeft er nog niet in durven kijken. Bloednerveus heeft ze de postbus weer op slot gedraaid en het sleuteltje aan het loket afgegeven. 'Ik kom namens meneer Evers het sleuteltje van nummer 117 brengen.'

Afgezien van de tas lagen er wat bankafschriften, die ze snel in de tas heeft gestoken.

Ze steekt een sigaret op en kijkt de straat af naar de Saab. Naast haar parkeert een jonge moeder met een baby. Ongeduldig wacht ze tot de vrouw het kind in een buggy zet en naar het winkelcentrum loopt. Dan pakt ze de tas en doet hem open.

Aarzelend haalt ze er een kartonnen donkergroene map uit, dichtgestrikt met donkergroene linten die haar doen denken aan de mappen waarin haar vader paperassen bewaart. Linksboven staat 'HC-III' op een vergeeld etiket met een wat vlekkerig donkerrood stempel er half overheen. HC. Highly Confidential? Ze bedwingt haar nieuwsgierigheid, trekt een grote kantoorenvelop tevoorschijn en ziet stomverbaasd dat hij gericht is aan prof. dr. W.P.S. Fortuyn. Het handschrift is onmiskenbaar van Evers, maar er staat geen adres op. De envelop is dik en voelt aan alsof er een stapeltje papier in zit. Hij is niet dichtgeplakt, er staat ook geen afzender op. Had Evers hem nog willen verzenden? Correspondeerde hij met Pim? Maar waarom bewaarde hij dit dan in een postbus? Omdat hij bang was dat iemand ervan wist? Ze tast weer in de tas en voelt onder plastic een koud, hard voorwerp. Het is zwaar en blijft even steken, maar dan ziet ze tot haar schrik dat ze een plat zwart pistool in een doorzichtige plastic zak vasthoudt. Geschrokken weet ze toch meteen dat het een pistool is en geen revolver. Voordat ze Lex kende, had ze een relatie met een journalist die lid was van een schietvereniging en haar tot vervelens toe over zijn hobby vertelde. Om hem een plezier te doen is ze zelfs een paar keer mee geweest naar die club. Onder de loop schemeren de letters Desert Eagle 41M, de greep is van zwarte kunststof. Zou het geladen zijn? Waarom had Evers een pistool? En waarom bewaarde hij het hier? Om ermee weg te kunnen als hij in gevaar was? Het is belachelijk! Een ambtenaar! Ze kijkt even schichtig opzij, omdat ze een autoportier hoort klappen, herademt als ze wat verderop een auto hoort starten, stopt het pistool terug en pakt een kleine envelop. Ook het handschrift daarop – stevig, secuur – herkent ze ogenblikkelijk. Geen twijfel mogelijk: Pims handschrift! Maar wie is Katelijne? Want dat staat er: 'Katelijne, Postbus 117, 7313 HD Apeldoorn.' Een schuilnaam van Evers? Die vriendin van Evers? Het stempel op de postzegel geeft aan dat de brief in Rotterdam werd verstuurd op 20 oktober 2002. Toen Evers dus al dood was. Kende Pim Evers? Dat kan niet anders.

God, wat zou ze het daarnet graag aan Keje hebben verteld! En wat wilde ze graag dat hij nu hier was. Hij zou het niet eens geloven, dat doet ze zelf nauwelijks. In elk geval is hij er vanavond.

Ze dooft de sigaret en kijkt de parkeerplaats af. Geen spoor van Lex of van de Saab, verdomme. Nog vijf minuten. Even denkt ze dat er niets meer in de tas zit, maar dan voelen haar vingers een klein plastic voorwerp en nog voor ze het ziet, weet ze dat het een cassettebandje moet zijn. Dat is het ook, een doorzichtig doosje, merk BASF, 120 min.

Verder is de tas is leeg.

Wat zal ze doen? Naar huis?

In een opwelling pakt ze de donkergroene map en trekt nerveus de strikken los. Als ze hem openslaat, is het eerste wat ze ziet een grote zwart-witfoto, en een seconde is ze totaal in de war. Hoe kan de foto die ze aan haar vader heeft gestuurd hier in deze map liggen? Maar dan ziet ze verbaasd dat ze zich vergist. Het zijn wel dezelfde mannen, het is ook dezelfde locatie, maar hier staat Pim op, lachend in een hoek, jong nog, zijn hoofdhaar glimmend, een sigaar in de smalle mond tussen snor en keurig getrimd ringbaardje. Met een pen heeft iemand bij elk een nummer gezet, vierentwintig in totaal. Evers? Hoe kwam hij aan de foto? Ze draait hem om. In de linkerbovenhoek heeft iemand 'Keulen, 1971?' geschreven;

eronder 'Icarus' en daar weer onder in volgorde de vierentwintig nummers, achter elk een naam. Die zeggen haar geen van alle iets, behalve die van Pim. Achter sommige staan tussen haakjes kennelijke bijnamen zoals Boris, de Kat, Wolf, Engel. Achter Pim staat de Prof. En dan zit ze roerloos, de tintelingen als elektrische stroom door haar lijf, want achter de op een na laatste naam, Bastiaan Mos, is 'de Sjeik??' genoteerd, maar ook een kruisje met de datum 19-VI- 1976 en dan 'zie HC-A-2'. Had Evers gedacht dat die Mos de Sjeik was, maar kwam hij later tot de ontdekking dat die man in 1976 is gestorven? Ze draait de foto om. De man is lang, aantrekkelijk ook, een jaar of veertig, dezelfde wat spottende blik die Keje soms heeft. Naast hem staat een jonge man met een opgerolde krant.

Werktuiglijk neemt ze een sigaret, steekt hem aan en bladert door de losse vellen in de map, tot ze bovenin in rode inkt A-2 ziet staan. Ze leest maar enkele regels, staart verwilderd voor zich uit, maar voelt zich dan gek genoeg opeens ijzig kalm en pakt haar agenda om het privénummer van Pim te zoeken. Als ze het heeft en wil intoetsen, schrikt ze doordat haar mobieltje in haar hand begint te trillen. Ze glimlacht verwezen in de verwachting dat het Lex zal zijn en schakelt in.

'Hallo?'

'Anke?' vraagt Bart. 'Met Bart. Bart Bregstra. Luister eens, ik probeer je al de hele tijd te bellen. Is Lex bij jou, want Marike Spaans wil hem dringend spreken, maar hij belt niet terug.'

Ze aarzelt. 'Geef haar maar even. Ik zie Lex straks.'

18

'Een bungalowtje bij Hoog-Soeren,' zegt Muntinga. 'Waarom wisten wij daar godverdomme niks van?'

'Omdat hij er nooit met iemand over sprak,' zegt Dijkstra. 'Zelfs niet met zijn eigen vrouw, hoewel hij het kocht toen ze nog getrouwd waren. In 1984, voor dertigduizend gulden. Waarschijnlijk had hij dat achter haar rug om bij elkaar gespaard. Ze dacht dat hij er een vriendin op na hield.' Uit een mapje haalt hij een foto van een jonge vrouw op een fiets en schuift die naar Muntinga toe. De foto is wat flets van kleur, de vrouw draagt een jurk en schoenen met blokhakken, die Muntinga doen denken aan de jaren tachtig, toen hij zijn vrouw voor het eerst ontmoette.

'Bij het opruimen vond ze er deze foto,' zegt Dijkstra.

Hij ziet bleek en gaapt voortdurend, hij heeft maar een paar uur geslapen. Op tafel naast hem ligt het *AD* met als opening de levensgrote kop: KABINET DREIGT BRUSSEL UIT EU TE STAPPEN!

'Zijn ex zat in een revalidatiecentrum en hoorde pas later over die bungalow van de notaris die zijn nalatenschap behartigde. Evers en zij hadden geen kinderen.'

'Waarom liet hij hem dan niet na aan die vriendin?'

'Omdat die al eerder doodging. Niet lang nadat zijn vrouw bij hem weg was gegaan. In 1989. Overreden door een vrachtwagen in Apeldoorn.'

Muntinga kijkt even verrast op en denkt aan Thera Post.

'Hoe weet je dat?'

Dijkstra onderdrukt een geeuw en staat op om koffie te halen. 'Omdat we na zijn dood in zijn huis zijn geweest. We schonken er toen geen aandacht aan, maar er hing daar een aquarel gesigneerd met de naam Katelijne. Achterop was een artikeltje met een foto uit een krant geplakt over dat ongeluk. We dachten toen dat hij gewoon geïnteresseerd was in de kunstenares – je hebt van die mensen. Maar de vrouw van dat artikel was dezelfde als op de foto die zijn ex in de bungalow vond.'

Muntinga bladert door het rapport. 'Weet Elly Schuurman dat hij bij de dienst werkte?'

'Nee.'

'Heb je naar Wouterse gevraagd?'

'Ja. Kent ze niet.'

Dijkstra gaat zitten met zijn koffie.

'Kan Wouterse in die bungalow zijn geweest?'

'Geen idee. Je bedoelt dat Evers daar mogelijk materiaal heeft liggen?'

'Die ex vond daar toch aantekeningen over Fortuyn?'

'Klopt.'

'Maar niet de map.'

'Nee, dan zou ze dat wel hebben gezegd.'

Dijkstra schudt zijn hoofd en neemt een slokje.

'Hoe is het godverdomme mogelijk!' zegt Muntinga. Ongevraagd pakt hij een sigaret uit het pakje van Dijkstra en steekt hem aan. 'Wat zei Marike nog meer?'

'Niks. Ze wist niet dat De Rooy contact heeft met Anke van Dam. Ze heeft wel de Spectro ingevoerd, maar tot nu toe heeft hij alleen de gebruikelijke mail ontvangen. Bovendien had hij een storing.'

'Maar hij is wel naar haar toe! Waarom dan? Ze heeft hem nota bene belazerd met Van Essen!'

Dijkstra wil zeggen dat dat tegenwoordig niks bijzonders meer is, wanneer de telefoon bij Muntinga overgaat.

Muntinga neemt direct op.

'Ja?'

Zijn kleine, donkere ogen verwijden zich verontrust.

'Fortuyn? Waarom?'

Dijkstra ziet dat hij schrikt, zijn ogen nu samengeknepen.

'En waar is De Rooy dan?'

Hij zuigt luisterend aan de sigaret en let niet op Dijkstra's nieuwsgierige blik.

'Nee,' zegt hij dan. 'Niet. Wacht even.'

Hij houdt de hoorn wat van zich af en kijkt opgewonden naar Dijkstra. 'Wat is het adres van die bungalow?'

19

Een voor een schuiven de vellen uit de faxmachine. Het gaat langzaam en Fortuyn leest, net als zijn voorbeeld Jack Kennedy, razendsnel. Hij weet ook vrijwel zeker wat hij kan verwachten na de eerste twee vellen, waarop de foto en de achterzijde ervan met de namen staan. Hoewel hij aanvankelijk geschokt was, voelt hij zich nu rustig en zelfs opgelucht. Hij weet wat hij zal doen; wat hij móét doen, er is geen ontkomen aan. Hij begrijpt nog steeds niet wie de man was die zich Katelijne noemde en hoe hij aan deze stukken kwam. Tijdens haar warrige telefoontje had Anke het over een zekere Ben Evers, een gepensioneerde ambtenaar van Landbouw en Visserij, die de stukken in een postbus had verborgen. Die naam zegt hem niets. De man stierf het afgelopen najaar. Volgens Anke op 16 oktober. Hij weet niet goed meer wanneer hij zijn antwoord naar die postbus in Apeldoorn stuurde, maar omdat Anke dat ongeopend aantrof, moet dat dus later zijn gebeurd.

Hoe kwam de man aan deze stukken en de foto? De getypte oorspronkelijke informatie op de vellen vertoont grote hiaten, maar iemand heeft er stukken handgeschreven materiaal aan toegevoegd. Te oordelen naar het ouderwetse, sierlijke handschrift deed die Evers dat. Katelijne. Wie was hij dan? Een van de mannen op de foto, een van Icarus? Hij kan zich niemand met die naam herinneren, maar dat zegt niet zoveel, het is meer dan dertig jaar geleden. De naam staat in elk geval niet op de achterkant van de foto. Toch moet de informatie afkomstig zijn van een van de mannen. Hij weet nog wel dat de foto werd gemaakt, net als die andere, die hij zelf nam en eerder aan Anke gaf. Maar of dat in Keulen was, kan hij zich niet meer herinneren. Het kan evengoed elders zijn geweest.

Zo vrolijk als ze er allemaal bij staan, ze waren in die dagen voortdurend op hun hoede. Vandaar die kinderachtige schuilnamen: de Kat, Boris, Wolf, Engel en hij de Prof. Veel van hun echte namen is hij allang vergeten, net als de meeste van die schuilnamen. Die jaren ook, al komen er nu weer beelden boven; hij heeft het er nooit met iemand over gehad, zelfs niet met zijn psychiaters of met Ari. De naam de Sjeik zegt hem nog steeds niets, maar wel het uiterlijk van de man die zich zo noemde. Een van de ouderen. Op de foto die hij zelf had staat hij wat achteraf, maar op deze pontificaal vooraan. Hij herkende de kop meteen. Een lange, knappe man, ouder dan de meesten toen, denkt hij, zo tegen de veertig. Een leiderstype, zoals hij. Op de een of andere manier doet hij hem een beetje aan Van Essen denken: dezelfde wat spottende blik, dezelfde houding. De man heette Bastiaan Mos en hij wás ook de leider. In elk geval een van de leiders. Dood. Er zijn er meer de afgelopen jaren overleden, onder wie godzijdank zijn vroegere studievriend, die hem eerder om geld chanteerde. Hij heeft dat eerste alarmerende briefje van die Evers erbij gehaald. Een opgevouwen A4'tje. Niet getypt, maar beschreven in een keurig, ouderwets handschrift.

'Ik denk te weten dat het met Icarus van doen heeft, en mogelijk met Keulen 1971, al weet ik niet wat daarmee kan worden bedoeld. Ik heb een man in dat verband echter uw naam horen noemen. Hij noemt zich de Sjeik en hij kent u. Helpt u mij, dan help ik u. Kunt u mij bericht sturen naar postbus 117, 7313 HD Apeldoorn ten name van Katelijne? Vertrouwt u mij. Een vriend.'

Hij denkt nu ook te begrijpen wat er met dat zinnetje 'De man die in uw plaats stierf werd met opzet vermoord' werd bedoeld. Wie was hij dan, als hij geen bodyguard was?

De schok. Wat heeft Bastiaan Mos, al zo lang dood, hier in godsnaam mee te maken?

Dat herinnert hij zich heel goed, diens doodsbericht, ook

al was Mos al jaren weg bij de universiteit en bestond Icarus allang niet meer. Zelf werkte hij toen in Groningen, voorjaar 1976, als secretaris van de Nieuwbouwstichting Studentenhuisvesting en bij de faculteit der sociale wetenschappen, hard bezig aan zijn proefschrift. Mos woonde en werkte op Curaçao, meent hij. Hij was met daverende ruzie als secretaris-generaal op Volkshuisvesting naar de Antillen vertrokken; er gingen geruchten over financiële malversaties in onroerend goed. Mos was tijdens een zeiltocht overboord geslagen en in de schoepen van de motor terechtgekomen. Hij liet een vrouw en twee jonge kinderen na. Zou Mos zijn vrouw er ooit over hebben verteld?

Zo ongelooflijk als het is, alles is dan duidelijk: de eisen die ze stellen, de benoemingen, Van Eerten, De Fraiture, Theunissen, straks een opvolger voor Vic Bonke. Zijn het hun stromannen, worden ze zelf gechanteerd, omgekocht? Wie zijn ze?

'Er bestaat opnieuw een groep die zich Icarus noemt,' schreef Evers. Is die kennis hem noodlottig geworden? Wie was híj dan? En hoe is Anke achter zijn bestaan gekomen?

Icarus. Hoe toepasselijk, zijn vleugels verbrand en neergestort in zee. Maar dat zal hem niet overkomen. Hoe dikwijls hij ook zelfmoord heeft overwogen, nu niet, juist nu niet.

Hij trekt het laatste vel uit het apparaat. Geen ondertekening. Alleen de dagtekening en de afzender. Een postkantoor in Apeldoorn.

Rustig legt hij het vel op de andere en drinkt peinzend van de wijn. De fax zoemt nog na. Hij kijkt naar het grote schilderij tegenover hem, waarop in felle kleuren Provesano is afgebeeld, hijzelf in een gebloemd overhemd met Kenneth en Carla bij de toegang tot 'Rocca Jacoba'. Hoe gek, denkt hij geamuseerd, ik voel me beter dan ooit!

Binnenkort woont hij daar, permanent, zoals hij eigenlijk altijd heeft gewild. Hij heeft hier niemand meer, zijn ouders dood en begraven, zijn broers en zusters vreemden, al die zogenaamde vrienden en kennissen niet anders dan, zoals Theo dat zo treffend verwoordt, pygmeeën op plateauzolen die zich verdringen om maar in zijn schaduw te staan. Hij zal het Palazzo verkopen en zich in Provesano wijden aan zijn kunstverzameling. Eindelijk zal hij eraan toekomen boeken te lezen, te schrijven, maar niet over politiek. De tijd hebben om met padre Locello te schaken of met hem te discussiëren over God, de Kerk, de Heilige Drie-eenheid, de schepping. Met Bruno zal hij wandelingen maken in de heuvels en de zon zien ondergaan, praten over Brunelleschi en Michelangelo, over Rafaël en Titiaan. Ver weg van deze zompige moerasdelta, ver van al die bekrompen kleine geesten hier, die al zwijmelen bij de *Matthäus Passion* of zo'n kladschilder als Mondriaan. Ver van de Balkenendes, de Marijnissens, die stoet van dwergen!

Hij drinkt weer en glimlacht wrang naar het kleine portret van Joop den Uyl. De maakbare samenleving. Dat heeft ook hij gedacht. Mensen hebben hem ijdelheid verweten, hoogmoedswaanzin, zelfs schizofrenie, maar hij stond voor wat hij wilde. 'Ik ben God niet,' heeft hij wel eens spottend gezegd, maar er zijn momenten geweest waarop hij dat betwijfelde. Een God in het diepst van zijn gedachten. Niet scheppen, maar herscheppen. Dat is geen blasfemie, elk mens is naar het evenbeeld van God geschapen. Kennedy moet hetzelfde hebben gedacht, net als Martin Luther King en misschien zelfs 'ome Joop' in Buitenveldert wel. Een droom. De maakbare samenleving. Hij heeft zelfs zijn eigen leven niet kunnen maken. Bijna vijfenvijftig is hij nu. Is het een nederlaag?

Natuurlijk, maar tegelijkertijd is het een overwinning. Op zichzelf. Op zijn vijanden. Wat er ook zal gebeuren, zijn besluit staat vast. Zodra Anke hier is met de originele stukken, zal hij Wiegel bellen en hem zeggen langs te komen. Hij zal aan Hans overlaten wat te doen, kome wat ervan komt. Ook al is de zaak verjaard, ook al weet hij niet eens tegen wie hij de aanklacht wegens chantage moet richten, ook al zullen de schande en de volkswoede over zijn eigen hoofd komen. Hij heeft naar eer en geweten gehandeld, hij heeft alles ingezet wat hij heeft: zijn geld, zijn carrière, zijn psyche. Hij drinkt weer en glimlacht naar het portret van zijn ouders, omdat hij nooit gedacht heeft ooit blij te zijn met hun dood.

Hij schrikt op doordat Herman de deur opent.

'Pim, ik ga Kenneth en Carla uitlaten. Toos is al weg vanwege het weekeinde.'

'Prima,' zegt hij. 'Ik krijg straks mevrouw Van Dam op bezoek en ik wil even rustig met haar praten.'

Herman knikt en wil alweer de gang op.

'Herman?'

'Ja?'

'Ik wil graag zondagavond het vliegtuig naar Treviso.'

Herman fronst verbaasd. 'Eh... u heeft anders maandagmiddag een receptie bij Hare Majesteit vanwege de officiële heropening van Huis ten Bosch.'

'Ik stuur Pastors wel. En ik wil dat jij met Kenneth en Carla al morgen met de Bentley naar Provesano vertrekt.'

Herman knikt, nog steeds verbaasd, en sluit de deur.

De majesteit, denkt Fortuyn. Godallemachtig, wat zal het mens juichen!

Hij schenkt nog wat bij. Natuurlijk vertrekt hij meteen. De RVD moet maar wat verzinnen, daar zijn ze anders ook zo goed in. Hij drinkt en pakt het eerste vel van de handgeschreven brief weer. 'Er bestaat opnieuw een groep die zich Icarus noemt.'

Buiten stopt een auto, maar hij hoort het niet. Waarom zou hij ook? Het is een vrijdagmiddag op het G.W. Burgerplein, er stoppen daar zo vaak auto's om deze tijd.

20

De Saab staat op een meter van een ANWB-paddenstoel. De motorkap staat open. Totaal zinloos, hij weet niets van auto's. De paddenstoel staat op de kruising van een smalle, geasfalteerde weg en een beklinkerd fietspad dat tussen dicht op elkaar staande dennenbomen loopt. Recht vooruit ligt Uddel op 7,3 kilometer afstand. De rode pijl de andere kant op wijst naar het Wiesense Bosch, waar hij zelfs nog nooit van heeft gehoord. Het fietspad loopt van Hoog-Soeren, 6,4 kilometer achter hem, naar Apeldoorn, 8 kilometer verderop. Het pad wordt niet aangegeven op zijn wegenkaart van Nederland.

Woedend klapt hij de kap dicht. Klote-auto. Een kwartier geleden op de provinciale weg naar Apeldoorn begon de Saab plotseling langzamer te rijden, ook al trapte hij het gaspedaal in tot de bodem. Anke, al ver voor hem in haar Peugeot, had niks in de gaten, hoewel hij als een gek met zijn lichten knipperde, maar de zon stond pal achter hen. Geen benzinestation te bekennen, zelfs geen vluchtplek, het verkeer vloog toeterend langs hem heen. Met nog geen veertig kilometer per uur sukkelde hij door, tot hij in wanhoop een smalle weg is ingeslagen om ergens te kunnen parkeren en te bellen. Toch is hij nog doorgereden – gekropen is een beter woord – in de hoop een dorp met een garage te treffen, zodat hij straks niet een uur of langer op de wegenwacht hoeft te wachten. Maar er is niets of niemand, alleen de smalle weg, af en toe een bospad en een schemerachtig doods bos. Bij de paddenstoel gaf de Saab het op. Wat het is, God mag het weten; als hij start klinkt er een soort doodsgereutel.

Eerst heeft hij Anke gebeld en driftig uitgeschakeld toen ze in gesprek was. Daarna kreeg hij door dat hij een bericht had, van Marike, of hij haar meteen wilde terugbellen. Alsof hij niks anders aan zijn kop heeft! Hij heeft Janna's nummer opgezocht, maar kreeg tot zijn frustratie haar voicemail, waarop hij heeft ingesproken dat ze zich geen zorgen moet maken, maar dat hij met pech ergens bij Hoog-Soeren staat en erop hoopt dat de ANWB het snel voor elkaar heeft. 'Ik bel je zo snel ik kan.' Daarna de ANWB gebeld. Een of andere domme gans die hem tot drie keer toe vroeg om zijn naam te spellen en zich daarna nog vergiste in zijn lidmaatschapsnummer. Vervolgens wilde ze weten waar hij zich bevond. Ja, weet hij veel! Bij zo'n paddenstoel van jullie, ergens boven de provinciale weg van Hoog-Soeren naar Apeldoorn.

'De paddenstoel heeft een nummer, meneer.'

O.

Het nummer is 80561/001.

'Zo komen we verder. En wat voor auto heeft u?'

Terwijl hij dat wilde vertellen, viel zijn mobiel uit. De oplader natuurlijk thuis. Hij heeft de hele auto afgezocht of er niet ergens toch een sigaret ligt. Niks. Zelfs geen peuken in de asbak.

Vervolgens heeft hij zo'n tien minuten gewacht of er iemand langs zou komen. Niemand. Geen auto, geen fietser of wandelaar. Het is doodstil, zelfs geen vogels. Om twaalf uur precies heeft hij zijn jack aangetrokken, de auto afgesloten en is in de richting van Hoog-Soeren gaan lopen. Wat kan hij anders? Zesenhalve kilometer, ruim een uur. Waarom heeft Anke hem verdomme niet gebeld? Ze moet allang bij dat postkantoor zijn en hebben begrepen dat hij haar kwijt is geraakt. Natuurlijk wilde hij mee. Evers die een postbus had. En nog steeds, een halfjaar na zijn dood! Geen wonder dat de recherche niets van betekenis bij hem thuis in Den Haag vond, hij heeft waarschijnlijk al die tijd in dat Strokapje gezeten. Sinds wanneer? Sinds die 6de mei vorig jaar? Die witte kever op de foto moet in elk geval toch van hem zijn geweest, dat kan bijna niet anders met dat plattegrondje in het zijvak van zijn auto. Misschien wilde Evers net als hij ook niet naar een parkeergarage, is hij achter de portiersloge gaan staan om daar te vragen waar het Audiocentrum was en wilde hij de kever net ergens anders parkeren, toen die jongen met dat baseballpetje hem aansprak. Maar Muntinga had het over een medewerker van het technisch bedrijf van de NOS. Een vergissing? Had Evers die kever dan op naam van iemand van dat bedrijf? Zou een gepensioneerde ambtenaar dat doen? Was hij dat wel? Een vent die de naam van zijn ex gebruikt en zich verbergt in een bungalowtje waar niemand wat van weet?

Hij kijkt achterom omdat hij een fietsbel hoort rinkelen, en ziet twee jonge meisjes met schooltassen aankomen, zodat hij aan de kant stapt en zijn hand opsteekt.

'Sorry. Weten jullie of er hier ergens een café of een benzinestation is?'

Ze fietsen langs hem heen, meisjes van Tessels leeftijd. De voorste roept: 'In Hoog-Soeren.' De ander giechelt, hij hoort haar nog als ze in de bocht achter de bomen verdwijnen.

Hij trekt zijn jack uit en hangt het over een schouder. Als hij de bocht omslaat, loopt het fietspad als een liniaal voor hem uit, maar de twee meisjes ziet hij niet meer. Wel even een bruine schim tussen de bomen. Een hert? Een wild zwijn?

Waarom logeerde Evers toen in oktober in die suite van het Oranje Hotel? Volgens Anke was het de suite die die 6de mei voor Fortuyn stond gereserveerd. Ze dacht dat Evers er mogelijk de sfeer wilde proeven voor een boek over Fortuyn. Dat is gelul. Evers was die dag bij Marikes hospes en is in haar kamer geweest. Waarom? Hij had haar die nacht van 6 op 7 mei gezien, schreef hij, met mannen die haar aanvielen. Maar wat deed *híj* daar dan?

Verdomme, deed zijn mobiel het maar!

Hij heeft bijna een halfuur gelopen als hij een bord ziet dat hij een fietstunnel onder een autoweg nadert. Nog geen vijf minuten later komt hij tot zijn verbazing uit bij een hotelletje aan de kant van de weg waar de Saab een uur geleden kuren kreeg. En tot zijn immense vreugde ziet hij er een echtpaar uit een taxi stappen. Hij holt de weg over en gebaart de chauffeur te wachten. Als hij het portier opentrekt, hoort hij op de radio dat duizenden demonstranten tegen de Nederlandse inmenging in Irak wegen en bruggen met auto's hebben geblokkeerd.

Hijgend stapt hij naast de man in. 'Ik moet naar Hoog-Soeren. Althans, naar een huisje daar in de buurt, "Het Strokapje".'

De chauffeur, een oudere man, trekt zijn wenkbrauwen op en draait de radio zachter. 'Dat zou ik niet weten.'

'Eh... het ligt pal naast een bungalowpark aan een bospad.'

'Daar zijn er nogal wat van hier, meneer.'

'Ja... Eh, sorry, zou ik uw mobiele telefoon even mogen gebruiken? De mijne is namelijk leeg.'

De chauffeur knikt en pakt een klein, zilverkleurig mobieltje. 'Als u het nummer heeft?'

'Ja.'

Hij zegt het, de chauffeur toetst het in en wil hem het mobieltje overhandigen, maar zegt dan: '"Het Strokapje." Ik weet het. Naast het Landal Park. Ik heb er wel eens een oudere meneer naartoe gebracht die pech met zijn auto had.'

'Aha,' zegt Lex, 'dat heb ik ook.'

'O. Waar staat u dan?'

'Ergens in het bos aan de overkant. Bij een ANWB-paddenstoel. Ik zal ze straks wel bellen.'

Ze rijden.

'Heeft u er bezwaar tegen als ik rook?'

Lex grinnikt blij verrast. 'Alleen niet als ik er eentje van u krijg.'

De chauffeur haalt een pakje Camel tevoorschijn en steekt hem er een toe. Als hij de zijne aansteekt, zet hij de radio harder.

‘... is de parlementaire delegatie van de Antillen vanochtend vroeg op Schiphol aangekomen,’ zegt de nieuwslezer.

De chauffeur schakelt de radio uit. ‘Op onze kosten. Stelletje zakkenvullers. En wat hoor je nog van die Fortuyn? Die zou er toch een eind aan maken?’

Lex rookt, luistert met een half oor naar het gekanker dat de huizenmarkt en de gezondheidszorg onbetaalbaar zijn geworden, en vraagt zich ondertussen af wat Anke in die postbus kan hebben aangetroffen. Post voor een dode. Het is de titel van een spannend boek dat hij in zijn jeugd las. Een bungalowtje en een postbus. Waarom maakt iemand een afspraak bij de Albert Heijn, maar zit hij zelf met een verrekijker in een flat ertegenover? Omdat hij wil weten of iemand zich aan de afspraak houdt? Misschien. Omdat hij bang is voor degene met wie hij die afspraak heeft? Maar waarom maakt hij die afspraak dan? De Sjeik. Ook al een naam die je eerder in een jongensboek uit de jaren vijftig verwacht. Pim Pandoer. Hij doet zijn ogen dicht en denkt weer aan die namiddag van de 6de mei toen hij tegen die Toyota botste. En Janna zag. Prachtige ogen, had hij nog gedacht. Ze had daar haar Lancia geparkeerd vanwege een afspraak bij de TROS. Hij ziet zichzelf weer naar de slagboom fietsen en de portier uit de loge aankomen. Was Evers daar toen al binnen geweest om de weg te vragen? In elk geval sprak hij een kwartier later met die bodyguard op het parkeerterreintje van het Audiocentrum.

Hij doet zijn ogen open en staart naar de intens groene tuinen van een laantje. Al die tijd is hij ervan uitgegaan dat die jongen Evers aansprak, maar het kan toch ook omgekeerd zijn? Dat Evers hem aansprak? Vertelde waar hij moest wezen? Misschien had hij hem op dat plattegrondje wel laten zien waar hij zich het beste kon verstoppen. Maar waarom ging hij er dan zelf naartoe en praatte hij met die bodyguard? Om zijn aandacht af te leiden? Wouterse. Heet die jongen zo?

'Volgens mij moet u hier zijn,' zegt de chauffeur. 'Daar bij die blauwe Lancia.'

Hij kijkt op, knikt al, ziet de auto, en dan pas dringt het tot hem door. Janna? Is Janna hier? Is die Lancia van haar? Dat bestaat niet, ze weet niks van Anke of de bungalow. Waarschijnlijk is het iemand voor het bungalowpark, want hij staat wat verder van het tuinhek geparkeerd. Maar waar is Anke? Nog steeds niet thuis, of heeft ze haar auto achter bij de kever van Evers gezet?

Hij rekent af, geeft tegen zijn gewoonte in een fooi, stapt uit, gooit de peuk weg en loopt naar het tuinhek. Achter hem draait de taxi en verdwijnt in de bocht. Hij is halverwege het tuinpad als hij zijn naam hoort roepen.

'Lex!'

Stomverbaasd kijkt hij omhoog en ziet tussen de bomen Janna naar hem zwaaien vanuit het tuimelraam in het rieten dak. Dus toch! Hoe komt ze hier in vredesnaam? En hoe komt ze binnen? Achterom natuurlijk.

'Hoe kom jij hier nou?' roept hij en hij holt verder.

'Waar is je vriendin?' roept ze lachend terug. 'God, Lex, dat je me nou al bedondert, dat valt me wel tegen, hoor.'

Hij grijnst maar wat. ' Hoe weet je dat?'

'Vertel ik je zo. Ik kom naar beneden.'

Ze werpt hem een kushandje toe en verdwijnt. Verbouwereerd loopt hij om naar de achtertuin en hoort haar de keukendeur openen.

21

Overstuur heeft ze het afgelopen halfuur nauwelijks kunnen nadenken, als een robot was ze bezig aan het faxapparaat dat tergend langzaam de vellen papier verwerkte. Godzijdank werd ze niet gestoord en keek niemand haar op haar vingers.

'Nou, mevrouw,' zei de loketbediende toen ze opnieuw muntgeld kwam wisselen, 'bent u een roman aan het faxen?'

Hij moest eens weten!

Ze weet het zelf niet eens.

Ook op de terugweg heeft ze alleen maar aan Pim kunnen denken. Ze heeft zichzelf niet de tijd gegund om de stukken te lezen, maar ze is ervan overtuigd dat er iets verschrikkelijks aan de hand is. Want zoals hij aan de telefoon reageerde, heeft ze hem nog nooit gehoord. Hij huilde als een kind, schreeuwde overstuur dat ze hem alles wat ze had moest faxen en daarna onmiddellijk naar het Palazzo di Pietro moest komen. Wat is dat Icarus dan in godsnaam? Wie zijn die mannen op die foto's, wat deden ze? Geen vrienden van Pim of studiegenoten, zoals haar vader suggereerde. Kennissen. Het is verschrikkelijk als het wáár is wat in die map staat! Voor ze wegreed heeft ze Keje gebeld, maar hij nam niet op. Hij zal wel meteen in bespreking zijn, de schat. Ze heeft ingesproken dat hij niet naar de bungalow hoeft te komen, omdat ze onverwacht langs Pim moet en hem daarna nog belt hoe laat ze in Den Haag zal zijn. De reden heeft ze niet gegeven, ze zou niet weten hoe ze het zou moeten zeggen! In elk geval zal hij blij zijn dat hij na de lange vliegtocht niet meer naar de Veluwe hoeft.

Het zweet staat op haar rug en haar ondergoed kleeft aan haar lijf. Haast als Pim heeft, die tien minuten voor een douche en zich omkleden maken toch niks uit als ze binnendoor moet naar Rotterdam. Volgens de loketbediende waren de ME en de commando's ingeschakeld om de wegen vrij te maken, maar zou dat nog wel even duren.

Ze remt af voor het bochtige laantje en draait het bospad op. Verwonderd ziet ze dat er niet ver van het tuinhek een blauwe auto staat geparkeerd.

Ze zet de Peugeot er pal achter. Een Lancia. Van wie is die? Iemand van het bungalowpark? Dan dringt het tot haar door dat het best een huurauto kan zijn van Lex. Ze lacht nerveus; dat zou heerlijk zijn! Ze snapt toch al niet wat die Marike zei, behalve dat het ook met Evers te maken heeft. 'Zeg in godsnaam tegen Lex dat Muntinga me die nacht aanviel! En dat de vrouw die hij in Parijs fotografeerde ermee te maken heeft!' Wie zijn dat dan? Ze zet de motor af en buigt zich opzij om haar tasje en de aktetas te pakken, als ze ziet dat er een foto op de grond ligt. Heeft ze die in haar haast uit de map laten vallen toen ze wilde gaan faxen? Ze raapt hem op. Een polaroidfoto. Bevreemd kijkt ze naar een man met dun, donker haar en donkere ogen, waarmee hij opzij kijkt. Achter hem glimlacht een mooie vrouw met donker krullend haar en opvallend blauwe ogen. Wie zijn ze? Hebben ze ook met dat Icarus te maken? De foto kan gisteren zijn gemaakt, de vrouw draagt een modieuze jurk.

Verward stopt ze hem in haar schoudertasje, pakt de aktetas en stapt uit. Ergens in het bungalowpark klinkt het regelmatige stampen van de heimachine. Voor ze naar het tuinhek loopt, kijkt ze toch even in de Lancia, maar afgezien van een paraplu op de hoedenplank ligt er niets in. Er staat ook niet op dat de auto van een verhuurbedrijf is, maar wel staat onder het nummerbord dat hij uit Hilversum afkomstig is. Dan kan het Lex dus nooit zijn! Misschien toch een bezoeker van het bungalowpark.

Teleurgesteld doet ze het tuinhek open en holt tussen de struiken door het tuinpad af, neemt niet de tijd om haar sleutels te zoeken, maar rent achterom naar de keuken. De deur staat open, maar in haar haast merkt ze het niet. Hijgend zet ze de aktetas op het aanrecht, doet het schoudertasje af en wil haar jasje losknopen, als ze in de woonkamer voetstappen hoort. Lex?

'Lex?'

De spanning glijdt van haar af als ze hem uit de schemerige kamer ziet komen.

'God, waar zat je? Ik heb me wezenloos gebeld!' Verrast kijkt ze naar een vrouw schuin achter hem in het gangetje. 'O, sorry!' zegt ze. 'Wat lief. Heb je een lift gekregen?'

Hij schudt zijn hoofd, maar zegt niks, en dan pas valt het haar op dat hij er vreemd uitziet, vreemd bleek, zijn ogen strak op haar gericht.

'Wat is er? Is zij je vriendin?'

'Doe wat ze zegt, Anke.'

'Wat?' vraagt ze niet-begrijpend.

'Alsjeblieft! Ze heeft een pistool.'

'Lex, alsjeblieft. Ik heb hier geen tijd voor. Ik moet...'

Hij struikelt een stapje naar voren alsof hij wordt geduwd. De vrouw staat nu naast hem, dicht tegen hem aan. Ze heeft prachtig donker krullend haar en opvallend helblauwe ogen. Even lacht Anke weer, maar nu hoog en hysterisch.

'Jezus!' zegt ze schor. 'Jij staat op die foto! Wie ben jij?'

'Zeg het maar, Lex.'

De vrouw heeft een lage, spottende stem.

'Ik weet niet wie ze is,' zegt Lex. Zijn mond trekt alsof hij pijn heeft en zijn stem hapert. 'Doe in godsnaam wat ze zegt.'

Nu pas ziet ze ontsteld het bloed op zijn broekspijp: een natte, helrode plek even boven zijn knie. Het zit ook op zijn schoen. Wie is die vrouw? Ze weet het zeker! Het is dezelfde vrouw als op de foto die ze net vond. Hoe komt ze hier? Buiten davert het heiblok staccato.

Ze voelt zich plotseling misselijk worden en leunt zwaar ademend tegen het aanrecht. De vrouw knikt naar de tas.
'Is dat hem?'
'Wat?'
'Is die tas van Evers?'
Wanhopig kijkt ze naar Lex, maar hij staart met een vertrokken gezicht voor zich uit.
'Ik wil graag dat u hem weer oppakt en buiten op de tuintafel legt.'
'En waarom zou ik dat doen?'
De vrouw glimlacht, maar haar helblauwe ogen laten haar geen seconde los, alsof Lex er niet eens is.
'Maak u geen illusies. Niemand weet dat u hier...'
'Mevrouw?'
De blik in de helblauwe ogen flitst geschrokken langs haar heen naar de keukendeur. Anke draait zich om. Achter in de tuin, tussen de dennenbomen, staat de jongen van het bungalowpark. Hij zwaait.
'Vraag wat hij wil,' zegt de vrouw. 'Twee stappen, meer niet.'
Ze aarzelt, haar knieën voelen aan als gelei, maar op de een of andere manier lukt het haar naar de open keukendeur te lopen.
'Wat is er?'
Haar stem klinkt hoog als die van een vogel boven de echo van het heiblok uit.
'Zou u zo meteen de Volkswagen opzij willen zetten? We moeten erlangs.'
Wat zal ze doen? Schreeuwen om hulp? Wegrennen? Zou de vrouw durven schieten? Maar de jongen heeft zich al omgedraaid en verdwijnt achter het tuinhuisje. Het gedreun van het heiblok davert door de lucht.
'Heel verstandig,' zegt de vrouw. 'Pak de tas en leg hem op de tuintafel.'

'En dan?'

'En dan?' De vrouw lacht geluidloos. 'Wat denkt u? Dat ik u en die arme Lex dan doodschiet? Waarom zou ik dat doen?'

'Je hebt toch ook op Lex geschoten?'

'Dat was mijn schuld niet.'

De vrouw duwt Lex naar een keukenstoel, trekt die met haar vrije hand onder het tafeltje vandaan en pakt hem bij een schouder. 'Ga zitten.'

Hij laat zich op de stoel zakken, zijn ogen gesloten, en kreunt zachtjes.

De vrouw doet een stap opzij. In haar rechterhand houdt ze een klein, zwart pistool. Het ziet er precies zo uit als het wapen in de plastic zak in de tas.

'Pak de tas en leg hem op de tuintafel. Blijf daar tot ik buiten ben.'

'En dan?'

'Pak de tas.'

Opeens voelt ze zich ijzig kalm. Ze loopt naar het aanrecht en pakt de aktetas. Al weet ze niet waarom, alles zegt haar dat de vrouw hen zal doden. Ze heeft niet naar haar mobieltje gevraagd, niet naar haar autosleutel, ze neemt zelfs niet de moeite om hen op te sluiten, ze weet dat zij de Lancia heeft gezien, Lex kent haar. Wat zal ze ervan maken? De ex-minnaar die eerst zijn geliefde doodschoot en vervolgens zichzelf? Een roofoverval op klaarlichte dag? De kranten staan bol van dat soort kleine berichten.

Het heiblok lijkt in haar hoofd te zitten wanneer ze de tas oppakt. Ze denkt aan de vader van haar vader, die ze nooit gekend heeft en die op een zonnige ochtend, nog geen maand voor de bevrijding, op de Waalsdorpervlakte werd gefusilleerd.

Langzaam loopt ze met de tas tegen haar borst naar het terras, haar vingers gekromd om de klep. Maar enkele seconden nog. Het zweet breekt haar uit als de klep niet verder omhoogkomt. Hoe kan dat? Is hij automatisch op slot gegaan toen ze hem dichtdeed?

'Leg hem neer.'

Ze aarzelt en hoort de vrouw opeens geschrokken vloeken. Ze draait zich om en ziet hoe Lex overeind wil komen en naar het pistool graait. De stoel valt om en hij verliest zijn evenwicht, grijpt zich vast aan het tafeltje en zakt in elkaar. De vrouw staat met haar rug tegen het aanrecht, het pistool op hem gericht, nog steeds de glimlach om haar mond. 'Doe niet zo dom, Lex. Denk aan die arme Thera Post.'

De klep is open, haar trillende vingers glijden tussen de map en de enveloppen.

'Thera Post?' vraagt Lex schor. 'Hoezo?'

'Leg de tas neer!'

Haar hand klemt zich om het pistool in het plastic zakje. Met haar andere hand legt ze de tas neer, maar ze blijft met haar rug naar de keukendeur staan, haar vingers tastend naar de trekker.

'Jezus christus,' zegt Lex ongelovig. 'Heb jij Thera Post...? Waarom heb je godverdomme Thera gedood?'

'Loop naar de zijkant van de tafel en blijf daar staan.'

Ze rukt het pistool naar buiten en wil het tegen haar buik houden, maar als ze opzij loopt, trekt ze de tas van tafel, zodat hij op de tegels valt. In paniek staat ze stil. De vrouw lacht spottend. 'Loop door.'

Met trillende benen doet ze enkele passen, hoort het tikken van hakken op de terrastegels.

'Draai je om en ga naar binnen.'

Langzaam draait ze zich om, het pistool in haar hand tegen haar heup houdend terwijl ze naar de keuken loopt. De map steekt half uit de tas.

'Je komt hier niet weg,' zegt ze en ze verbaast zich erover dat haar stem heel normaal klinkt. 'Zelfs al schiet je ons dood. Als ik straks niet kom, zal die jongen van het bungalowpark zich afvragen waar ik blijf. En hij heeft je auto gezien.'

Uit haar ooghoek ziet ze dat de vrouw zich bukt om de aktetas op te rapen.

'Ik denk het niet,' zegt ze. 'Ik denk dat die jongen zich geen...'

Ze schiet, twee, drie keer, blindelings; ze hoort de schoten niet eens. Ze hoort zichzelf wel schreeuwen, al ze weet niet wat. Ze schiet opnieuw, al ligt de vrouw bewegingloos over de tafel. Achter de heg dreunt het heiblok, de slagen synchroon in haar hoofd met de echo van de schoten. Haar oren zitten potdicht als ze het pistool laat vallen en happend naar adem begint te huilen. Ze merkt niet eens dat Lex haar beetpakt.

22

Er bestaat opnieuw een groep die zich Icarus noemt. Opnieuw. Want u zult zich die naam herinneren, ook al dateert hij van lang geleden. Eerder al stuurde ik u een kort schrijven. Daarin bood ik u mijn hulp aan en vroeg ik u uw antwoord aan Katelijne te richten aan een postbusnummer in Apeldoorn. Ik besef dat u een druk bezet man bent en hoop vurig dat dat de oorzaak is dat ik nog geen bericht uwerzijds mocht ontvangen. Mogelijk ook wantrouwt u mijn motieven, niet onbegrijpelijk in de omstandigheden waarin u verkeert. Ten slotte bestaat de mogelijkheid dat mijn eerste schrijven u onverhoopt niet heeft bereikt. Ik ben ervan overtuigd dat men op de hoogte is van elke stap die u zet. Dat was de reden dat ik het persoonlijk afgaf. Dat zal ik ook nu weer doen, aangezien ik de afgelopen weken vrijwel zeker meen te weten waarom u onder druk wordt gezet en door wie. U treft mijn bevindingen hieronder aan. Meer dan dit kan ik niet doen. Uit onderstaande zal u blijken waarom ik mijzelf niet kenbaar durf te maken.

Mijn motieven zijn strikt persoonlijk en wat u aangaat volstrekt belangeloos. Rest mij u alle wijsheid en kracht toe te wensen.

Op 12 maart van dit jaar werd ik onverwacht bezocht door een kennis. Laat ik hem Toet noemen, Ab Toet. Een naam zo goed als iedere andere. Mogelijk herinnert u zich hem als uw bodyguard, die op 6 mei jl. voor uw ogen op het Mediapark werd doodgeschoten. Ik kan niet in details treden zonder mijzelf in gevaar te brengen. Toet vertelde mij dat iemand, of meer mensen, strikt geheime gegevens over uw persoon had(den) ontvreemd. Hij liet mij daartoe een map zien, die ik herkende, waarin die gegevens werden bewaard. Een groot deel ervan bleek te zijn verdwenen. Het betrof de periode 1968-1972, een periode waarin u in Amsterdam studeerde en die u afsloot in Groningen. De reden dat er indertijd informatie over u werd ingewonnen, is dezelfde als voor duizenden andere Nederlanders en Nederlandsen van wie het vermoeden bestond dat zij mogelijk betrokken waren bij staatsgevaarlijke activiteiten. Dergelijke gegevens worden gedurende vijfentwintig jaar bewaard en daarna vernietigd, tenzij er aanleiding is om dat niet te doen. In uw geval bestond die aanleiding niet. Uw gegevens hadden dus in 1997 vernietigd moeten worden. Dat bleek in uw geval niet te zijn gebeurd. (Deze specifieke gegevens hebben overigens niets te maken met het standaardonderzoek (de 'screening') van de AIVD (voorheen BVD) naar uw persoon sinds uw lijsttrekkerschap voor Leefbaar Nederland en kort nadien voor uw partij LPF.)

Vanwege mijn niet nader te noemen expertise vroeg Toet mijn hulp om de ontbrekende gegevens te reconstrueren; met andere woorden, uit te zoeken wat er was ontvreemd, in de hoop erachter te komen waarom en door wie. Ik ben ervan overtuigd dat zijn motieven zuiver professioneel waren, d.w.z. zonder enig eigenbelang. Zelf meende hij dat er iemand bij betrokken was die zich de Sjeik noemde.

Ik weet niet hoe en waar Toet uw dossiermap vond, maar wel dat hij daarbij een fout moet hebben gemaakt, aangezien hij het met de dood heeft moeten bekopen.

Lex leest die laatste regel nog een keer. Het is de bevestiging van wat Muntinga op het cassettebandje van Marike zegt. Muntinga wist dat Toet in werkelijkheid Wouterse heette en Fortuyn wilde waarschuwen. Ongelooflijk als het is, het was geen ongeluk! De moordenaar had het op Wouterse gemunt, niet op Fortuyn. Juist niet op Fortuyn!

Hij kijkt even naar Ankes bleke gezicht in het achteruitkijkspiegeltje, maar ze lijkt het niet op te merken. Ze zit strak achter het stuur van de Lancia. Hoewel ze een zenuwtoeval nabij was en twee glazen port heeft gedronken, rijdt zij. Ze moet wel; al zou hij willen, hij zou het niet eens kunnen met zijn been.'

Sinds ze bij de bungalow zijn vertrokken, heeft ze nauwelijks iets gezegd. Geen wonder. Ze heeft iemand doodgeschoten. Hij kan het zelf nauwelijks bevatten. Janna. Het is zo onwezenlijk dat ze nu al niet meer dan een naam is. Is het haar werkelijke naam? Haar rijbewijs en de autopapieren vermelden wel dat ze zo heet, maar wie zegt dat ze niet vals zijn? Janna Buitenweg, vertaalster. Een schim is ze, een vrouw op wie hij nog maar enkele uren geleden hartstochtelijk verliefd was.

De moordenares van Thera Post.

En als Anke niet had geschoten, ook de hunne, daar is hij van overtuigd.

'Maak je geen illusies, Lex.'

'Waarom heb je godverdomme Thera gedood?'

Thera die van niets wist!

Wat had Janna met Muntinga? Wie ís Muntinga? Wie was Janna?

Buiten doemen industrieterreinen op, schapen en lammetjes in een weiland, een bosje, een spoorbaan, de Hollandse lucht als een koepel erboven. De provinciale weg ligt er uitgestorven bij, maar het zal straks op de A12 en de ring van Rotterdam wel drukker zijn.

Hij kijkt naar zijn omzwachtelde linkerbeen, dat hij gestrekt op de achterbank houdt, de broekspijp van Evers' pantalon opgerold. De wond steekt als de hel, maar hij heeft alle geluk van de wereld gehad dat de kogel het bot niet heeft geraakt, maar dwars door zijn dijbeen ging.

Toen hij nog stomverbaasd dat Janna er was de keuken binnenliep, lag Marikes cassetterecordertje naast Evers' blocnote op de keukentafel. Net zo verbaasd had hij ze opgepakt, omdat hij zeker wist dat Anke ze had opgeborgen. Maar waarom zou hij argwaan hebben? Haar voetstappen klonken op de trap.

'Verrassing?'

'Hoe kom jij nou hier?'

Ze stond in de deuropening, glimlachend, mooier dan ooit.

'Waar is het, Lex?'

'Wat?'

'Het bandje.'

Opeens had ze het pistool op hem gericht.

'Waar is het?'

Toen was het nog niet tot hem doorgedrongen. Hij had zelfs gelachen, ondanks dat pistool gedacht dat ze een grap maakte.

'Jezus, Janna, hou op. Ik...'

'Waar is Anke?'

'Wat? Wat is dit?'

'Ik vroeg je wat. Ze heeft een uur geleden Fortuyn gebeld. Waar is ze? Waar is de map?'

Hij had het nog steeds niet begrepen. 'Welke map?' En toen, in minder dan een fractie van een seconde, had hij het door – lang niet alles, maar wel waarom ze hier was.

'Godverdomme, wat...'

Hij herinnert zich niet eens dat ze schoot. Hij moet buiten bewustzijn zijn geraakt. Toen hij bijkwam, lag hij op de sofa. Ze had tegenover hem gezeten, het pistool losjes op haar knie, haar helblauwe ogen uitdrukkingsloos op hem gericht.

'Vermoei je niet. We wachten.'

De pijn had hem verdoofd en hij dacht dat hij het bewustzijn weer had verloren, tot er buiten een auto was gestopt en niet veel later Anke zijn naam had geroepen.

Hij legt het eerste vel weg en pakt het volgende.

Het heeft er alle schijn van dat Evers – want het staat buiten kijf dat hij de anonieme schrijver is, het is dezelfde plechtstatige stijl als op de wenskaart en het blocnotevelletje – pauzes nam tijdens het schrijven, wie weet zelfs wel uren, misschien nog langer. Je ziet het aan het handschrift. Na enkele tientallen regels wordt dat zwakker, onregelmatiger, een beetje bibberig, alsof hij gauw moe was. Maar dan opeens is de tekst weer keurig recht en stevig met vulpen op het ongelinieerde papier geschreven.

Toet had mij gevraagd de man op te sporen die zich de Sjeik zou noemen. Begin mei stuitte ik op de naam Icarus. De naam kwam voor in enkele dossiers die Toet me later had doen toekomen, en die alles te maken schenen te hebben met een man op een foto in de genoemde map. Uzelf staat daarop vooraan, tussen drieëntwintig andere mannen, de meeste van uw toenmalige leeftijd, zo begin twintig, maar ook enkele oudere. Aangenomen dat ook de fotograaf tot dat gezelschap behoorde, zou het dus om vijfentwintig personen gaan. Een van hen houdt een opgerolde Duitse krant vast, vermoedelijk de *Kölner Zeitung*, in ieder geval gedateerd op 6 april 1971, zodat dat vermoedelijk ook de datum is waarop de foto werd genomen. Afgezien van u waren de anderen volslagen onbekenden. Het verband met eventuele staatsbedreigende activiteiten ontging me, ook al was u toen een fanatiek marxist-leninist. Naspeuringen brachten aan het licht dat u en uw geestverwanten op of rond die datum niet in Keulen of elders in de Bondsrepubliek waren geweest, hoewel er toen al wel contacten met de Rote Armee Fraktion bestonden...

Wat wil Evers in godsnaam beweren? Dat Fortuyn een politiek opportunist was en misschien ook is, staat vast. Er is nauwelijks een partij te noemen waar hij zich in zijn streven om aan de top te komen niet bij aansloot. Maar de RAF?

Kennelijk geloofde Evers dat zelf ook niet.

Ik nam aan dat het mogelijk om een buitenlands tripje van universitair medewerkers en studenten ging, maar begreep dan niet waarom de foto in de betreffende map zat. Navraag leerde dat zo'n trip althans niet binnen universitair verband was gemaakt. Een van de gefotografeerde mannen was echter een studievriend van u geweest, zo bleek uit twee foto's in de privécollectie van een niet nader te noemen verwant van u, die ik benaderde onder het mom van een mogelijke biografie. Deze man was in 1999 overleden, maar ik kwam zijn naam tegen in uw eigen gegevens, waaruit bleek dat u een aangifte wegens chantage tegen hem zonder reden had ingetrokken. Het ging daarbij om een bedrag van honderdduizend gulden. Ik kan u niet zeggen hoe, maar ik kwam erachter dat hij zich Engel liet noemen en betrokken was geweest bij een groep of beweging genaamd Icarus. Ik houd mij verre van elk moreel oordeel, maar u kunt zich voorstellen dat ik gechoqueerd was toen ik begreep wat dat Icarus was! Ik informeerde Toet daarover. Waarschijnlijk wist hij toen wie degene was die zich de Sjeik noemde, want hij belde mij later terug om hem de volgende dag, de 6de mei, op het Mediapark te ontmoeten. Inmiddels had hij zich onder de naam Ab Toet als vrijwillige beveiligingsfunctionaris bij uw partij aangemeld. Hoewel ik hem kende als een uiterst voorzichtig en behoedzaam man, moet hij eerder een fatale fout hebben gemaakt. Hij was zeer opgewonden toen ik hem sprak, maar had grote haast. Dit vond plaats buiten de studio waar u op dat moment werd geïnterviewd. Hij overhandigde mij een polaroidfoto van de man die u naar hij meende later die avond in Leeuwarden wilde chanteren. Hij wist niet wie die man was, en ook ik kende hem niet. De man die zich de Sjeik noemt, was hij in elk geval niet.

Zoals gezegd had ik de indruk dat Toet mogelijk zijn identiteit kende. Een vrouw die schuin achter hem staat, viel niet te traceren. Toet meende dat zij een toevallige passante zou zijn geweest...

Lex grimlacht. Die vrouw was Janna, en hij denkt ook te weten waar de polaroid uit de postbus van Evers werd genomen. Hij parkeert daar immers zelf vaak als hij op het Mediapark moet zijn. Zo ook op 6 mei vorig jaar, toen hij Janna aansprak. Heeft die Toet daar toen die middag de foto gemaakt? Hij reed niet in de Daimler van Fortuyn mee, dus hij kan er al eerder zijn geweest. En het verklaart de opwinding waarover Evers schrijft. Wat deden Muntinga en Janna daar? De moordenaar instructies geven? Heeft Toet dan zijn eigen moordenaar gezien? Maar dat denkt Lex niet, Toet was al bij de studio toen hij die GTST-acteur fotografeerde en bij toeval ook Evers met de jongen. Een oude Toyota, hadden de kranten geschreven, gestolen. De politie had er niets mee gekund.

Hij steekt een sigaret op en bestudeert de foto weer. Smolders dacht dat er een vluchtauto was. Janna? Muntinga? Maar die was toen al naar Leeuwarden, want volgens Anke had Marike hem bij Bart op archiefmateriaal gezien toen Fortuyn daar aankwam. Muntinga. Een politieman in dienst van de nationale recherche. Is hij dat ook? Waarom loog hij over Evers en diens kever? Toet wist niet wie hij was. Evers later wel? Die nacht dat Marike werd aangevallen, kan Evers hem hebben gezien. In elk geval liet hij deze foto in het ziekenhuis aan Marike zien. Dat moet ook de reden zijn dat Muntinga haar niet zelf wilde spreken. Daarom ook moet hij toen bij het politiebureau in Leeuwarden bang zijn geweest dat zij hem zou herkennen. Wie is Muntinga? Hij is oud genoeg om op die groepsfoto te staan, maar dat valt niet meer na te gaan na meer dan dertig jaar.

Door de voorruit ziet hij het bord AMERSFOORT 14 opdoemen. Het is bijna halfvier. De blokkades op de A12 zijn inmiddels opgeruimd, meldde de ANWB. Hopelijk zijn ze straks de vrijdagmiddagfile net voor.

'Begrijp je het?' vraagt Anke.

Natuurlijk begrijpt hij het. Lang niet alles, maar wel genoeg. Het is smerig, het is walgelijk, maar het is ook zo geraffineerd dat hij bijna bewondering heeft voor de mensen die Fortuyn in hun greep hebben.

'Wil je een sigaret?'

'Graag.'

'Voel je je wat beter?'

Ze knikt, houdt even in en geeft dan gas, terwijl ze naar links uitwijkt om een vrachtauto te passeren. Hij steekt een sigaret voor haar aan, wacht tot ze weer op de rechterweghelft rijden en steekt hem tussen de vingers van haar opgestoken hand.

Hij vraagt zich af wat ze nu van Fortuyn vindt, de man die ze zo bewonderde. Net als hij moet ze intens geschokt zijn door Evers' conclusies. Hij tuurt even naar buiten en herinnert zich hun laatste ruzie, een belachelijk kinderachtige ruzie.

Voor hij het derde vel pakt, kijkt hij even achterom, maar afgezien van de vrachtwagen is er geen ander verkeer. Dan leest hij weer.

Zelf wilde Toet u direct na dat interview waarschuwen om niet naar Leeuwarden te gaan. Mij verzocht hij daar in het Oranje Hotel poolshoogte te gaan nemen wie zich daar voor die nacht hadden ingeschreven. Hij was ervan overtuigd dat de Sjeik daar zou zijn. Alweer: ik weet niet hoe hij aan zijn informatie kwam. Het was de laatste keer dat ik hem zag. Het zal wel nooit bewezen worden dat de man die op 6 mei die aanslag pleegde, het niet op u had gemunt, maar op

Ab Toet, die zich helaas op de een of andere manier heeft blootgegeven.

In een flits ziet Lex even de grijnzende Smolders voor zich, stoer poserend naast de Daimler, de forse man in het windjack achter hem, met Evers die druk gebaart. Dan schrikt hij even van zijn eigen naam als hij verder leest.

Pas veel later herinnerde ik me dat er een fotograaf op de parkeerplaats was. Zijn naam is De Rooy, werkzaam voor *NRC Handelsblad*. Het was natuurlijk niet vreemd dat daar een fotograaf stond, maar naderhand realiseerde ik me dat hij mij al eerder had gefotografeerd, in mijn auto bij de ingang van het Mediapark. Nota bene toen de moordenaar van Toet mij aansprak om de weg te vragen! Wilde De Rooy weten wie ik was? Wist hij wie de moordenaar was? Enkele minuten later, toen ik inderhaast met Toet sprak, fotografeerde hij opnieuw. Het drong toen nog niet tot me door dat hij enkele tellen gebukt had gezeten bij de struiken waarin zich volgens de ooggetuigen de moordenaar had verborgen.

Had hij dat gedaan? Verdomd! Toen Smolders met sigaren voor Fortuyn naar de studio ging, had hij wat rondgewandeld en een euro tussen de struiken zien liggen! Dus daarom schreef Evers zijn naam op die situatietekening! Hij verdacht hem van medeplichtigheid. Opnieuw vraagt hij zich af wat Evers in werkelijkheid voor werk had gedaan dat hij dat allemaal als een camera registreerde. Samengewerkt met Toet, schrijft hij. Maar dan niet op Landbouw en Visserij! Ook recherche? De AIVD? Een van de andere inlichtingendiensten? Een particulier bureau?

Hij grinnikt verbluft als hij leest dat Evers hem er zelfs van verdenkt de moordenaar te hebben geholpen.

Sprak hij toen af waar hij de moordenaar later zou oppikken? Hij was aangekomen op zo'n moderne vouwfiets. Had hij zijn auto op een strategische plek geparkeerd en gaf hij die nu door? U zult zich herinneren dat de moordenaar aan uw chauffeur ontkwam en plotseling was verdwenen. Had De Rooy hem opgewacht?

Godnogaantoe! Wie was Evers dat hij zo paranoïde dacht? Nota bene een fotograaf van de NRC, is dat verdacht?

Tegen zes uur die avond kwam ik aan in Leeuwarden. Met Toet had ik afgesproken hem later na uw diner met LPF-leden te ontmoeten. Conform zijn verzoek controleerde ik de gastenlijst van het Oranje Hotel, al had ik er vanzelfsprekend geen idee van om wie of welke naam of namen het kon gaan. Ik zal u niet vermoeien met de details. Ik meende een aanknopingspunt te hebben in een gast in de suite onder de uwe, een zekere De Vries. In de verwarring na het tv-nieuws over een aanslag op u, merkte ik in de lobby een meisje op, een jonge vrouw die daarin blijkbaar niet was geïnteresseerd. Niet veel later zag ik haar op het balkonterras van uw suite. Vanzelfsprekend vond ik dat vreemd, maar ik hechtte er niet veel belang aan. Dat deed ik wel toen ik haar tijdens uw toespraak haastig de zaal zag verlaten. Buiten benaderde ik haar om een vuurtje in de hoop op een praatje, maar schrok toen ik twee mannen aan zag komen, van wie er één onmiskenbaar de man op de polaroidfoto van Toet was. In mijn ontsteltenis heb ik niet meer kunnen zien of zij met haar spraken of haar kenden. Ik had Toet willen informeren, maar zag hem daar niet, noch beantwoordde hij zijn telefoon. Als ik het meisje niet had gevolgd, had ik de reden geweten!

Omstreeks elf uur bevond ik mij op de binnenplaats aan de achterzijde van uw hotel en zag daar dezelfde vrouw weer.

Er brandde licht in uw suite en in die eronder. Zij bukte zich op uw terras en knipte een aansteker aan om zichzelf bij te lichten. Ik zag haar een schroevendraaier pakken, maar begreep niet wat zij daarmee wilde. Even later sloop zij de brandtrap af. Ik wist niet goed wat te doen: daar blijven of haar volgen, tot ik enkele mannen, niet meer dan schimmen, in het donker achter haar aan zag rennen. Ze verdwenen door een poortje naar de straat achter het hotel. Ik had misschien achter hen aan moeten gaan, maar moet bekennen dat ik bang was en ook mijzelf niet wilde verraden. Ik hoorde niets en wist niet of zij bij het meisje hoorden dan wel haar hadden betrapt en dus mogelijk hotelpersoneel waren. Ik moet daar enkele minuten hebben gestaan toen ik opnieuw twee mannen zag. Zij kwamen uit het hotel. Ook hen kon ik niet zien, maar een van de twee liep met een stok. Beiden verdwenen door het poortje. Ik besloot vervolgens te verdwijnen en probeerde opnieuw tevergeefs contact te leggen met Toet.

Pas de volgende ochtend vernam ik tot mijn afgrijzen dat hij degene was die op het Mediapark was doodgeschoten. Zelfs toen nog meende ik, zoals iedereen, ook u, dat het om een verschrikkelijk ongeluk moest gaan. Pas later, toen ik meer wist, besefte ik dat dat niet het geval was en dat uw, en nu ook mijn tegenstanders, Icarus, Toet willens en wetens hadden geliquideerd. Diezelfde dag, de 7de mei, las ik dat een jonge stagiaire van het *Friesch Dagblad* ernstig gewond in Leeuwarden in een stadspark was aangetroffen. Ik herkende haar ogenblikkelijk op de foto waarmee de politie om inlichtingen verzocht. Had ik die al willen geven, na Toets dood durfde ik dat niet meer, hoewel ik dus nog niet wist dat daarbij opzet in het spel was.

Ook nadat bekend was geworden dat u die nacht een bespreking had met de heer Wiegel, begreep ik maar niet wat zij daar had gedaan. Evenmin wat haar relatie met de man op de polaroidfoto kon zijn. Van hem was ik zeker dat hij te maken had met Toets dood, en aangezien hij mij die avond mogelijk had gezien, besloot ik een tijd onder te duiken.

In de bungalow dus. En zo bang dat hij deze stukken in een anonieme postbus bewaarde. Hoe deed hij dat? Elke namiddag met de kever boodschappen doen en dan even kijken of er post voor hem was? De tas erin opbergen met de map en dit lange schrijven aan Fortuyn. En een pistool. Anke had in haar zenuwen niet het geld en het pasje van een hoofdinspecteur van politie gevonden, maar hij wel. In een zijvakje van de tas. Tien bankbiljetten van vijftig euro. Een donkerblauw geplastificeerd kaartje met een gelamineerde recente pasfoto. Een man van een jaar of zestig, een bril, wat ingevallen wangen, maar nog dik, grijs haar. Hoofdinspecteur B. Schuurman.

Lex schrikt op van Ankes stem.

'Sorry, wat zei je?'

'Hoe kende je haar eigenlijk?'

Eindelijk, denkt hij. Het is voor het eerst sinds ze vertrokken dat ze naar Janna vraagt. Als hij naar haar ogen in de spiegel kijkt, lijkt het hem dat ze minder gespannen is. Ze heeft ook weer wat kleur op haar gezicht, de schaduw van een glimlach rond haar mond.

Hij vertelt over het strandje bij het hotelletje op Sint-Maarten en pas dan over die maandagmiddag, tien maanden daarvoor, toen hij tegen de Toyota botste.

'Vond je het dan niet raar dat je haar weer tegenkwam?'

'Ik herkende haar niet. Zij zei het.'

'Om je voor te zijn, zodat je geen argwaan zou krijgen.'

'Dat denk ik, ja.'

'Omdat ze dachten dat je er meer van wist.'

'Eerder Marike. Ze moeten behoorlijk nerveus zijn geweest toen bleek dat ze nog leefde.' Hij trekt een grimas en inhaleert. 'En opgelucht dat ze zich er niks meer van herinnerde.'

Het verkeer is nu drukker. Lex ziet het bord dat naar de dierentuin van Amersfoort verwijst en denkt even aan het eerste jaar na zijn scheiding, toen hij uit schuldgevoel en verveling met Tesseltje bijna elk weekeinde naar een pretpark of dierentuin ging.

'En ze werkte voor die politieman.'

Het is geen vraag, maar hij knikt. In haar telefoontje aan Anke had Marike gezegd dat hij een van haar aanvallers was. De man die naar drank rook en wilde weten wat ze met Evers te maken had. En dan te bedenken dat hij op het punt had gestaan om Muntinga te bellen!

Muntinga was die avond in het Oranje Hotel. Zijn stem is onmiskenbaar een van de twee op het bandje. Van wie is de andere? Van de man die zich de Sjeik noemt?

De stem van een oude man. Gehaast, ongeduldig. Dominant, iemand die zich niet laat tegenspreken. Eerst een deur, dan een tikkend geluid dat hij niet kon plaatsen. Aanvankelijk had hij verbaasd gedacht dat hij naar een verkeerd bandje luisterde, in elk geval niet dat van Marike. Waar waren Fortuyn en Wiegel? Maar hun namen worden wel genoemd.

Hij zou Marike willen bellen op Ankes mobiel, maar durft dat niet. Tegenwoordig kunnen ze alles afluisteren en je via je gsm traceren. Daarom heeft hij Ankes mobiel ook uitgeschakeld.

Een stok. Dat moet het getik op het bandje zijn. Even later schrok hij van Muntinga's stem. 'Herben zal er alleen maar blij mee zijn,' zegt Muntinga. Waarmee? De ander noemt de namen van De Fraiture en Theunissen. Daarna bijna onverstaanbaar de stad Keulen. Wie is die ander? En wie is Muntinga?

Waarom Evers gedacht heeft dat Bastiaan Mos de man zou zijn die de Sjeik wordt genoemd, is een raadsel, maar hij moet hebben ingezien dat hij zich vergiste. Want hij zette niet voor niets een vraagteken achter op die groepsfoto bij de naam Bastiaan Mos. Kwam Evers er pas later achter dat Mos al meer dan vijfentwintig jaar dood is? Want hijzelf herinnerde zich de naam meteen, nog uit zijn begindagen bij de krant. Een topambtenaar die geknoeid had op Volkshuisvesting, steekpenningen of zoiets, eerst nog een grote bek op een persconferentie. Waarschijnlijk met een zak geld naar Curaçao vertrokken, want daar zat hij al snel in het onroerend goed, tot hij verdronk, inderdaad ergens in de zomer van '76.

De bandopname is maar kort. Een minuut of zeven. Muntinga en de ander vinden dat het riskant is om Fortuyn nu te benaderen. Muntinga zegt dat hij er zeker van is dat Wouterse niet alleen werkte.

Meteen daarna rinkelt er een telefoon. Die van Muntinga. Hij zegt alleen maar: 'Ik kom.' Daarna zegt hij iets onverstaanbaars en volgt over het ruisen van de band heen het getik van de stok, dan het dichtslaan van een deur.

'Was je verliefd op haar?'

'Wat?' vraagt hij verward.

'Was je verliefd op die Janna?'

Was. Niet: ben.

'Ja.'

Haar ogen nemen hem even nieuwsgierig op, richten zich meteen weer op de weg. Maar hij denkt te weten wat zij denkt: wat zal er gebeuren als Janna wordt gevonden?

Had hij het niet moeten doen?

En dan? Voor die jongen in dat bungalowpark is hij niet bang, ook niet als hij de Lancia heeft gezien. Maar wel voor Muntinga. En Marike had het tegen Anke ook over een andere politieman die voor Muntinga werkte. 'Ze verdenken Lex!' Natuurlijk niet. Ze proberen hem te naaien. En ongetwijfeld weten ze dat Janna naar de bungalow ging.

Wat had hij dan moeten doen? Haar daar laten liggen? Moord? Wat zouden ze ervan hebben gemaakt? Zijn ze daar al? Hoe wisten ze van de bungalow? Luisteren ze hem af? Al sinds de Mac crashte, of was dat puur toeval?

Hysterisch had Anke hem gesmeekt de politie te bellen. Hij zal daar gek zijn! Als ze hem afluisteren, kunnen ze dat bij haar ook! Weten ze van haar telefoontje met Fortuyn? De fax? Fortuyn heeft haar gevraagd zo snel mogelijk te komen. Het is ook het enige wat ze kunnen doen. Hij wordt godzijdank permanent bewaakt, de machtigste man van het land. Nog wel! Hij zal bang zijn, zeker, maar des te meer op zijn hoede.

Net als hij. Daarom rijden ze in de Lancia. Maar dan nog. Hij kijkt weer door de achterruit. Er rijden nu honderden auto's achter hen.

Wat zullen ze denken als ze de Lancia en Janna niet aantreffen? Of als zij hen niet belt? Niet aanneemt?

Eerst heeft hij jankend van de pijn Janna's lijk onder de struiken gesleept. Aan Anke had hij niets. Wezenloos staarde ze voor zich uit, shaky, niet in staat een woord uit te brengen. Hij heeft haar gedwongen de twee glazen port tot op de bodem leeg te drinken, haar ontkleed en onder de koude douche gezet, wat ze als een zombie onderging. Zelf heeft hij een handvol paracetamol geslikt, de wond uitgewassen, er jodium opgesmeerd en zijn been verbonden.

Terwijl Anke zich boven aankleedde en opmaakte, heeft hij beneden verward naar de bandopname geluisterd, zonder daar toen iets van te begrijpen, behalve enkele namen. Maar wel herkende hij verbijsterd ogenblikkelijk de stem van Muntinga.

Anke kokhalsde toen ze Janna in de kruiwagen tilden, maar ze heeft toch de kever achter het tuinhuisje kunnen zetten en daarna de Lancia achteruit tegen het open tuinhek gereden. Ten slotte heeft hij met de tuinslang de tuintafel en het terras schoongespoten. Tot zijn verwondering was er toen nog geen halfuur voorbij. In de kast vond hij nog wat kleren van Evers, van wie hij een pantalon heeft aangetrokken.

Anke heeft haar laptop en andere spullen gewoon achtergelaten, alsof ze een dagje weg is. Ze heeft de voor- en de achterdeur op slot gedaan, waarna ze de Peugeot startte en wegreed. Hij volgde haar in de Lancia, zo kalm mogelijk, hoewel de zenuwen door zijn keel gierden. Eerst wilde hij haar lijk gewoon ergens zo snel als maar mogelijk was onder varens of struiken verbergen, tot ze een verlaten opslagterrein van containers passeerden. Haar pistool en haar uitgeschakelde mobieltje heeft hij verderop in een sloot gegooid. Ankes Peugeot staat er nu zo'n twintig kilometer vandaan, op de parkeerplaats van een winkelcentrum in Putten. Fortuyn, de Goddelijke Kale, een flikker die daar rond voor uitkomt. Wat zal hij willen doen? Aangifte? Zou hij dat durven? Het betekent hoe dan ook het einde van zijn carrière. Alles leek hij zich te kunnen veroorloven: zijn arrogantie, zijn bedavonturen, zijn beledigingen, zijn onbehouwen uitspraken over de islam, zijn grote bek tegen andere politici en de pers, zijn verkeerde vrienden. Onaantastbaar. Zijn aanhangers en kiezers vonden het zelfs leuk, eerlijk, spontaan. Maar dit! Dit overleeft hij niet. Nooit!

Als het waar is. Maar natuurlijk is het waar.

Icarus.

Zijn been steekt en het liefst zou hij zijn hoofd tegen de bank leggen en gaan slapen, maar hij pakt weer een sigaret, glimlacht even bij de gedachte aan het fortuin dat Tessel inmiddels moet hebben verdiend. Naast hem staat de tas van Evers met de map die Wouterse, wie dat ook was, een jaar geleden aan Evers liet zien. Die Janna wilde. Hij heeft er vluchtig in gebladerd, daarna ook het briefje gelezen van Fortuyn aan die Katelijne met het voorstel om elkaar te ontmoeten. Daarom alleen al moet het waar zijn.

Hij steekt de sigaret aan en pakt het volgende vel. Hij heeft er nog drie te lezen.

Uw beslissing om geen premier te worden en zelfs niet toe te treden tot het kabinet leek mij aanvankelijk net als zovelen een kwestie van politieke strategie. Zo ook het feit dat u uw standpunt inzake defensie en de aanschaf van de Joint Strike Fighter matigde. Pas toen ik veel later een bandopname in mijn bezit kreeg waarop enkele mensen werden genoemd die indertijd tot veler verbazing door u als partijleider als kandidaat-minister werden voorgesteld, vielen mij de schellen van de ogen.

Ik vond die bandopname op 7 oktober jongstleden, twee dagen geleden nu ik dit schrijf...

De dag van de nota op naam van Schuurman in het Oranje Hotel, de suite van Fortuyn – 7 oktober. De dag dat Evers op Marikes kamer was geweest. Ruim een week voor zijn dood.

Onbekende ministers. Van Eerten, De Fraiture, Theunissen... Economische Zaken, Justitie, Volkshuisvesting. Sleuteldepartementen... Wat en wie nog meer? Godnogaantoe!

Al die maanden had ik tevergeefs onderzoek gedaan, alhoewel ik wel wist wat Icarus was geweest, een wetenschap die ik slechts met zijn voormalige leden deelde, vijfentwintig in getal. En Toet. Opnieuw: ik kan niet zeggen waar zijn informatie vandaan kwam, ik begreep die ook pas nadat ik de schuilnamen van sommigen had ontraadseld, waaronder Engel, tegen wie u indertijd aangifte wegens afpersing had willen doen. In de eerder genoemde gegevens, waarvan een groot deel zoals gezegd ontvreemd is, trof ik een verwijzing aan die mij tot mijn ontsteltenis zijn werkelijke identiteit onthulde. Ongetwijfeld heeft hij zijn latere hoge functie misbruikt om net als sommige anderen, en mogelijk in samenspraak met hen, bewijsmateriaal te vernietigen. Maar de Sjeik kon hij niet zijn, aangezien Engel, om hem zo maar te blijven noemen, al jaren terug was overleden. Hetzelfde gold ook voor enkele anderen.

Desondanks vorderde ik nauwelijks, wat niet in de laatste plaats werd veroorzaakt door de beperkte bewegingsvrijheid die ik mijzelf uit veiligheidsoverwegingen had opgelegd.

Nadat bekend was geworden dat u die avond met de heer Wiegel in het Oranje Hotel had overlegd, scheen het aannemelijk dat de jonge vrouw, Marike Spaans, daar om journalistieke redenen was geweest. Scheen, want dan nog was haar gedrag onverklaarbaar. Kende zij de man op de foto die Toet me had gegeven? Wie waren de mannen die nacht op de binnenplaats van het hotel? Was zij ook het slachtoffer van een aanslag geweest? En als zij op de hoogte was van uw overleg met de heer Wiegel, waarom had ze dan niet binnen in het hotel gewacht? Wat had ze dan op het balkonterras gedaan? Was ze gevlucht voor de mannen? Waren dat bodyguards? Maar waarom hadden ze haar dan niet mee teruggenomen? Wie waren de twee mannen die ik wat later uit het hotel had zien komen? En de belangrijkste vraag vanzelfsprekend, want Toet was er vrijwel zeker van geweest dat de man die zich de Sjeik noemde die avond in het hotel zou zijn: wist zij wie hij was, had ze misschien met hem te maken en kon dat haar aanwezigheid en vreemde gedrag daar verklaren?

Inmiddels wist ik dat zij aan retrograde amnesie leed, een vorm van geheugenverlies als gevolg van een traumatische ervaring. Gezien het voorgaande waagde ik dat te betwijfelen. Was het een voorwendsel om niet door de politie gehoord te worden? Wist zij inderdaad wie de Sjeik was? Had men haar daarom meegenomen en neergeschoten?

Alsof Anke raadt wat hij leest, vraagt ze: 'Denk je dat Marike werd neergeschoten omdat ze werd betrapt?'

'Misschien.'

'Maar waarom? Omdat ze probeerde Pim en Wiegel op te

nemen? Dat zou toch absurd zijn? En het klopt ook niet, want je zei toch dat die er niet op staan?'

Overstuur als ze was, kon ze het niet aan het bandje te beluisteren.

'Nee,' zegt Lex. 'Maar dat wilde ze wel.'

'En ze hebben daar toch echt alleen met z'n tweeën gezeten, want Pim vertelde me nog dat ze zo gelachen hadden omdat zelfs de bodyguards op de gang dachten dat Wiegel met een valse snor en een zonnebril op zijn broer was.'

'O. O ja?'

'Wiegel schijnt dol te zijn op dat soort verkleedpartijen.'

Wijs geworden na die avond in Le Bistroquet, denkt Lex. Maar ze heeft gelijk. Marike heeft Wiegel en Fortuyn niet opgenomen, maar Muntinga en een ander. Waarom? Per ongeluk? Dat is onzin, ze had al ontdekt in welke suite ze zaten.

Had Evers dan gelijk? Kende ze Muntinga? Zag ze hem weer in het hotel, misschien samen met die man met de wandelstok, en besloot ze om de een of andere reden die ze is vergeten hen tweeën af te luisteren in plaats van Fortuyn en Wiegel?

Maar hoe? Want Evers was daar en had haar op het terras van Fortuyns suite gezien.

Hoe was hij aan haar recordertje gekomen? Het gesprek tussen de mannen duurt maar zeven minuten, daarna zijn Muntinga en de ander naar buiten gegaan. Want natuurlijk waren zij het, al kon Evers hen in het donker niet onderscheiden. Marike raakte niet voor niets in paniek toen Evers haar de foto liet zien!

Had hij het recordertje in haar tasje gevonden? Dat kan niet, want als je het bandje verder afluistert, blijf je dezelfde vage achtergrondgeluiden horen, nog bijna twee uur lang. Muntinga en de ander zijn dus niet teruggekomen, dat is wel zeker.

Anke rijdt onder het Gouwe-aquaduct door en draait van de A12 de A20 naar Rotterdam op, nog 21 kilometer. Minder dan een halfuur als er geen files zijn. Ze kent de weg naar

Fortuyns protserige huis natuurlijk. Zou hij er beroerd aan toe zijn? Dat móét wel als hij dit allemaal heeft gelezen. Hij staat erop de originele stukken van Evers te krijgen, maar die zijn incompleet en zullen zijn huid vanzelfsprekend nooit redden. Wie of wat die groep Icarus ook is, hij is totaal in hun macht. Waarom deed Fortuyn toen mee? Spanning? Opwinding? In sommige artikelen werd hem wel eens schizofrenie toegeschreven, in elk geval staat vast dat hij lang in analyse is geweest. Maar dan nog. Wat kan hij nog doen? Zelfs aftreden is er niet bij, dan juist zullen ze dreigen de zaak openbaar te maken.

Hij zit even roerloos. En waarom zou hij dat zelf niet doen? Incompleet als die stukken zijn, een beetje journalist maakt er de scoop van de eeuw van, inclusief de foto's! NRC zal het nooit nemen, maar *de Volkskrant* of *De Telegraaf*? Hij ziet Lunshof zich al in zijn handen wrijven! Maakt het wat uit? Voor Fortuyn? Wat kan hem Fortuyn schelen? Hij heeft het toch willens en wetens zelf gedaan? Eigenlijk kun je zeggen dat hij er ook de oorzaak van is dat Anke en hij niet meer bij elkaar zijn.

Anke. Hij herinnert zich even hoe hij haar in de tuin zag staan, de zon achter haar, trekt een grimas en leest verder.

Nu het onderzoek naar de moordenaar van Toet leek te zijn doodgelopen en de zaak geen prioriteit meer had, waagde ik het erop en ging naar Leeuwarden, waar ik om de suite vroeg waar u had gelogeerd. Het scheen geen gekke vraag te zijn. Tegen beter weten in hoopte ik op een aanwijzing, hoe miniem de kans daarop na al die maanden ook was. Ik vond dan ook niets. Maar eindelijk lachte het geluk me toe. Omdat Marike Spaans na die voor haar rampzalige nacht niet meer thuis was geweest – zij was inmiddels opgenomen in het Westeinde-ziekenhuis in Den Haag, waar haar moeder woont –, redeneerde ik dat ik zo'n aanwijzing mogelijk in haar kamer in Leeuwarden zou aantreffen. Ik vond daar echter niets, maar haar hospes vertelde mij dat de politie haar tasje had gevonden dat ze die nacht was verloren. Het was gevonden thuis bij een nachtportier van het hotel, die zichzelf om het leven had gebracht. De inhoud had hij vermoedelijk verkocht, waaronder haar mobieltje en een kleine cassetterecorder. Maar aan de hand van het kassabonnetje van een fietsenmaker bij het station was gebleken dat ze daar toen net voor sluitingstijd twee schroevendraaiers had gekocht. Ik schreef u al dat ik haar eerder bij uw suite zag, kort daarvoor. Ik vroeg me dan ook af waarom ze juist toen zo haastig die schroevendraaiers had gekocht. Om een lang verhaal kort te maken, eenmaal terug op het balkonterras begreep ik dat plotseling. Ze had gemeend het onderhoud tussen de heer Wiegel en u te kunnen registreren door dat recordertje in een van de luchtroosters te plaatsen! Dat correspondeerde met de tijd waarop ik haar daar die nacht zag, rond halftwaalf.

Ik schreef: had gemeend. Toen ik het bandje afspeelde, bleek zij een ander gesprek te hebben opgenomen. Zeer kort slechts, enkele minuten maar. Ik kan niet anders dan concluderen dat dat gesprek plaatsvond in de suite onder de uwe, waarvan ik eerder had vastgesteld dat die was geboekt op naam van een Haagse zakenman, De Vries.

Dus zo had ze het gedaan. Behoorlijk slim, al had geen krant het waarschijnlijk genomen.

Na herhaalde malen die enkele minuten beluisterd te hebben werd ik gestaafd in mijn conclusie dat het de moordenaar om Toet te doen was geweest. Des te intrigerender werd het wat Toet dan had geweten. En toen pas drong het tot me door dat hij mij al de eerste keer dat hij mij bezocht rechtstreeks had gevraagd of ik mogelijk van iemand had gehoord die zich de Sjeik noemde. Waarom vroeg hij mij dat al direct zo expliciet? Hij was ook zichtbaar teleurgesteld toen ik dat ontkende. Ook had ik me al eerder afgevraagd waarom die groepsfoto in de map stak. Zoals gezegd waren de meest relevante gegevens over u daaruit ontvreemd. Men zou toch zeggen dat die foto, juist die foto, uiterst relevant is! In mijn naïviteit had ik aangenomen dat de dieven die over het hoofd hadden gezien. Maar Toet moet hem elders hebben gevonden en erop hebben gehoopt dat ik iemand zou herkennen. De Sjeik?

Hij pakt het op een na laatste vel.

Wat mij uit de opname duidelijk werd, was dat een van de twee mannen kennelijk zeer goed ingevoerd was binnen uw partij, de LPF. Hij – naar mijn vermoeden is hij degene die met de wandelstok loopt, aangezien zijn stem ouder en vermoeider klinkt dan de andere – is hoorbaar degene die de opdrachten geeft...

Hier heeft Evers een regel opengelaten. Daaronder is de kleur van de inkt donkerder, alsof hij net zijn vulpen heeft gevuld. Er schemert ook een roze vlek. Bloed? Wijn?

Ik weet nu zeker dat de fotograaf De Rooy een van hen is, al begrijp ik het verband niet. Ik had niet meer aan hem gedacht. Gisteren bezocht ik Marike Spaans in het ziekenhuis. Ik had haar therapeute gebeld en me voorgesteld als een oudere collega die haar graag eens wilde bezoeken. Het ging goed met haar, zelfs zo goed dat ze binnen enkele dagen naar huis mag en enkele maanden met vakantie naar een familielid in Australië gaat. Ik kon niet anders dan de gok wagen. Er waren meer dan vijf maanden verstreken en het is duidelijk dat ze niet weten wie ik ben of waar ik me bevind. Eerder al las ik dat het geheugen van patiënten die aan retrograde amnesie lijden door de confrontatie met personen, voorwerpen, geluiden of beelden succesvol kan worden gestimuleerd. Marike Spaans is vanzelfsprekend een sleutelfiguur. Zij moet geweten hebben van de suite onder de uwe, want waarom anders was ze daar? Waarom anders nam ze dat gesprek op? Hoe onbegrijpelijk ik het ook nog steeds vind, dat was me wel duidelijk. Daarom ook werd ze die nacht achtervolgd en neergeschoten. In mijn reconstructie meen ik dat ze betrapt werd en dat ze ergens werd ondervraagd. Dat moet dan gebeurd zijn door de twee mannen die ik wat later over de binnenplaats van het hotel had zien lopen. Mogelijk heeft ze bekend, mogelijk ook niet. In elk geval was ze een te groot risico. Waarschijnlijk is ze dat nog, want zoals ik al zei: het geheugen kan terugkomen. Wat wist ze?

In ieder geval weet ze wie de man op de polaroidfoto is! Ze reageerde hysterisch toen ik die liet zien, en ik kon niet anders dan me uit de voeten maken. Tot mijn verbijstering stond De Rooy buiten haar kamer. U zult zich voor kunnen stellen hoe bang ik was, want wat deed hij daar? Was hij mij gevolgd? Luisterde hij ons af?

Pas toen ik thuis was, kalmeerde ik wat. Ik kon me vergissen. Marike Spaans had een jaar eerder voor haar opleiding stage bij hem gelopen en hoe toevallig ook, hij kon haar om alledaagse redenen hebben willen bezoeken, zo hield ik mezelf voor. Maar dat verklaarde nog steeds niet waarom hij op de 6de mei Toet en mij had gefotografeerd.

Hij pakt het laatste vel.

Gisteravond keek ik nog laat televisie, waarop beelden te zien waren van wijlen prins Claus. Ik hoorde dat u uit Italië overkwam en dat uw partij vandaag na de begrafenis in Delft een condoleancebijeenkomst in Hotel Des Indes zou houden. Ik meen te begrijpen wie de Sjeik is, al ben ik er niet werkelijk zeker van. Ik ben een man die niet gelooft in toeval, een te gemakkelijke benaming voor wat wij niet begrijpen. Beter lijkt het om van lucide momenten te spreken. Zo'n lucide moment overviel mij toen ik bij de chapelle ardente op Paleis Noordeinde uw voormalige woordvoerder Mat Herben zag en mij onwillekeurig weer die cryptische woorden op het bandje van Marike Spaans te binnen schoten. 'Herben zal er alleen maar blij mee zijn.'

Waarmee?

Wat had een onaanzienlijke woordvoerder van u ermee van doen?

Ik kreeg de gedachte toen ik de man achter hem zag. Het kon niet, hij is te jong om op de foto te staan...

Vreemd genoeg wordt die zin niet afgemaakt en begon Evers aan een nieuwe alinea.

Vandaag, de 15de oktober, de dag waarop de prins wordt begraven, was ik opnieuw in Den Haag. Omdat ik er gezien het gesprek op het bandje van uitga dat de man die zich de Sjeik noemt een vooraanstaand lid van uw partij moet zijn, nam ik het risico om hem een lokaas voor te houden. Als hij, zo was mijn redenering, bij de condoleancebijeenkomst voor prins Claus aanwezig zou zijn, kon ik hem mogelijk naar mij toe lokken, zoals de tijger wordt aangelokt door het bokje. Ook al wist ik niet hoe hij eruit zou zien of hoe hij zich nu noemt.

Zelf durfde ik daar niet heen, maar ik had een van uw medewerksters het partijkantoor zien binnengaan en belde haar. Ik verzocht haar een briefje te schrijven voor een zekere De Sjeik, waarin ik hem onder vermelding van Icarus en de mogelijke locatie van de foto, Keulen 1971, een afspraak voorstel voor morgenmiddag. Ik weet niet of uw medewerkster mijn verzoek heeft ingewilligd, reden waarom ik daar bleef en toch mijn nieuwsgierigheid niet kon bedwingen. Opnieuw: toeval bestaat niet! Ik weet nu zeker dat De Rooy ermee van doen heeft. Ik zag hem daar in een café samen met de man op de polaroidfoto die Toet mij gaf. Hadden zij mij gezien?

Ik moet het risico opnieuw nemen, ook al weet ik niet of mijn opzet morgen zal slagen...

Daar eindigt de tekst. Lex leest de laatste zinnen verbijsterd opnieuw. Dus toen hij met Muntinga in De Posthoorn zat, was Evers daar! Wat bedoelt hij met een man die te jong is om op die groepsfoto te staan? En heeft hij hem ontmoet, de dag daarop? Maar dat is onmogelijk, want Anke dacht met een gek te maken te hebben en heeft dat hele briefje niet geschreven. Wat heeft Evers gedaan? Hij moet doodsbang zijn teruggegaan naar de bungalow, anders kan hij dit niet hebben geschreven. Hij moet de volgende ochtend al vroeg op het postkantoor zijn geweest en vervolgens met de trein naar Den Haag zijn gegaan, want de kever staat bij de bungalow.

Een hartaanval.

Weet Fortuyn wie hij bedoelde? Wat bedoelden ze dat Herben er blij mee zou zijn?

'Rotterdam,' zegt Anke.

Hij kijkt op. Ze rijden op de ring. Hij schrikt als een witte Mercedes van de rijkspolitie naast hen komt rijden, maar tot zijn opluchting draait de wagen de afslag naar Capelle op. Of hebben ze de Lancia getraceerd en bellen ze nu collega's? Want wat zal Muntinga doen als hij Janna niet kan bereiken? Is hij naar de bungalow? Hoe wist ze van het bestaan van de bungalow af? Is Muntinga daar al na de dood van Evers achter gekomen? Maar waarom heeft hij de kever en het huisje dan niet doorzocht? Dan zou hij toch zeker de postbussleutel hebben gevonden?

'Ik ben er zeker van dat ze elke stap van u volgen.'

Als Fortuyns telefoons worden afgetapt, is het wel duidelijk, want Anke belt hem regelmatig. Maar dan weet Muntinga nu ook al uren dat ze naar hem onderweg is. En als hij inderdaad bij de nationale recherche zit, zal hij elke surveillancewagen opdracht hebben gegeven om uit te kijken naar een rode Peugeot 304 met het kenteken ZF-BD-47. Ergens onderweg van de Veluwe naar Rotterdam.

Maar inmiddels zal dat vast ook met de Lancia gebeurd zijn. Het verstandigste is om de auto ergens neer te zetten nu dat nog kan. Terwijl hij het bord ROTTERDAM ALEXANDER ziet opdoemen, weet hij wat ze moeten doen.

'Hier eraf!'

Ankes ogen nemen hem in paniek op. 'Wat is er?'

'Eraf!'

Ze begrijpt het en draait naar de afslag. Hij kent het hier, ze zijn vlak bij de krant op de Martin Meesweg. Vlak bij het station Alexander: trein, metro, bussen, taxi's.

23

Muntinga weet zeker dat niemand het schot heeft gehoord. Het is vrijdagmiddag en om deze tijd is er vrij veel verkeer. Fortuyns huishoudster was al weg. De butler liet hen binnen op het moment dat hij met de Bentley de hondjes ging uitlaten in het park achter Blijdorp. De twee jonge agenten in de surveillancewagen buiten waren maar al te blij dat Dijkstra hun weekeindverlof eerder liet ingaan.

Hij kijkt tussen de schuifdeuren naar de twee mannen die in Fortuyns riante woonkamer zachtjes met elkaar overleggen. Een jonge en een oude man, zoon en vader, al zou je dat aan hun uiterlijk niet zeggen. Zoals hij daar zit, met zijn magere vogelkop opgeheven, doet de oude man wel denken aan een sjeik zoals je die vroeger in avonturenfilms zag.

Wat gaat er nu in hen om, denkt Muntinga.

In elk geval dat het afgelopen is.

Icarus.

Met Fortuyn is ook Icarus dood.

Hoe zullen de media de zelfmoord van Fortuyn brengen? Zullen ze verwijzen naar zijn vroegere psychiatrische behandelingen, waarin sprake is van suïcidale neigingen? Naar zijn verbittering, omdat zelfs hij, Pim, verregaande compromissen moest sluiten en zijn idealen nauwelijks verwezenlijkt zag? Naar de eenzaamheid van het genie, eenzaam en alleen in dit kitscherige decor? De crisis die zoveel mannen van zijn leeftijd ondergaan? Een vlaag van verstandsverbijstering?

Doet het ertoe?

Vader en zoon. Wat zullen zij gaan doen? De vader zal terugkeren in zijn veilige bestaan van welgesteld rentenierend industrieel. Net als de anderen anoniem, op de achtergrond, al zullen sommigen straks zeker aanwezig zijn op Fortuyns begrafenis in dat belachelijk pompeuze graf in Provesano. Stellig zal Wiegel daar spreken en hem de hemel in prijzen. En ongetwijfeld zal de zoon daar ook zijn, Fortuyns vertrouweling.

Hij loopt naar het grote raam dat uitzicht geeft op het bordes en de vlag met Fortuyns embleem, die straks halfstok zal wapperen.

Dijkstra zit rokend in de surveillancewagen.

Janna, denkt Muntinga. Waar is ze? Waar zit De Rooy met Anke van Dam?

Volgens een jongen van het bungalowpark was Janna daar tegen één uur met haar Lancia aangekomen. Wat later had hij de vrouw die in de bungalow woonde samen gezien met haar en een wat oudere man, toen hij gevraagd had om Evers' kever te verplaatsen. Dat is gebeurd, dat heeft hij zelf gezien. De Lancia staat er niet meer, de Peugeot van Anke van Dam evenmin. De Saab van De Rooy is enkele kilometers verderop gevonden. Hij is dus nadat hij Janna had gebeld, op de een of andere manier teruggegaan naar de bungalow. Anke van Dam moet daar later zijn gekomen, want Janna belde dat De Rooy er alleen was. Dat kan kloppen. Anke van Dam heeft de laatste vellen van Evers' brief om kwart over één vanuit het postkantoor naar Fortuyn gefaxt.

Evers. Hij moet in zijn tijd een verdomd goede ambtenaar zijn geweest. Net als Wouterse, ook al maakte die dan een fatale fout. Wouterse had willen weten wie Janna was, en was haar gevolgd naar Brasschaat. Hij moet toen geweten hebben wie de vader en de zoon zijn, maar niet dat zijn eigen superieur daar was en hem zag. Hij die niet voor niets lang geleden de Kat werd genoemd.

Wouterse heeft Evers nooit meer kunnen informeren. Hoe wist Evers het dan? Ook zijzelf moeten dus een fout hebben gemaakt. Kan Evers de moordenaar van Wouterse nog hebben opgespoord? Dat lijkt hem zeer onwaarschijnlijk, maar dan nog zou de jongen niets hebben verteld. Janna had hem dan wel zijn dossier van de dienst als beloning gegeven, maar hij moet vanzelfsprekend hebben beseft dat ze hem elk moment zouden kunnen oppakken wegens de moord op Wouterse en de zogenaamd mislukte aanslag op Fortuyn. En hoe had hij zich willen verdedigen? Dat een vrouw die zich Janna noemde hem onder druk had gezet met een moord die hij eerder had begaan?

Wouterse is dood, de jongen is dood, Fortuyn is dood.

Wat de Sjeik denkt, is als altijd een raadsel, een oude man die ooit hun leider was.

Hij schrikt op van een Caribische ringtone en ziet de zoon zijn mobiel aannemen.

'Wat?' vraagt hij en hij knikt dan heftig naar zijn vader. 'Ja. Ik heb je wel tien keer gebeld, maar je neemt niet aan. Wat? Naar Den Haag?' Hij lacht weer. 'Heel goed, ik kom daar net aan. Ik wou eigenlijk eerst naar Pim, maar dat doe ik dan morgen wel. Hij zal het wel snappen... Ja, leuk! Waar ben je nu?'

Hij fronst en roept: 'Hallo? Ben je daar nog?', schudt zijn hoofd en wil al uitschakelen, als Muntinga naast hem staat, het mobieltje pakt en intoetst. Dan vloekt hij zachtjes.

'NRC,' zegt hij. 'Ze belde je met een toestel van de redactie van *NRC Handelsblad*!'

24

'En?' vraagt Lex gespannen.

Anke schudt ongeduldig haar hoofd. 'Nee. Hij is eerst naar Den Haag. Verdomme, Lex, wat is er? Waarom moest ik hem bellen? Waarom zitten we hier überhaupt? We zijn toch al veel later! Pim vreet zich op van de zenuwen!'

Maar hij geeft geen antwoord en begint op het toetsenbord te tikken. Nerveus steekt ze een sigaret op. Waarom doet hij dat? Waarom moest ze Keje bellen? Waarom zitten ze niet in een taxi op weg naar Pim? Achter de ramen van het kantoor lopen journalisten heen en weer, ze zitten achter hun tekstverwerker of aan de telefoon, druk doende voor de krant en de bijlagen van de volgende ochtend.

'Geboren op 8 april 1966 in Wassenaar,' zegt Lex.

Verbluft kijkt ze naar de foto op het scherm van de monitor. 'Waarom doe je dat?'

Lex knikt naar de tekst eronder. 'Verhuisde op zijn achtste naar Curaçao, waar zijn vader werkzaam was voor Shell... middelbare school... blablablabla... begon in 1984 aan de studie Nederlands recht aan de Universiteit Leiden...'

'Lex, wat heeft dat ermee te maken?'

'Heb je wel eens jeugdfoto's van hem gezien?'

'Wat? Ja, maar...'

'Van toen hij daar op Curaçao zat met zijn vader en moeder?'

'Jezus, hé...'

'Anke, alsjeblieft! Ja of nee?'

'Ja, natuurlijk.'

'Ook van zijn vader?'

Ze rookt verward. Waarom wil hij dat weten?

'Ik geloof het niet.'

'Nee,' zegt Lex en hij wil ook een sigaret pakken, als zijn telefoon rinkelt. Hij neemt meteen aan, maar zegt vervolgens alleen een paar keer 'ja', krabbelt wat op een blocnote en steekt dan zijn hand op naar een jonge vrouw in de redactieruimte achter het glas, die terugzwaait en haar telefoon neerlegt.

'Er is in de maand april 1966 in Wassenaar geen geboorteaangifte gedaan voor een baby met de naam van Keje van Essen,' zegt hij en hij pakt alsnog een sigaret. 'Wel op 9 april voor een jongetje met de naam Karel Jan Mos. Karel Jan. K.J.'

Ze staart hem verbouwereerd aan.

'Vader Bastiaan Mos, toen wetenschappelijk medewerker economie aan de Universiteit van Amsterdam...'

Zijn vingers ratelen over het toetsenbord en tikken de naam Bastiaan Mos in.

De uiterlijke gelijkenis tussen de knappe veertiger op het scherm en Keje is verbluffend. Dezelfde man als op de groepsfoto, achter wiens naam tussen haakjes 'de Sjeik' staat, met een datum en een vraagteken erachter. Een jongetje dat Karel Jan heet. Totaal verward denkt Anke aan de magere man in de villa bij Brasschaat die zich als Kejes vader voorstelde. Hoe kan dat?

'... Geboren in 1934. Kwam in 1972 als referendaris op het ministerie van Volkshuisvesting,' leest Lex hardop, 'waar hij al snel naaste medewerker werd van staatssecretaris Marcel van Dam in het toenmalige kabinet-Den Uyl... In 1974 op veertigjarige leeftijd directeur-generaal Volkshuisvesting... In datzelfde jaar mogelijk betrokken bij de bouwfraude in Almere, wat nooit werd bewezen, hoewel hij niet veel later onverwacht ontslag nam en naar Curaçao verhuisde, waar hij zich vestigde als makelaar-projectontwikkelaar. Op 19 juni 1976 verdronk hij tijdens een zeiltocht in de buurt van het eilandje Isla Margarita. Mos bleek voor enkele miljoenen guldens aandelen in niet-bestaande bouwkavels en hotelondernemingen te hebben verkocht. Zijn vrouw hertrouwde enkele jaren later met de industrieel Frederik (Freddy) van Essen (zie aldaar)...'

'Zie aldaar,' herhaalt Lex en hij klikt op de naam.

Anke lacht vreemd hoog, paniekerig. 'Dan heeft Keje de naam van zijn stiefvader aangenomen! Dat is toch niet zo gek?'

'Maar wel dat hij dat nooit heeft verteld.'

'Dat kan toch? Hij kan zich toch geschaamd hebben voor zo'n vader?'

Ze hoort zelf de twijfel in haar stem.

Onder de naam Frederik (Freddy) van Essen staat geen foto, maar wel een korte tekst. Van Essen is twee jaar ouder dan Mos was. Ook hij is econoom en kwam al vroeg in dienst van Shell, maar werkte enkele jaren voor zichzelf in Venezuela, tot hij in 1979 in dienst trad bij Philips, waar hij de leiding kreeg over een samenwerkingsproject met Stork voor de ontwikkeling van militair-strategische elektronica en componenten. Hij verbleef daarvoor enkele jaren onder andere in Israël, Jordanië en Saoedi-Arabië.

'In 1996 ging hij met pensioen en leidt sindsdien een teruggetrokken bestaan met zijn vrouw in Brasschaat, België. Wel is hij een vaste gast van de zogeheten Bilderbergconferenties, vooraanstaand lid van de Orde van Vrijmetselaars, sympathisant van de Edmund Burke Stichting en naar verluidt een van de belangrijke financiers van de stichting LPF. Hij is getrouwd en heeft twee kinderen. Zijn zoon, Keje van Essen (zie aldaar), was na Mat Herben woordvoerder van Pim Fortuyn en is sinds najaar 2002 staatssecretaris in het kabinet-Wiegel-De Boer.'

'Lex, wat bezielt je? Het kom toch wel vaker...' Anke zwijgt abrupt, omdat hij haar plotseling verrast aanstaart. 'Wat? Wat is er?'

'Het bandje! Jezus, wat stom! Jij hebt dat bandje niet gehoord!'

Hij graait naar de aktetas, haalt er het recordertje uit en spoelt terug, terwijl zij hem bevreemd opneemt en pas op het moment dat hij inschakelt in paniek begrijpt wat hij bedoelt.

'Luister goed!'

Ze zit doodstil met de brandende sigaret tussen haar vingers. Zodra ze de wat vermoeide stem voor het eerst hoort, spert ze haar ogen open.

'Zet uit!'

Lex drukt op het knopje. 'Kejes vader?'

Ze knikt, ziet de magere oude man weer voor zich, die haar vrolijk begroet en lachend met haar vader naar zijn studeerkamer loopt.

'Zijn stiefvader,' zegt ze toonloos.

Lex schudt zijn hoofd. 'Dat denk ik niet. Ik denk dat het Mos is.' Hij zucht en steekt eindelijk zijn sigaret aan. 'Ik hoorde toen in '76 dat zijn hoofd en bovenlichaam zo verminkt waren door de schroef van zijn jacht dat ze het lijk kotsmisselijk in zeildoek hebben gerold en later op dat Isla Margarita hebben laten begraven. Hij liet een vrouw en twee kinderen achter.' Hij staart naar buiten, waar twee verdiepingen onder hem enkele bestelauto's van *NRC Handelsblad* achter de Lancia staan geparkeerd. 'Enkele jaren Venezuela. Of misschien ergens anders waar artsen te koop zijn.'

Hij inhaleert diep en draait zich om.

'Ik kwam erop door Evers. Hij vroeg zich af waarom Mos op dat bandje zegt dat Herben er blij mee zal zijn. Dat zegt Mos op die 6de mei. Niet veel later wordt Keje woordvoerder van Pim, en reken maar dat Herben een gat in de lucht sprong, of in de Kamer, of misschien wel in het kabinet. Woordvoerder, lieverd. En zoals jij maar al te goed weet: Pims vertrouweling, kind aan huis, zijn favoriete staatssecre...'

'Hou op! Hou verdomme op!'

Hij zwijgt even. Zegt dan: 'Sorry.'

De sigaret trilt tussen haar vingers. 'Wat deed hij daar dan? Wat wil hij?'

'Niet alleen hij. Evers heeft het niet voor niets over een groep. Opnieuw Icarus, schrijft hij. De macht, lieverd. Via Fortuyn, democratisch gekozen en...'

Hij schrikt. Achter de Lancia is een politiewagen gestopt. Een lange blonde man stapt als eerste uit en even denkt hij dat het Keje is, maar ziet dan dat hij zich vergist. Daarna ziet hij ook Muntinga uitstappen. Hoe weten ze dat zij hier zijn?

'De stukken,' zegt hij schor; hij pakt de tas en duwt die naar haar toe. 'Neem ze mee! Je kunt via de achterkant naar buiten! Het station is niet ver, neem een taxi!'

'En jij dan?'

'Ik?' Hij grijnst even. 'Ik zit hier op mijn plek aan de reisreportage over staatssecretaris Van Essen te werken. Kom op!'

Ze holt met de tas het kantoor uit, langs de bureaus naar de gang, en hij wil alweer naar buiten kijken, als hij ziet dat ze geschrokken stilstaat wanneer een man aan een telefoon iets roept. Een fractie van een seconde lijkt het alsof hij niet naar een drukke redactieruimte, maar naar een foto ervan kijkt; daarna begint iedereen te praten en te gebaren. Verwonderd staat hij op als Anke lijkbleek terug komt hollen en met overslaande stem roept dat Pim dood is.

Hij staat als bevroren, hoort het nauwelijks, tot zij hem vastpakt en het huilend herhaalt.

'Hoe?'

'Ik... Ik weet het niet... O god, wat verschrikkelijk! Pim!' Ze klemt zich tegen hem aan en als vanzelf slaat hij een arm om haar heen. Een aanslag, flitst het door zijn hoofd. Moord? Muntinga?

Iemand heeft een televisie aangezet. De hakkelende stem van Philip Freriks op vol volume onder een beeldvullende foto van Fortuyn: '... zou het zelfmoord zijn. Zijn tut... pardon, zijn butler vond hem in zijn werkkamer aan zijn bureau met een pistool naast zich. Gegeven de strenge veb... beveiliging is het uitermate onwaarschijnlijk dat iemand...'

'Mevrouw Van Dam? Meneer De Rooy?'

Muntinga en de lange blonde man lopen het kantoor binnen. Muntinga's mond glimlacht, maar zijn donkere ogen lijken gefixeerd op de tas naast Ankes voeten. De lange blonde man trekt de glazen deur achter zich dicht.

Lex pakt de tas op. 'Hebben jullie hem vermoord?'

'Pardon?' vraagt de lange blonde man. 'Wie bedoelt u?'

'Fortuyn! Geef me één reden waarom hij zelfmoord zou plegen!'

Muntinga's glimlach verandert niet. 'Die houdt u vast, meneer De Rooy. En als u verstandig bent, laat u hem los en geeft u hem aan mij.'

Lex grijnst nerveus. 'Muntinga, of hoe je ook heet, je wilt me toch niet vertellen dat je me hier gaat arresteren, terwijl er zo'n veertig redacteuren toekijken die dolgraag willen weten wat Icarus is en waarom Fortuyn door jullie werd gechanteerd?'

Muntinga schudt kalm zijn hoofd. 'Dat hoeft niet, meneer De Rooy. Als u zo goed wilt zijn uit het raam te kijken?'

Lex knijpt zijn ogen samen. Anke kijkt hem met betraande schrikogen aan. Dan klemt hij de tas tegen zich aan en doet twee stappen naar het raam toe.

Het dringt nog niet tot hem door wie de jonge vrouw is die vanachter het geopende raampje van de surveillancewagen bleek naar hem opkijkt, tot Muntinga vriendelijk zegt: 'U zou toch niet willen dat mevrouw Spaans opnieuw iets overkomt, wel?'

Lex zwijgt en hoort de opgewonden stemmen in de redactieruimte nauwelijks.

'Wie was Janna?'

'Was?' vraagt Muntinga toonloos.

Lex draait zich om. 'Ja.'

Maar Muntinga kijkt naar het scherm van de monitor, waarop de tekst van Wikipedia over Frederik van Essen nog staat.
'Hij heeft twee kinderen,' zegt Muntinga. 'Ook dat moet dus verleden tijd zijn.'

25

Op 6 mei, een stralende voorjaarsdag, wordt het lichaam van Fortuyn herbegraven in zijn definitieve graf op de kleine begraafplaats van Provesano. In tegenstelling tot zijn eerste begrafenis, in een tijdelijk graf op Driehuis-Westerveld, niet ver vanwaar hij als jongetje opgroeide, staan er maar weinig mensen bij de pompeuze, spiegelend witte tombe. Van het kabinet zijn er nu geen vertegenwoordigers. Fortuyns naaste familie, enkele vrienden en zijn butler Herman staan vooraan, naast de kleine pastoor die de tombe zegent. Herman huilt en heeft de beide hondjes in zijn armen. Wat verder naar achteren staat een groep mannen en vrouwen die overduidelijk Nederlanders zijn. Zwijgend houden ze een spandoek op met de tekst: 'Pim was de grootste Nederlandse democraat!' Wouke van Scherrenburg staat roerloos en blootshoofds met een microfoon wat apart onder de brandende zon, en de uitdrukking op haar gezicht verraadt dat zij daar heel anders over denkt.

Lex zet de cola neer voor Tessel en schenkt twee glazen witte wijn in op het salontafeltje.

'Waarom zou hij nou zelfmoord hebben gepleegd?' vraagt Tessel aan Anke. 'Jij kende hem toch goed? Heeft hij het daar ooit met je over gehad?'

Anke schudt haar hoofd. 'Nee, nooit.' Ze pakt haar glas en neemt een slokje. 'Misschien dat Bart erachter komt voor die dvd, maar ik wil het ook niet weten.'

Lex glimlacht en slaat een arm om haar heen. Op de televisie klinkt het laatste, onvoltooide requiem van Mozart, terwijl de camera omhoogglijdt, de wolkeloze lucht in naar de zon.

'Wat gaan we doen?' vraagt Wouke van Scherrenburg. 'Eerst

terug naar jou in Rotterdam, Ferry, of probeer ik Marten of Simon Fortuyn nu?'

'Oké,' zegt Lex; hij pakt de afstandsbediening en klikt het beeld uit. 'Hoe laat komt Soemeya ook alweer aan met de boot?'

'Pap, hoe vaak heb ik je dat nou al verteld? Om halfzes!'

'Prima. En zij en haar broer zijn nog nooit eerder op Terschelling geweest?'

'Nee.'

'En die Tom is hoe oud?'

'Zestien.'

'Je bloost,' zegt Lex. 'Waarom?

'Hé, Lex,' zegt Anke. 'Hou op zeg! Wat deed jij toen je zestien was? Of is dat te lang geleden?'

Tessel grinnikt. 'Uitgedist, ouwe zak!'

'Papa, telefoon! Papa, telefoon!'

Lex vloekt en haalt de mobiel uit zijn borstzak.

'Lex de Rooy.' Hij luistert zwijgend, grijnst ongelovig en beduidt dan dat Anke zijn glas opnieuw moet volschenken.

'Fantastisch,' zegt hij. 'Eindelijk loon naar werken! Doe ze de groeten, en ik zie jullie volgende week.'

Hij schakelt uit en pakt zijn glas.

'Wat was dat?' vraagt Anke nieuwsgierig.

'Genomineerd voor de Zilveren Camera,' zegt hij. 'Foto van Jan Peter Balkende van afgelopen zomer in de schaduw van Fortuyns borstbeeld.'

Epiloog

Het kabinet-Wiegel-De Boer kwam in juni 2003 ten val, nadat de VVD-fractie het vertrouwen in coalitiegenoot LPF had opgezegd vanwege het bekend worden van malversaties en fraude van de LPF-ministers De Fraiture en Theunissen.

Bij de verkiezingen eind september bleek hoezeer de LPF haar eerdere formidabele succes uitsluitend te danken had aan Pim Fortuyn. Onder de nieuwe lijsttrekker Mat Herben behaalde de partij nog maar negen zetels. Ook de VVD verloor fiks, ook al doordat Hans Wiegel te kennen had gegeven niet meer beschikbaar te zijn.

Na ruim drie maanden, begin januari 2004, trad het kabinet-Balkenende aan, een coalitie van CDA en PvdA. Nog geen jaar later was vrijwel alle beleid van het vorige kabinet verleden tijd en was de LPF volgens de peilingen van het NIPO en Maurice de Hond gereduceerd tot twee zetels, hoewel er direct na de moord op Theo van Gogh, 2 november van dat jaar, even een kleine opleving werd gesignaleerd.

Ook de langverwachte biografie met dvd van Pim Fortuyn kreeg nauwelijks aandacht en lag nog geen twee maanden na verschijning als speciale aanbieding bij De Slegte.